nouvelle édition
revue et augmentée

HISTOIRE DU mouvement ouvrier AU QUÉBEC

150 ans de luttes

une coédition

Centrale
de l'enseignement
du Québec

TABLE DES MATIÈRES

UN TRAVAIL COLLECTIF

Cet ouvrage est le fruit d'un travail collectif. Il a été réalisé par un comité mis sur pied à l'initiative du service de formation de la CSN et de l'équipe centrale de formation de la CEQ. Il est, en fait, le résultat d'une mise en commun des travaux de recherche effectués sur le mouvement ouvrier par les personnes suivantes:

- Béatrice CHIASSON, de la CEQ;
- Michel DORÉ, de la CSN;
- Hélène DAVID, sociologue et chercheure à l'Institut de recherche appliquée sur le travail (IRAT);
- Louis FOURNIER, journaliste, responsable de l'information au Fonds de solidarité des travailleurs du Québec (FTQ), qui a assuré la rédaction de l'ouvrage;
- Jean-Marc MONTAGNE, professeur d'histoire au cégep Lionel-Groulx de Sainte-Thérèse;
- Hélène PARÉ, chercheure en histoire;
- Stanley-Bréhaut RYERSON, historien et professeur à l'Université du Québec à Montréal;
- Céline SAINT-PIERRE, sociologue et professeure à l'Université du Québec à Montréal.

Plusieurs personnes-ressources ont par ailleurs été consultées tout au long de ce travail. Notre équipe tient à remercier notamment tous ceux et celles qui ont participé aux comités de lecture formés par la CSN et la CEQ à cette occasion et qui nous ont grandement aidés de leurs suggestions et commentaires. Plus particulièrement, nos remerciements à Guy Brouillette de la CEQ qui a assuré la coordination de la recherche photographique et de la réalisation graphique.
La CSN et la CEQ publient cet ouvrage parce qu'elles considèrent qu'il s'agit d'une contribution majeure à la connaissance de l'histoire des travailleuses et des travailleurs du Québec. Cela n'implique pas qu'elles en partagent toutes les interprétations et analyses. Mais elles croient que ce travail suscitera chez les militantes et militants un vif intérêt pour l'histoire du mouvement ouvrier.

PRÉFACE

L'ouvrage que vous avez entre les mains a aussi une histoire que nous voulons vous raconter brièvement.

Publié pour la première fois en février 1979, c'était le premier livre du genre au Québec. Il répondait sûrement à un grand besoin puisqu'il s'en est vendu au-delà de 15 000 exemplaires.

Résultat d'une initiative conjointe des services de formation de la *Confédération des syndicats nationaux* (CSN) et de la *Centrale de l'enseignement du Québec* (CEQ), il s'agissait de la première tentative visant à raconter simplement une histoire extraordinaire que nous connaissons bien peu et bien mal: l'histoire des travailleuses et des travailleurs du Québec ainsi que du mouvement ouvrier qu'ils ont contribué à bâtir, depuis plus de 150 ans, par leurs luttes.

Notre histoire nous a été racontée presque uniquement du point de vue de la classe dominante, de la bourgeoisie. Nous avons donc voulu l'écrire — la réécrire — à partir des luttes menées par la classe ouvrière et ses organisations, telle qu'elle a été vécue par celles et ceux qui, en définitive, ont construit ce pays de leur labeur.

Le mouvement ouvrier englobe généralement l'ensemble des organisations que se donne la classe ouvrière (syndicats, partis politiques, coopératives, groupes populaires, etc.). Nous avons mis l'accent sur l'histoire du mouvement syndical car c'est à travers lui que la classe ouvrière s'est manifestée avec le plus de force et de la façon la plus articulée au Québec.

Une première esquisse

Cette *«Histoire du mouvement ouvrier au Québec: 150 ans de luttes»* a été qualifiée de «première synthèse digne de ce nom publiée en langue française au Québec» et de «publication importante dans la mesure où elle constitue le premier effort sérieux pour développer une conscience historique chez les militants syndicaux» (Fernand Harvey, «Le mouvement ouvrier au Québec», Boréal Express, 1980).

Cet ouvrage n'était pourtant qu'une première esquisse, un manuel sans prétention bâti à partir des recherches et travaux existants et forcément parcellaires. Ce n'était donc qu'un point de départ. Mais il nous a paru urgent et indispensable de franchir ce premier pas étant donné l'immense vide en ce domaine au Québec, notamment lorsqu'il s'agit d'assurer la formation des militantes et militants des syndicats. Ce travail préliminaire, écrivions-nous, doit être complété par les recherches, témoignages, analyses, suggestions, voire corrections que pourront fournir nos lectrices et lecteurs. Notre contribution sera surtout utile si elle stimule des recherches nouvelles.

Or, depuis cinq ans, les recherches se sont multipliées sur l'histoire du mouvement ouvrier au Québec. Il n'est pas exagéré de dire qu'on a assisté en ce domaine à un véritable déblocage, ainsi qu'en témoigne la bibliographie sommaire publiée en annexe. Des aspects méconnus de notre histoire ont refait surface et l'état de nos connaissances s'en est trouvé grandement amélioré.

Une nouvelle édition

C'est en mettant à profit ces recherches et les nombreuses suggestions qui nous ont été faites que nous avons préparé cette deuxième édition, revue et augmentée, de l'«Histoire du mouvement ouvrier au Québec». *Il s'agit, en fait, d'une nouvelle édition,* qui contient une quantité considérable d'éléments nouveaux et souvent même inédits. L'ouvrage se termine vers la fin des années soixante-dix (généralement 1977), l'histoire récente étant trop proche de nous pour en faire une synthèse appropriée.

Nous avons porté une attention spéciale aux domaines suivants: la condition ouvrière (conditions de vie et de travail), c'est-à-dire la vie quotidienne des travailleuses et des travailleurs; la condition spécifique des travailleuses — qui a fait l'objet de multiples recherches depuis quelques années; les gains et les conquêtes du mouvement ouvrier à chaque époque dans les conventions collectives et les législations, en soulignant constamment le rôle des luttes syndicales dans l'obtention de ces gains. Nous avons tenu compte également des travaux récents sur le mouvement syndical, en particulier sur les syndicats internationaux (nord-américains) et sur les syndicats nationaux et catholiques. Nous avons signalé un plus grand nombre de luttes et de grèves et les gains auxquels elles ont donné lieu.

En somme, nous avons tenté, dans la mesure de nos moyens, de réaliser une nouvelle synthèse, plus complète et plus vivante, de l'histoire du mouvement ouvrier québécois. Mais, faut-il le souligner, ce travail reste inachevé. Il faudra certes encore le compléter à mesure que nos connaissances progresseront.

Nous aurons fait oeuvre utile si cet ouvrage donne le goût de mieux connaître et approfondir une histoire qui reste encore, par tant d'aspects, trop méconnue. Il faut absolument que le mouvement ouvrier québécois retrouve la mémoire collective de ses actions et luttes passées, cette mémoire qui permet de mieux continuer le combat, aujourd'hui, en tirant les leçons des combats d'hier.

INTRODUCTION

aux origines du mouvement ouvrier

C'est au 19e siècle qu'a débuté le grand mouvement de migration des campagnes vers les villes. Près de 40% de la population du Québec vit dans un milieu urbain vers 1900, plus de la moitié vers 1920. Contrairement à certains mythes qui auront la vie dure, le Québec, dès cette époque, est donc loin d'être une société rurale.

Plus qu'un simple déplacement de la campagne à la ville, ce mouvement a marqué un «grand dérangement» au niveau de la société même. Les gens qui sont partis en ville ont quitté le milieu rural où prédominait la petite production individuelle, agricole ou artisanale, pour aller chercher un travail très différent, fondé sur des rapports de production collectifs. C'est ainsi que s'est formée la classe des travailleuses et des travailleurs salariés — la classe ouvrière, le prolétariat — face à une classe d'employeurs, de patrons — la bourgeoisie.

Si les travailleuses et les travailleurs se sont retrouvés en ville, occupant un emploi salarié, ce fut là une des conséquences de l'industrialisation et du développement du capitalisme.

La «révolution industrielle»

Que s'est-il passé? Rien de moins que la révolution dite industrielle, qui commence au Québec au 19e siècle. Cette révolution bouleverse profondément tous les rapports de travail, de propriété et de pouvoir dans la société.

À l'outil simple du petit producteur artisanal se substitue peu à peu la machine actionnée par la puissance hydraulique, la vapeur, l'électricité. Le marteau et l'enclume du forgeron de village deviennent, en quelque sorte, l'usine sidérurgique où travaillent des centaines, des milliers de métallos.

Les travailleuses et les travailleurs mettent en marche le monstre mécanique et produisent à une échelle colossale; mais ni les machines, ni le produit ne leur appartiennent. Le rapport de propriété, correspondant aux nouveaux rapports de travail, est celui du capital privé, de l'entreprise privée et du profit privé.

Le capitalisme

La nouvelle classe des capitalistes se forme à partir de deux groupes dominants.

D'une part, il y a ceux qui se sont enrichis par le commerce, grâce surtout au colonialisme. C'est le cas des marchands anglais installés à Montréal et à Québec après la Conquête et qui ont fait fortune dans la traite des fourrures et le commerce du bois avec l'Angleterre.

D'autre part, certains maîtres-artisans arrivent à transformer leur petit atelier en fabrique dotée de machines. Par exemple, en 1829, à Québec, oeuvrait l'ébéniste-artisan J.O. Vallières. Une trentaine d'années plus tard, c'est son fils, Philippe, qui dirige la petite entreprise devenue une fabrique de meubles employant une soixantaine d'ouvriers. Dans sa publicité, la compagnie se décrit comme une «Cabinet and Chair Steam Factory». L'utilisation de la vapeur (et le recours à l'anglais) semble certifier son accession au statut d'entreprise capitaliste. L'ancien petit producteur individuel a été remplacé par le capitaliste propriétaire et employeur, d'un côté, et par les salariés de l'autre.

De ce genre de transformations des rapports sociaux et du mode de production, on a pu déduire l'argument radicalement critique que proposa en 1913 un socialiste québécois qui signa «Jean Valjean II»:

«Rendre collective la propriété des instruments de travail, ne serait-ce pas faire subir au mode de les posséder la même transformation qu'ils ont subie eux-mêmes? Ne serait-ce pas adapter l'organisation économique à la nature des choses? Quand le cordonnier n'avait pour outils qu'un couteau et une alêne, et qu'il faisait seul, de ses propres mains, une paire de chaussures, c'eût été aller contre la nature des choses que de vouloir rendre ces instruments de travail individuels et ce produit du travail individuel propriétés collectives: maintenant que le couteau et l'alêne ont été remplacés par une série de machines qui ne peuvent être utilisées que par une collectivité, et que les chaussures sont un produit du travail collectif, c'est également aller contre la nature des choses que de maintenir la propriété individuelle d'autrefois quant à ces instruments de travail collectif. De même aussi qu'il était traditionnel que le cheval et la charette, moyens de transport utilisés par un seul homme, fussent la propriété individuelle de cet homme, il serait rationnel que le chemin de fer du Pacifique, qui est utilisé par la nation entière et qui a besoin du concours de cent mille personnes pour être mis en opération, fût la propriété de la nation. Aussi, voyons-nous ce système contre nature produire des effets contre nature. N'est-ce pas, en effet, une monstruosité de voir mille personnes, hommes, femmes et enfants, produisant par leur travail combiné assez de richesses pour procurer à chacun d'eux l'abondance, la sécurité et la paix, ne prendre de cette richesse que de quoi subsister misérablement, au jour le jour, et seulement pendant la durée de leur travail, afin d'accumuler entre les mains d'un seul ou de quelques-uns des monceaux de richesses qu'ils sont incapables d'utiliser, et qui ne servent qu'à leur procurer le moyen d'accroître encore cette richesse inutile.»

Marché et force de travail

Au marché d'esclaves de l'antiquité s'est substitué, dans la société moderne, le marché du travail. «Le travail est la marchandise que le pauvre apporte sur le marché»; cette remarque apparaît dans le rapport du Comité parlementaire britannique sur l'Émigration, en 1827.

Cette marchandise qu'est la force de travail possède une qualité assez particulière: elle est créatrice de richesses ou de valeurs nouvelles. La force de travail ajoute une valeur (valeur ajoutée) aux coûts des matières premières, de l'usure des machines, de l'énergie utilisée, etc... Or le salaire, qui est le prix payé pour obtenir la force de travail, est toujours très inférieur à la valeur ajoutée. C'est cette différence, cette plus-value, qui est à l'origine du profit capitaliste.

Le taux d'exploitation est d'autant plus grand que les salaires, c'est-à-dire le travail payé, sont bas par rapport au travail non payé (plus-value). Et cette exploitation est accentuée, entre autres, par la durée du travail et l'accélération des cadences. Plus le travail se prolonge au-delà des quelques heures correspondant au «coût de production» de la marchandise-force de travail, plus l'exploitation de la main-d'oeuvre est accrue.

Aux efforts des patrons, qui cherchent à accentuer l'exploitation, s'opposent les mouvements en faveur de la journée de dix, neuf, huit heures. La lutte pour la réduction de la journée de travail, et contre l'intensification des cadences, a pour but de freiner l'exploitation. Aussi les premières luttes ouvrières porteront-elles sur les niveaux des salaires et la durée du travail.

Le mouvement ouvrier

De la contradiction fondamentale entre la course aux profits du capital et la résistance opposée par les travailleuses et travailleurs — contradiction insoluble dans le cadre du système capitaliste — découle le conflit historique qui fait naître le syndicalisme et le mouvement en faveur d'une action politique ouvrière indépendante. Aux forces coalisées du patronat vont répondre la solidarité des travailleuses et des travailleurs et la force du mouvement ouvrier qu'ils vont bâtir.

CHAPITRE 1

le dix-neuvième siècle

1. L'ÉCONOMIE

C'est au cours du 19e siècle que s'est effectué, en Amérique du Nord, le début du passage d'une société agricole et rurale à une société industrielle, capitaliste et urbaine.

Dans le cas du Québec, qui est devenu une colonie anglaise par suite de la Conquête de 1760, l'industrialisation et l'expansion du capitalisme se doublent d'une domination étrangère aux dépens de la communauté canadienne-française. C'est cette situation que résume Lord Durham dès 1839, dans son célèbre Rapport aux autorités coloniales, lorsqu'il écrit en parlant du Bas-Canada (le Québec): «La grande masse de la population ouvrière est française mais elle est employée par des capitalistes anglais».

Un Québec plus urbain

De 1850 à 1900, la population du Québec s'accroît de 890 000 à 1 650 000 personnes, en raison de la très forte natalité dans les familles canadiennes-françaises et d'une immigration anglophone importante — et malgré l'exode d'un demi-million de francophones aux États-Unis. Environ 80% de la population est de langue française. Le Québec compte un peu plus de 30% de la population du Canada en 1900, comparé à la moitié vers 1850.

En même temps, le pays s'urbanise. Au milieu du 19e siècle, à peine 15% des gens vivaient dans les villes. En 1900, près de 40% de la population québécoise habite dans un milieu urbain — mais moins du tiers des francophones, qui sont moins urbanisés.

Vers 1850, la première ville et le premier port est Québec, dont la moitié des habitantes et habitants sont alors anglophones. Dix ans plus tard, elle est supplantée par Montréal qui devient aussi, vers 1870, la métropole commerciale et financière du Canada. C'est aussi l'époque où la population de langue française y devient majoritaire. En 1900, la métropole compte 275 000 personnes comparé à 70 000 pour Québec.

Si le Québec commence à devenir plus urbain, c'est là un des effets de l'industrialisation et du développement du capitalisme.

L'industrialisation

Par son appartenance à l'Empire britannique et du fait de la proximité géographique des États-Unis, le Canada amorce son industrialisation en s'appuyant sur les ressources technologiques et économiques des deux principaux pays moteurs de la révolution industrielle.

L'industrialisation s'effectue sous la direction de la bourgeoisie anglo-canadienne naissante, enrichie depuis la Conquête par la traite des fourrures et le commerce du bois avec l'Angleterre. Concentrée à Montréal, cette bourgeoisie maintient des liens étroits avec la bourgeoisie britannique; elle en développera de nouveaux, vers la fin du 19e siècle, avec les capitalistes américains en pleine expansion. Elle domine le secteur financier depuis la création en 1817 de la première banque canadienne, la Banque de Montréal, et fonde en 1874 la Bourse de Montréal.

À un niveau beaucoup plus restreint, on assiste à l'émergence d'une bourgeoisie canadienne-française, formée surtout de marchands et d'entrepreneurs, qui participe de façon plus limitée à la direction de l'économie.

Les premières industries

Les débuts de l'industrialisation au Québec remontent à l'exploitation forestière.

Une équipe de cajeux chez Bouth en train de casser la croûte, 1880.
Asticon, cahier no 13.

Le port de Montréal vers 1880.
Archives nationales du Québec, collection initiale.

Depuis le début du siècle, la région de l'Outaouais est le grand centre d'abattage du bois. Chaque année, des centaines de navires anglais viennent au port de Québec pour chercher le bois que les «raftsmen» (hommes de cage) ont descendu en cageux sur le fleuve Saint-Laurent. Les camps de bûcherons, la drave et les scieries emploient une abondante main-d'oeuvre canadienne-française provenant des campagnes, aussi bien que des immigrants de fraîche date. Le traité de Réciprocité avec les États-Unis (1854) stimule la production de bois de sciage pour l'exportation et la construction de scieries mécanisées.

La construction de navires de bois dans le chantier maritime de Lévis.
Archives nationales du Québec, collection Livernois.

La plus grande concentration industrielle de l'époque est celle des chantiers maritimes de Québec, qui construisent des navires en bois et emploient des milliers d'ouvriers.

Entre 1840 et 1850, l'Angleterre abandonne son cadre économique colonial traditionnel qui faisait du Canada un simple exportateur de matières premières (bois, produits agricoles) achetant en retour des produits manufacturés importés de Grande-Bretagne et des États-Unis. Ce changement dans les rapports entre la métropole et sa colonie va favoriser le développement de l'industrie québécoise.

À partir de 1840, les ateliers, les manufactures se multiplient, quelques usines surgissent, surtout aux abords du canal Lachine près de Montréal, berceau de l'industrie au Canada. En 1850, l'industrie manufacturière et la construction (le secteur dit secondaire de l'économie) occupent près de 10% de la main-d'oeuvre au Québec.

Travaux d'élargissement du Canal Lachine à la fin du 19e siècle.
Archives publiques du Canada.

L'industrialisation s'accentue dans les années 1850-1870 avec les progrès de la mécanisation. Dès cette époque, Montréal et le Québec se spécialisent dans l'industrie légère, c'est-à-dire les manufactures de biens de consommation qui emploient une main-d'oeuvre abondante et à bon marché («cheap labor»): cuir et chaussure, textile et vêtement, tabac, alimentation, meuble.

Quant à l'industrie lourde naissante, elle se concentre dans la production du matériel roulant de chemins de fer.

Les chemins de fer

La première étape de l'industrialisation coïncide avec la vaste entreprise de construction du réseau des chemins de fer — et des canaux de navigation —

Préparation du terrain avant l'installation de la voie ferrée.
Archives publiques du Canada.

bâtis par des milliers de travailleurs. Ce réseau, en développant les transports et les communications, contribue à transformer toute l'économie. Il forme la base d'un marché économique canadien où les produits circulent davantage, permettant ainsi à la bourgeoisie d'étendre son marché et sa domination. Les chemins de fer sont aussi le point d'ancrage de la fédération politique — la Confédération — qui marque la naissance du Canada moderne en 1867.

Pose d'un rail de chemin de fer.
Archives publiques du Canada.

Déjà, à partir de 1820, de grands travaux de canalisation avaient prolongé la navigation sur le Saint-Laurent vers les Grands Lacs, grâce au creusage des canaux de Lachine et Beauharnois près de Montréal. Puis la bourgeoisie anglo-canadienne, soutenue par les capitaux britanniques, entreprend la construction des grandes lignes de chemins de fer comme le Grand Tronc — qui sera nationalisé pour former le Canadien National en 1919 — l'Intercolonial et le Canadien Pacifique.

Les premières lignes ferroviaires relient la région de Montréal au Haut-Canada (Ontario) et aux États-Unis. En 1860, on complète la ligne Montréal-Québec-Rivière-du-Loup. D'autres voies s'enfonceront dans les régions d'exploitation forestière et de colonisation comme celle du «P'tit train du Nord» du curé Labelle, de Saint-Jérôme, et le chemin de fer du Lac Saint-Jean, dans les années 1880. Le réseau ferroviaire jouera un rôle moteur dans l'industrialisation du Québec, mais encore plus dans celle de la province anglophone voisine de l'Ontario où le réseau est deux fois plus étendu et où se concentre peu à peu l'industrie lourde.

La construction du réseau se poursuit d'est en ouest. Le gouvernement canadien octroie d'immenses territoires et des subventions généreuses au Canadien Pacifique qui termine, en 1885, la construction du premier chemin de fer transcontinental, reliant Montréal à Vancouver. Le marché canadien a ainsi une ouverture sur le Pacifique et sur l'Atlantique (provinces maritimes).

Les compagnies ferroviaires sont les plus gros employeurs à Montréal. Vers la fin du siècle, plus de 3 000 travailleurs sont employés à la fabrication et à la réparation de locomotives et de wagons aux ateliers du Grand Tronc, à la Pointe Saint-Charles, et aux usines («shops») Angus du Canadien Pacifique, dans l'est de la ville.

La «National Policy»

Si le Canada est en grande partie la résultante de l'expansion des chemins de fer, il s'est aussi bâti sur une politique économique protectionniste: la «National Policy» (la «Politique nationale»).

La «National Policy» se met en place, à compter de 1879, à la suite d'une crise économique marquée par le «dumping» au Canada de produits américains, c'est-à-dire l'entrée de produits vendus à des prix plus bas qu'aux États-Unis. Le gouvernement canadien décide alors d'imposer des tarifs douaniers élevés sur les produits importés, afin de favoriser les industries manufacturières locales. L'État veut ainsi protéger la bourgeoisie contre la concurrence et la croissance prodigieuse des États-Unis qui, depuis le milieu du siècle, attirent des milliers de travailleuses et travailleurs outre-frontières. Les capitalistes américains réagiront en implantant au Canada et au Québec des filiales d'entreprises contrôlées aux États-Unis.

Dans l'immédiat, le «National Policy» favorise l'essor du capitalisme et le Québec connaît sa première grande phase d'industrialisation. Les industries qui fournissent le plus d'emplois, en 1890, sont les suivantes: scieries et meuble (18 000), tanneries et chaussure (13 000), vêtement (12 000), produits du fer (9 600), aliments et boissons (8 400), équipement de transport (6 300), textile (5 500), tabac (4 000), pâtes et papiers (2 500).

C'est dans les années 1880 que s'implante vraiment l'industrie du textile qui deviendra, aux débuts du 20e siècle, le plus gros employeur après l'industrie du bois. Aux filatures de coton plus anciennes comme celles de Hochelaga, Valleyfield, Sherbrooke s'ajoutent de nouveaux «moulins» en Estrie (Magog, Coaticook), à Québec (Montmorency) et surtout dans la région de Montréal (Saint-Henri, Saint-Hyacinthe, Chambly, Lachute, etc.).

Travailleuses et travailleurs du vêtement en 1925.
Archives nationales du Québec, collection Fernand Pouliot.

De même, dans les années 1880, prend naissance l'industrie moderne des pâtes et papiers qui sera à la base de l'expansion industrielle du début du 20e siècle. L'industrie métallurgique (fonderies, laminoirs) fait également des progrès, parallèlement à la fabrication de matériel ferroviaire. La production est à la hausse dans les fabriques de tuyaux, de chaudières, de clous et d'outils. La plus importante entreprise du genre, la Montreal Rolling Mills — qui deviendra la Stelco —, emploie quelque 1 000 ouvriers.

Pourtant, en raison de la faiblesse de son industrie lourde, le Québec s'industrialise plus lentement que l'Ontario et la Nouvelle-Angleterre. Il exporte de plus en plus de matières premières (bois, minerai) et importe en retour des produits manufacturés.

Les villes industrielles

Montréal, plaque tournante du réseau des chemins de fer et terminus de la navigation, compte plus de la moitié des industries québécoises dans les années 1880, comparé à moins de 10% pour Québec. En plus de dominer dans la construction de matériel roulant de chemins de fer, la métropole se spécialise dans les industries légères. Elle est en tête pour la chaussure et le cuir, le textile et le vêtement, le tabac et l'alimentation (minoteries, raffineries de sucre, salaisons, conserveries, brasseries). Montréal domine nettement l'activité économique au Canada.

De son côté, la ville de Québec croît lentement. Elle voit même décliner, vers la fin du siècle, sa première industrie, la construction de vaisseaux en bois, supplantée par la fabrication de navires à coque de fer ou d'acier. La ville se tourne vers les industries légères comme le cuir (tanneries et chaussure), la confection et le bois (scieries, meubles).

D'autres régions et villes se développent; l'Estrie (textiles, mines d'amiante à Thetford après 1880), l'Outaouais (scieries à Hull et sur la Gatineau), Trois-Rivières, ainsi que les villes environnant Québec (Lévis, Montmorency) et surtout Montréal (Valleyfield, Saint-Hyacinthe, Sorel, Saint-Jean, Saint-Jérôme, Joliette).

Mi-prolétaires, mi-paysans

En dépit de leur essor, les villes du Québec ne sont pas en mesure d'absorber les familles entières qui doivent quitter la campagne, dans la deuxième moitié du 19e siècle, à cause du surpeuplement dans les régions cultivables et de l'appauvrissement des sols.

Parmi ces familles, on en trouve beaucoup qui sont contraintes de déménager dans les régions de concessions forestières et de colonisation comme le Saguenay, le Lac Saint-Jean, la Mauricie, les Laurentides, l'Outaouais et les Bois-Francs. Les terres de ces régions étant souvent peu propices à la culture à cause du climat et du sol rocailleux, ceux qu'on appelle les «colons» partis défricher les «Pays d'En-Haut» sont non seulement des paysans mais des prolétaires qui vivent aussi du travail saisonnier dans l'industrie forestière.

Les hommes travaillent l'hiver à l'abattage du bois dans les chantiers et dans les scieries durant l'été. En fait, ils vivent surtout des gages payés dans les chantiers. Le salaire est souvent versé sous forme de «pitons», c'est-à-dire de coupons échangeables seulement dans les magasins des compagnies forestières. Comme ce revenu reste insuffisant, la petite production agricole se maintient malgré l'entrée en scène de l'industrie forestière capitaliste.

Ce régime d'exploitation permet aux «Lumber Lords» tels William Price dans le Saguenay, les Gilmour dans l'Outaouais, les Hamilton dans la vallée de la Chaudière, d'accumuler en peu de temps d'énormes profits.

Des travailleurs forestiers dans leur «camp», à Ste-Agathe.
Archives publiques du Canada, collection Osias Renaud.

Quant à l'agriculture québécoise en général, dans le dernier quart du siècle, elle se tourne vers l'industrie laitière qui devient l'épine dorsale de l'économie agricole, comme c'est encore le cas aujourd'hui. Les fabriques de beurre et de fromage prennent un essor considérable.

L'exode aux États-Unis

Pour les familles qui ne trouvent ni terre à la campagne — pas même une «terre de roches» — ni emploi à la ville, il n'y a qu'une solution: partir du Québec et émigrer aux États-Unis ou ailleurs au Canada.

De 1840 à 1930, on estime que plus de 900 000 Québécoises et Québécois ont dû quitter le pays. L'immense majorité s'en vont en Nouvelle-Angleterre peupler les centres manufacturiers du New Hampshire, du Massachusetts, de l'État de New York et les camps forestiers du Vermont et du Maine. On s'exile pour travailler comme main-d'oeuvre à bon marché («cheap labor»), trop heureux de trouver de l'ouvrage dans les manufactures de textiles et de chaussures qui offrent du travail à tous les membres d'une famille.

Qui d'entre nous n'a pas un lointain parent qui est allé gagner sa vie à tisser («weaver») dans les «factories de coton» (filatures) et qui est devenu Franco-Américain? Les Canadiens français forment près de la moitié des travailleuses et des travailleurs dans les filatures de la Nouvelle-Angleterre à la fin du siècle.

L'exode des Québécoises et des Québécois les conduit également dans les villes forestières et minières du Nord de l'Ontario, au Manitoba, dans les Maritimes et jusque dans l'Ouest canadien.

La domination étrangère

Toute cette période des débuts de l'industrialisation est marquée par une forte dépendance à l'égard du capital britannique. La bourgeoisie anglaise investit massivement, surtout sous forme d'obligations, dans les entreprises lancées par la bourgeoisie anglo-canadienne et le gouvernement du Canada. C'est ainsi, par exemple, que sont financés les canaux et les chemins de fer. En 1900, 85% des capitaux étrangers investis au Canada sont d'origine britannique.

À la même date, près de 15% des investissements étrangers viennent des États-Unis. Le «Big Business» américain s'implante par l'entremise de filiales contrôlées entièrement ou majoritairement par des sociétés des États-Unis. C'est le cas, peu à peu, dans l'industrie forestière et les mines, où la demande américaine en matières premières va de pair avec des investissements et un contrôle croissants.

Les premières crises

Les premières crises cycliques du capitalisme international (chaque décennie, ou presque, depuis le début du 19e siècle) se répercutent rapidement au Canada et au Québec. C'est l'industrie manufacturière qui est la plus vulnérable. Le chômage et la baisse des revenus frappent durement.

L'influence américaine se manifeste déjà clairement. La récession mondiale qui touche les États-Unis en 1873 atteint le Canada en 1874 et jusqu'en 1879. La crise suivante, apparue aux USA en 1884, frappe le Canada l'année suivante; elle est à son plus fort dans les années 1890-1896. Le capitalisme traverse une longue dépression. La reprise économique surviendra vers la fin du siècle.

Ces crises découlent de la nature même du capitalisme basé sur la recherche du profit maximum et l'enrichissement de la bourgeoisie aux dépens de la classe ouvrière. Elles reviennent périodiquement et apparaissent inévitables dans le cadre du système capitaliste.

2. LA SCÈNE POLITIQUE

Après la conquête de 1760, le Canada, de colonie française, est devenu une colonie anglaise.

Par suite de la guerre d'indépendance américaine (1775-1783) et de l'afflux d'immigrants anglophones «loyalistes» en provenance des États-Unis — qui s'ajoutent à ceux de Grande-Bretagne — le Québec est partagé en deux provinces en 1791: le Bas-Canada (Québec), à très forte majorité française, et le Haut-Canada (Ontario), presque entièrement anglais.

La Rébellion de 1837-1838

Les débuts du 19e siècle sont caractérisés par la montée de l'opposition au pouvoir colonial britannique et la lutte pour l'obtention d'un «gouvernement responsable» qui permettrait une plus grande indépendance à l'égard de l'Angleterre. Cette lutte en faveur des droits démocratiques atteint son point culminant lors de la Rébellion de 1837-1838.

Été 1837: Louis-Joseph Papineau acclamé lors d'un ralliement populaire.
Dessin de C.W. Jefferys.

Saint-Eustache, 14 décembre 1837: les soldats britanniques abattent les patriotes fuyant l'église en flammes.
Gravure de J. Walker, Montréal 1877.

«Le vieux patriote», dessin célèbre de Henri Julien.

La Rébellion est déclenchée à la fois par les Patriotes du Bas-Canada (Québec), sous la direction de Louis-Joseph Papineau, et par les Réformistes du Haut-Canada (Ontario), dirigés par William Lyon Mackenzie. Au Québec, les insurgés mènent également une lutte en faveur des droits nationaux des Canadiens français comme peuple distinct. Les soulèvements populaires sont réprimés dans le sang par l'armée britannique: plusieurs centaines de morts, des milliers d'arrestations, l'emprisonnement, des exécutions, des déportations et l'exil.

En 1840, par l'Acte d'Union, les autorités coloniales réunissent le Québec (environ 650 000 habitants) et l'Ontario (450 000) en un seul Canada-Uni. C'est la première étape vers un gouvernement responsable.

La Confédération

En 1867, les colonies britanniques de l'Amérique du Nord sont réunies pour former le Canada. C'est la naissance de la Confédération canadienne qui est formée à ses débuts de quatre provinces: le Québec, l'Ontario, le Nouveau-Brunswick et la Nouvelle-Écosse. En 1905, la fédération aura regroupé toutes les provinces actuelles du Canada, à l'exception de Terre-Neuve qui y adhérera en 1949.

La Confédération instaure deux niveaux de gouvernement: le niveau central ou fédéral incarné par le Parlement d'Ottawa, qui est le niveau prédominant, et le niveau des provinces. La constitution attribue à Ottawa les principaux pouvoirs politiques, économiques (monnaie et banques, commerce extérieur et interprovincial, douanes, ports, chemins de fer), juridiques (code criminel), militaires (défense, police intérieure avec la «RCMP» mise sur pied en 1873). De plus, le gouvernement central s'arroge des pouvoirs de tutelle sur les premiers occupantes et occupants du pays, le peuple amérindien. Le partage fiscal donne à Ottawa les plus grandes sources de revenus.

Le Québec en 1867

Les pouvoirs des provinces sont très limités. En règle générale, tout ce qui touche à l'organisation sociale, civile, familiale, scolaire et municipale relève de leur juridiction: l'administration des terres publiques, l'agriculture et la colonisation, la propriété et les droits civils, l'éducation, les services de santé et de bien-être.

Les faibles ressources budgétaires empêchent l'État québécois de jouer un rôle dans le développement de l'économie, sauf pour la construction de certaines lignes de chemins de fer et des routes. Quant aux principales institutions sociales et culturelles, comme l'éducation, elles sont contrôlées par l'Église catholique, force dominante dans la communauté canadienne-française, qui jouera un rôle de premier plan dans le maintien d'une société conservatrice au Québec.

La constitution de 1867 fait par ailleurs du Québec un État officiellement bilingue. Les Canadiennes et Canadiens français sont largement majoritaires mais la minorité anglophone détient les principaux pouvoirs économiques et financiers.

La conquête de l'Ouest

Avec l'expansion du réseau des chemins de fer, le Canada se développe de plus en plus vers l'Ouest. La bourgeoisie étend sa domination à mesure que s'agrandit le territoire placé sous l'autorité fédérale.

Le gouvernement d'Ottawa manifeste brutalement son autorité, en 1869-1870 au Manitoba et en 1885 en Saskatchewan, en réprimant dans le sang la révolte des Métis francophones de l'Ouest dirigés par Louis Riel. La colonisation de leurs terres par les Blancs avait obligé les Métis à défendre par les armes leur coin de pays. La pendaison de Riel, en 1885, va provoquer des remous considérables au Québec, la plus grande effervescence depuis la Rébellion des Patriotes. Une assemblée monstre réunit plus de 50 000 protestataires sur le Champ-de-Mars à Montréal.

Louis Riel, leader des Métis au Manitoba et en Saskatchewan, pendu à Régina le 16 novembre 1885.
Le monde illustré, 1885.

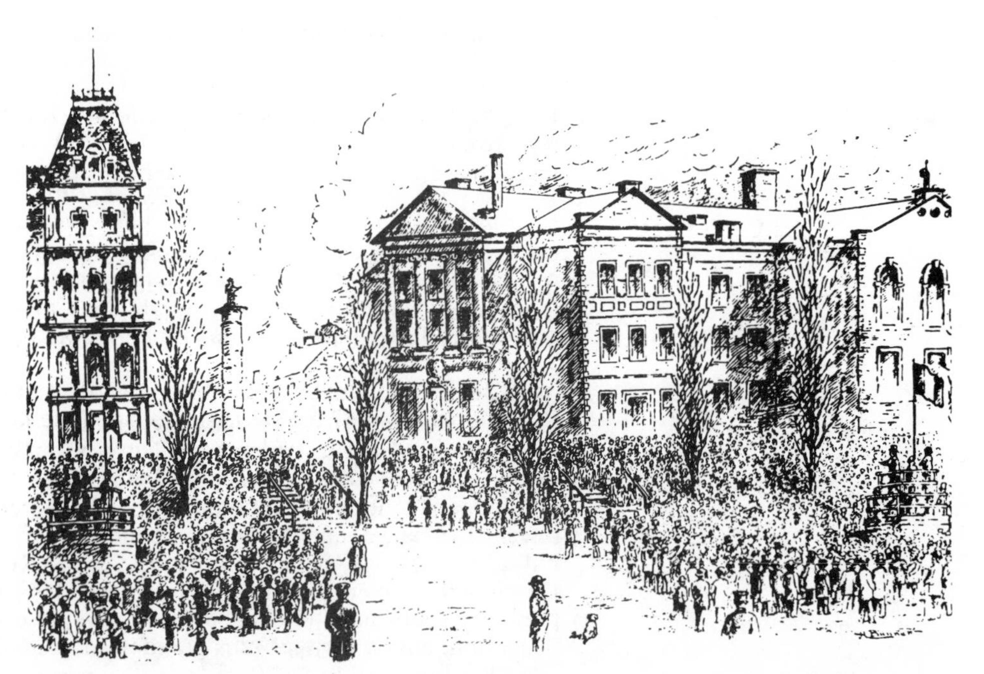

Montréal, le 22 novembre 1885, plus de 50 000 personnes, venues de tous les coins du Québec, sont assemblées au Champ-de-Mars pour protester contre la mise à mort de Riel.
Le monde illustré, 1885.

Arrestation des Métis après la répression du soulèvement de 1885.

LES PARTIS POLITIQUES

C'est dans la deuxième moitié du 19e siècle qu'apparaissent les deux grands partis politiques: le Parti Conservateur (les «bleus») et le Parti Libéral (les «rouges»).

Les «bleus»

Le Parti Conservateur de John A. Macdonald et de Georges-Étienne Cartier, «pères» de la Confédération canadienne, représente les intérêts des financiers et des constructeurs de chemins de fer. Il domine à Ottawa pendant presque toute la période de 1867 à 1896. C'est ce parti qui adopte la «National Policy» en 1879. Cartier était homme politique et en même temps avocat de compagnies ferroviaires dont le Grand Tronc.

Au Parlement de Québec, les «bleus» gardent aussi le pouvoir, presque sans interruption, de 1867 à 1897. Ils ont l'appui de la haute finance anglophone de Montréal et du clergé catholique, principaux représentants de l'idéologie conservatrice dominante. L'influence du clergé est telle que les «bleus» abolissent, en 1876, le ministère de l'Instruction publique — pourtant sans grands pouvoirs — créé en 1867.

Les «rouges»

Les «rouges» (les libéraux), relégués à l'opposition, représentent à leurs débuts les forces progressistes de l'époque. Ils sont nés, autour de 1850, de la révolte de la petite bourgeoisie professionnelle contre la domination du clergé, qui les combat d'ailleurs durement.

Dans le sillage de Louis-Joseph Papineau, chef de la Rébellion de 1837, les «rouges» s'inspirent du libéralisme et du courant républicain qu'on retrouve aux États-Unis voisins et en Europe. Favorables à la séparation effective de l'Église et de l'État, ils revendiquent notamment la création d'un ministère de l'Éducation et l'instruction publique, obligatoire et gratuite. Au nom des droits des Canadiennes et des Canadiens français, les «rouges» combattent le projet de Confédération en 1867.

C'est en s'appuyant sur le nationalisme canadien-français, après la pendaison de Louis Riel, qu'un libéral, Honoré Mercier, prend le pouvoir à Québec en 1886. En fait, Mercier se fait élire après avoir formé le Parti National, une coalition de libéraux et de conservateurs dissidents. Il évite d'affronter le clergé et mène une politique modérée jusqu'à sa défaite en 1891.

Wilfrid Laurier

Après avoir expurgé leur programme de ses éléments radicaux, les libéraux prennent finalement le pouvoir à Ottawa en 1896. Ils sont dirigés par un chef francophone très populaire au Québec, Wilfrid Laurier, qui sera premier ministre du Canada pendant 15 ans. Les Canadiennes et Canadiens français s'identifient de plus en plus au Parti Libéral, à tel point qu'à compter de 1891, les libéraux remportent toujours la majorité des sièges fédéraux au Québec. C'est avec l'aide du «grand frère» fédéral Wilfrid Laurier que le Parti Libéral accède au pouvoir à Québec, en 1897, pour un long règne de près de 40 ans.

3. LA CONDITION OUVRIÈRE

C'est au début du 19e siècle, mais surtout après 1850, que commence à émerger au Québec la classe ouvrière, la classe des travailleuses et des travailleurs salariés. La montée de l'industrialisation — et du capitalisme — donne naissance à ce qu'on a appelé le prolétariat.

Au début du siècle, l'organisation du travail est encore dominée par les artisans (maîtres, compagons, apprentis) qui sont de petits producteurs indépendants. Peu à peu, sous l'effet de la mécanisation, ils sont remplacés par des ouvrières et des ouvriers payés à salaire ou, comme on dit à l'époque, à gages.

À la fin du siècle, on estime qu'il y a plus de 250 000 personnes salariées au Québec. La moitié d'entre elles (environ 130 000) sont employées dans l'industrie manufacturière et la construction.

LA CLASSE OUVRIÈRE

La classe ouvrière se forme progressivement à partir des principaux groupes suivants:

- Les journaliers, manoeuvres et domestiques des villes, qui constituent en quelque sorte le pré-prolétariat urbain. Ils forment 40% de la main-d'oeuvre à Montréal vers 1825 et près du tiers de celle du Québec vers 1850.

- Les anciens artisans, membres de corps de métiers (cordonniers, charpentiers et menuisiers, ébénistes, tailleurs, etc.), qui perdent peu à peu le contrôle de leurs moyens de production et deviennent des ouvriers salariés travaillant pour un entrepreneur.

- La main-d'oeuvre venue des campagnes, essentiellement les familles rurales canadiennes-françaises qui vivaient misérablement.

- Enfin, les immigrants pauvres en provenance de contrées anglophones comme l'Irlande, l'Écosse et l'Angleterre et, à la fin du siècle, des pays d'Europe centrale et de l'Est.

On trouve au sein de la classe ouvrière naissante une grande variété de conditions car la prolétarisation ne se fait pas au même rythme partout et dans tous les secteurs. Des différences apparaissent nettement au sein même du prolétariat, ainsi qu'entre les travailleurs et les travailleuses, les francophones et les anglophones:

- Les travailleurs de métiers ou ouvriers qualifiés, qui sont souvent des anciens artisans prolétarisés, forment les effectifs les plus stables et les mieux organisés de la classe ouvrière. C'est le cas, par exemple, de certains travailleurs des métiers du bâtiment, des typographes, des cordonniers, des tailleurs, des machinistes, des cheminots. C'est dans leurs rangs que se recruteront surtout les premiers militants syndicaux.

- Les ouvrières et ouvriers spécialisés, qui forment la main-d'oeuvre principale dans les manufactures, n'ont pas un apprentissage poussé du genre des travailleurs de métiers mais occupent une tâche précise au sein du processus de production. C'est une main-d'oeuvre à bas salaires, où l'on compte beaucoup de femmes.

• Enfin, il y a les travailleuses et les travailleurs sans qualification ni spécialisation, principalement les journaliers et les manoeuvres. Fort mal payés et très peu organisés, ils sont employés surtout dans les travaux publics, la construction, les chantiers forestiers, les transports. On compte également dans cette catégorie les domestiques, qui englobent près de la moitié des femmes sur le marché du travail.

Les travailleuses et travailleurs immigrants

La grande majorité de la classe ouvrière est formée de Canadiens français mais on compte aussi un fort pourcentage de travailleurs d'origine irlandaise, écossaise et anglaise, concentrés à Montréal, Québec et Sherbrooke. À partir des années 1880, on assiste à l'arrivée d'immigrants d'origine juive, qui travaillent surtout dans l'industrie du vêtement.

Alors que les Canadiens français occupent surtout des emplois de manoeuvres et d'ouvriers non qualifiés dans les manufactures, les travailleurs d'origine anglaise sont généralement des ouvriers qualifiés. Ils sont largement majoritaires, par exemple, dans les chemins de fer et les fonderies.

Quant aux Irlandais, ils forment, avec les Canadiens français, la majorité des prolétaires québécois. Ils ont dû quitter leur pays à cause du chômage et de la famine et, vers 1850, ils représentent 10% de la population du Québec. On les retrouve très nombreux dans les chantiers de construction des canaux et des chemins de fer, l'industrie forestière, les ports et les usines autour du canal Lachine.

Les Canadiens français, en émigrant des campagnes vers les villes, disputent aux Irlandais les emplois de manoeuvres. Cette rivalité dégénère parfois en conflits ethniques marqués par des batailles, aussi bien dans les ports que les chantiers. Malgré les luttes communes contre les patrons, ces divisions au sein de la classe ouvrière, accentuées par les vagues d'immigration, persisteront longtemps.

Les travailleuses

Alors qu'au milieu du 19e siècle, à peine 10% des femmes occupent un emploi salarié, la proportion a doublé vers 1900. Elles représentent alors 15% de la main-d'oeuvre. Dans les villes comme Montréal et Québec, elles forment près du tiers des employés dans les établissements industriels.

Selon l'idéologie traditionnelle fortement marquée par l'influence de l'Église, la place des femmes est d'abord «au foyer»; lorsqu'elles se trouvent sur le marché du travail, c'est un état provisoire avant le mariage ou une situation exceptionnelle (jeunes filles soutiens de famille, veuves, mères abandonnées, etc.).

Les travailleuses gagnent en général deux fois moins que les hommes, souvent pour le même ouvrage, et sont surtout payées à la pièce, c'est-à-dire au rendement. En 1891, plus du tiers d'entre elles sont employées dans les manufactures, soit près de 25 000 — comparé à 85 000 hommes. Majoritaires dans le vêtement et le textile, elles forment jusqu'à 40% de la main-d'oeuvre dans la chaussure et le tabac. Le métier le plus répandu est celui de couturière.

Par ailleurs, près de la moitié des travailleuses sont recensées comme domestiques, ce qui inclut le travail dans les hôpitaux et les institutions dites de bien-être. À Montréal, on en compte plus de 6 000. Les Canadiennes françaises remplacent peu à peu les Irlandaises dans ce secteur sous-payé.

On dénombre encore peu de travailleuses dans les bureaux et le commerce où les hommes dominent. La dactylographie et le téléphone se répandent vers la fin du siècle mais ce n'est que plus tard que les femmes y trouveront une source importante d'emploi. Enfin, 10% des travailleuses en 1891 sont des institutrices, qui forment 80% du personnel laïc dans l'enseignement.

Le travail des enfants

L'exploitation du travail des enfants caractérise les débuts de l'industrialisation dans la plupart des pays et le Québec n'a pas échappé à la règle. C'est même la province du Canada qui compte le plus d'enfants au travail. En 1891, on recense près de 10 000 garçons et filles de moins de 16 ans dans les établissements industriels, soit 8% des employés (6% en Ontario). Dans les usines de textile, de chaussure et de tabac en 1880, il n'est pas rare de trouver des enfants de neuf ou dix ans. Ils gagnent moins du tiers du salaire versé aux adultes.

Les enfants fournissent une partie importante de la force de travail, dans les manufactures, tout comme dans les scieries et les mines.

LES CONDITIONS DE VIE

La vie quotidienne des travailleuses et des travailleurs, ainsi que de leur famille, est extrêmement dure au 19e siècle, surtout quand on la compare à celle de la classe dominante. La majorité de la classe ouvrière vit dans la pauvreté, voire dans la misère.

La famille se loge, se nourrit, s'habille selon ses moyens. Quand le père n'apporte pas suffisamment d'argent à la maison, la mère va travailler et parfois les enfants suivent à leur tour. L'emploi est précaire, le pouvoir d'achat aussi. La capacité d'épargne étant à peu près nulle, l'endettement est chose courante.

Si la bourgeoisie peut voir dans ses livres de comptes et ses bilans annuels les problèmes engendrés par les crises et la concurrence capitalistes, le peuple, lui, les ressent dans sa chair. Il les ressent dans ses conditions de vie et de travail, en ville comme aux chantiers, et dans les «grands déménagements» qu'il doit faire pour trouver de l'ouvrage.

Vivre en ville

De 1850 à 1900, la population urbaine passe de 15% à près de 40%. À Montréal et à Québec, les quartiers ouvriers s'implantent autour des manufactures et aux abords des ports.

Dans la métropole, le prolétariat francophone se concentre dans l'est de la ville, notamment dans les quartiers de Sainte-Marie, Saint-Jacques, Saint-Louis et Saint-Jean-Baptiste ainsi que dans les municipalités d'Hochelaga et de Maisonneuve. Dans l'ouest de la ville, près du canal Lachine, les familles ouvrières francophones habitent Saint-Henri-des-Tanneries et Sainte-Cunégonde — qui forment le quartier Saint-Gabriel — alors que les travailleurs anglophones se regroupent à Lachine, Pointe Saint-Charles et dans le quartier irlandais du Griffintown.

La rue Petit-Champlain à Québec, vers 1890.
Archives Notman, Musée McCord.

À Québec, les familles ouvrières habitent la Basse-Ville, notamment les quartiers de Saint-Roch, Saint-Sauveur et Saint-Jean, et la bourgeoisie la Haute-Ville.

La population ouvrière souffre de l'absence ou des déficiences des services publics de base: aqueducs, égouts, gaz — (et électricité vers la fin du siècle), services d'incendie et de police. Le transport en commun est d'abord assuré par les tramways à chevaux, apparus en 1861; à compter de 1892, ils sont remplacés par les tramways électriques qu'on appelle les «p'tits chars» — les «gros chars» étant les trains.

Logement et nourriture

Dans les quartiers ouvriers, où les familles sont nombreuses, l'entassement et le manque d'hygiène sont la règle générale. Les logements sont souvent des taudis exigus et insalubres. Construits en bois, ils sont vite détruits par les incendies, véritable fléau à cette époque. Les fosses d'aisance — les «bécosses», car il n'y a pas encore d'égouts — débordent dans les cours au printemps.

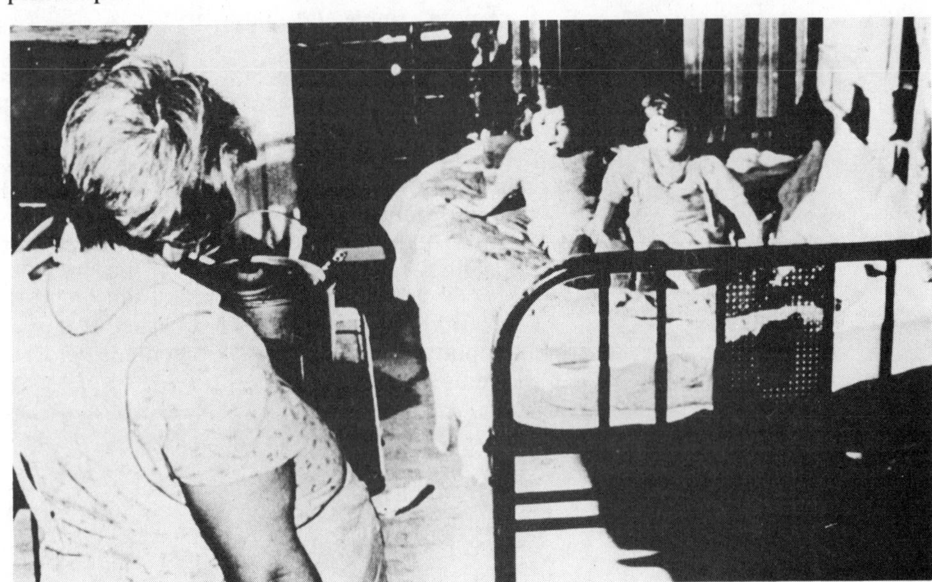

Logement à pièce unique à Montréal vers 1930.
ONF.

Les loyers sont chers: entre 6 $ et 12 $ par mois, chauffage et taxe d'eau non compris, à Montréal vers 1890, soit près du tiers du salaire ouvrier moyen.

Quant à la nourriture, elle absorbe plus de la moitié du salaire. Le menu des familles ouvrières se compose, pour l'essentiel, de féculents et de graisses: pois, fèves au lard et mélasse, pommes de terre, pain. Cette alimentation permet à l'ouvrier de fournir une journée de travail de 10 à 12 heures mais faute de vitamines et de sels minéraux, ses enfants résistent mal aux infections et aux épidémies.

Les conditions de santé

Alors que le taux de natalité est extrêmement élevé dans les quartiers ouvriers, le taux de mortalité y est scandaleux. À Montréal, le taux de mortalité infantile est l'un des plus hauts parmi les villes occidentales.

Selon le Bureau d'hygiène de la ville, un bébé sur trois meurt avant l'âge de six mois au début des années 1880. En 1900, c'est encore plus d'un sur quatre.

Les rigueurs de l'hiver pour une famille démunie en 1872.
Canadian Illustrated News.

Caricature rappelant les mauvaises conditions sanitaires dans les zones industrielles de Montréal et les épidémies qui en résultent.
Canadian Illustrated News, 5 juin 1875.

Pour le Québec entier, le pourcentage est de 18,5%. Les enfants morts avant l'âge de cinq ans comptent pour 60% du total des décès.

De 1875 à 1900, à Montréal, on compte deux fois plus de mortalité dans les quartiers ouvriers que dans les quartiers bourgeois. On en compte aussi deux fois plus dans les familles canadiennes-françaises que dans la population d'origine anglaise. Les secteurs les plus touchés sont les quartiers ouvriers francophones de Sainte-Marie, Saint-Jacques et Saint-Jean-Baptiste, dans l'est de la ville, et Saint-Gabriel dans l'ouest (Saint-Henri et Sainte-Cunégonde).

La plupart des décès ont pour cause l'infection des voies digestives, la tuberculose (la «consomption») et les maladies épidémiques comme la diphtérie, la scarlatine, la typhoïde. Une épidémie de variole fait plus de 3 000 morts à Montréal en 1885.

Conséquence des mauvaises conditions de vie et de travail, la maladie est une véritable tragédie pour les familles ouvrières. De plus, l'alcoolisme — qui est une façon d'oublier sa misère — fait des ravages dans bien des foyers.

Les travailleurs ne sont pas en mesure d'assumer le coût des soins de santé, si tant est que ces soins existent. Le réseau des services hospitaliers et de bien-être, contrôlé par l'Église catholique, est encore très peu développé.

Le manque d'instruction

Si la santé représente un problème aigu, le manque d'instruction est également dramatique.

Un premier réseau d'écoles primaires, catholiques et protestantes, a été établi à partir des années 1840 mais l'instruction n'est pas obligatoire.

École en bois rond sise au Lac Paul-Baie en 1939. Enseigner et apprendre à cette époque dans le réseau public exigeaient beaucoup de courage et de persévérance.
Photo A.N.Q.

Le Québec a le plus haut pourcentage d'analphabètes au Canada, c'est-à-dire de personnes qui ne savent ni lire ni écrire. En 1891, 36% des adultes (vingt ans et plus) se révèlent incapables de lire et d'écrire. Il y a, proportionnellement, cinq fois plus d'analphabètes au Québec qu'en Ontario.

La majorité des ouvriers n'ont reçu aucune instruction si ce n'est, dans certains cas, des rudiments de lecture et d'écriture. Ce n'est pas que les travailleurs ne désirent pas s'instruire. À preuve, lorsque le gouvernement Mercier prend l'initiative d'ouvrir des écoles du soir pour les ouvriers à Montréal et à Québec, en 1890, il y a tellement de demandes qu'on doit refuser l'admission à un grand nombre d'aspirants.

L'instruction publique, obligatoire et gratuite est réclamée par le mouvement ouvrier et certains libéraux qualifiés de radicaux. Elle est cependant fermement combattue par le clergé qui a la main-mise sur le système d'enseignement et qui craint que l'État n'en prenne le contrôle. Le gouvernement libéral du Québec, qui ne veut pas affronter l'Église catholique sur cette question, abandonne en 1899 son projet de créer un ministère de l'Instruction publique.

LES CONDITIONS DE TRAVAIL

Si les conditions de vie de la classe ouvrière sont très pénibles, les conditions de travail et de salaire le sont tout autant. Elles indiquent bien tout ce que les travailleuses et les travailleurs ont pu gagner, depuis lors, par leurs luttes. Les heures de travail sont très longues, les salaires extrêmement bas, les conditions de santé et de sécurité à l'ouvrage déplorables et l'insécurité d'emploi est totale. Les patrons peuvent procéder à des congédiements sans préavis sous prétexte d'incompétence, d'insubordination ou pour toute autre raison.

Le travail des enfants

L'exploitation du travail des enfants constitue, certes, le problème le plus criant à l'époque sur le marché du travail. Il faudra plusieurs décennies d'efforts et de législations pour éliminer ce véritable fléau.

En plus d'être payés à des salaires dérisoires pour de longues heures de travail, les enfants sont souvent maltraités, voire battus dans les manufactures, soumis à des amendes et parfois enfermés dans de véritables «cachots» pour les punir.

Il faut attendre la Loi des manufactures (1885) pour que le travail des enfants de moins de 12 ans soit interdit. Les filles ne peuvent travailler en usine avant 14 ans, à moins qu'elles ne présentent un certificat d'autorisation signé par les parents. Or, à l'époque, beaucoup de parents ont recours au travail de leurs enfants pour subvenir aux besoins de la famille.

En 1894, la nouvelle Loi des établissements industriels stipule que dans les manufactures classées comme «dangereuses, insalubres ou incommodes», l'âge des ouvrières et ouvriers ne doit pas être de moins de 16 ans pour les garçons et de 18 ans pour les filles. Pour les autres, l'âge minimum reste fixé à 12 ans pour les garçons et 14 ans pour les filles. Ces dispositions seront en vigueur jusqu'en 1909 alors que l'âge minimum sera fixé à 14 ans pour les garçons et les filles.

Le meilleur moyen de limiter l'exploitation du travail des enfants serait de rendre l'école obligatoire jusqu'à 14 ans, comme le réclame le mouvement ouvrier.

La semaine de travail

Dans les années 1880, la semaine habituelle de travail compte entre 60 et 72 heures, soit de 10 à 12 heures par jour pendant six jours, sauf le dimanche. Les heures supplémentaires sont généralement payées au taux régulier.

Les travailleurs des scieries et des boulangeries ainsi que les commis de magasin peuvent faire jusqu'à 15 heures par jour et certains n'ont même pas congé le dimanche. Les femmes qui travaillent comme domestiques n'ont qu'une demi-journée de congé par semaine.

Quelques corps de métiers syndiqués réussissent à gagner la semaine de 54 heures, soit neuf heures par jour pendant six jours, les heures supplémentaires devant être payées à un taux supérieur. C'est le cas, entre autres, des typographes et de certaines catégories de cheminots, de machinistes et d'ouvriers qualifiés de la construction.

C'est en 1885 que le gouvernement du Québec réglemente pour la première fois les heures de travail, sous la pression du mouvement ouvrier. La Loi des manufactures — première loi ouvrière québécoise — fixe à dix heures par jour et 60 heures par semaine l'horaire normal de travail en usine des femmes et des garçons de moins de 18 ans. La journée peut être allongée en vue d'abréger le travail le samedi. Elle ne doit pas commencer avant six heures le matin et se terminer après neuf heures le soir. Le travail de nuit des femmes est donc interdit.

Pour les hommes, il n'existera aucune réglementation de la semaine de travail avant 1938.

En réalité, la loi de 1885 comporte tellement d'exceptions qu'elle a peu d'effets. Les entreprises employant moins de 40 femmes et enfants ne sont pas visées par ses dispositions. Et son application suppose la présence d'inspecteurs qui ne seront nommés qu'en 1888 et en nombre très insuffisant (trois seulement). Les deux premières inspectrices seront nommées en 1896.

En 1894, la nouvelle Loi des établissements industriels — qui remplace la Loi des manufactures — s'applique aux entreprises employant plus de 20 femmes et enfants.

À cette époque, la journée régulière de dix heures (60 heures) commence à se répandre. Le mouvement ouvrier réclame la journée de huit heures depuis 1886. Quant aux congés payés et aux vacances, ils sont à peu près inexistants.

Cordonnier au travail.
Boréal express.

Les salaires

Au 19e siècle, il n'y a encore aucune législation sur les salaires, c'est-à-dire sur la fixation d'un salaire minimum.

Le salaire est payé à la pièce (au rendement), à l'heure, à la journée, à la semaine ou au mois. Les revenus annuels sont peu élevés en raison de l'irrégularité de l'emploi et du chômage saisonnier.

Le salaire varie beaucoup d'un métier et d'une région à l'autre. Les travailleuses gagnent en moyenne deux fois moins que les hommes, souvent pour le même travail. Par ailleurs, le salaire des ouvriers francophones est généralement plus bas que celui des anglophones. De plus, les revenus et le niveau de vie des travailleuses et travailleurs du Québec sont nettement inférieurs à ceux de leurs camarades de la province voisine de l'Ontario, plus industrialisée.

En réalité, la majorité de la classe ouvrière vit dans la pauvreté ou la misère. À Montréal, par exemple, le salaire ouvrier moyen est d'environ 350 $ par année vers 1890, soit un peu moins de 7 $ par semaine. Or, on estime à 9 $ environ le salaire hebdomadaire minimum pour permettre à un travailleur de subvenir décemment aux besoins de sa famille.

Parmi les hauts salariés — plus de 10 $ par semaine — on relève les mécaniciens de locomotives (15,50 $) et les conducteurs (11,50 $), certains travailleurs qualifiés des manufactures (machinistes, mouleurs de fer, cordonniers-monteurs), les typographes et compositeurs (11 $ par semaine en moyenne en 1891) et certains travailleurs des métiers du bâtiment comme les tailleurs de pierre, les plâtriers et les maçons-briqueteurs, les plombiers, les charpentiers. Toutefois, en raison du chômage saisonnier, les ouvriers de la construction touchent un revenu annuel qui n'est guère supérieur à la moyenne.

Quant aux travailleurs non qualifiés des manufactures, qui sont surtout payés à la pièce, leurs salaires sont si bas et le chômage si fréquent qu'il faut plus d'un gagne-pain par famille pour joindre les deux bouts. Les patrons en profitent pour exploiter une main-d'oeuvre à bon marché formée de femmes et d'enfants. Dans les filatures de coton, la paie hebdomadaire moyenne des tisserands est d'environ 5 $ pour les hommes, 4 $ pour les femmes et 2 $ pour les enfants. Dans la chaussure et le tabac, les hommes gagnent autour de 8 $, les femmes 4 $. Dans le vêtement, les travailleuses reçoivent moins de 3,50 $ par semaine.

Dans les services, les commis de magasins font en moyenne 6,50 $, les conducteurs de tramways à chevaux 8 $, les pompiers 9 $.

Coupures de salaires

Dans les manufactures (tabac, textile, chaussure), il existe un système d'amendes allant de 10 à 25 cents par «faute» et imposées aux ouvrières et aux ouvriers pour toutes sortes de raisons plus ou moins arbitraires: retard à l'ouvrage, refus d'exécuter une tâche ou de faire des heures supplémentaires, mauvaise qualité du produit, «grossièreté» envers le contremaître, etc.

Les changements technologiques et la division plus poussée du travail entraînent aussi des baisses de salaires. En introduisant la machine à coudre pour la fabrication des chaussures et des bottes et en subdivisant les tâches, les patrons peuvent remplacer les cordonniers de métier par des journaliers, des femmes et des enfants payés de deux à dix fois moins cher. Ce mouvement atteint aussi les manufactures de textile et de tabac.

De plus, chaque période de crise économique est accompagnée de coupures de salaires. Ainsi, de 1873 à 1880, les salaires dégringolent de 25% à 60% selon les métiers.

Le «sweating system»

C'est dans l'industrie du vêtement, où se concentrent les travailleuses, que l'on verse les salaires parmi les plus bas: 173 $ par année en 1890, soit deux fois moins que le salaire ouvrier moyen à Montréal.

L'exploitation y est particulièrement brutale en raison du «sweating system» — le «régime de la sueur» — qui oblige des milliers d'ouvrières à travailler à la pièce, à domicile ou dans de petits ateliers («sweatshops»), aussi bien à la ville qu'à la campagne. Vers la fin du siècle, près de 10 000 femmes travaillent dans ces conditions à Montréal; il s'agit, en majorité, de Canadiennes françaises et d'immigrantes appartenant à la communauté juive.

Le «sweating system» consiste, pour un manufacturier de vêtements, à confier la production sous contrat à de petits entrepreneurs qui, à leur tour, la distribuent à des ouvrières travaillant chez elles ou dans des ateliers exigus, mal éclairés et sans aération. La semaine de travail peut aller jusqu'à 75 à 80 heures; elle rapporte aux couturières, généralement des jeunes filles, entre 50 cents et 3 $ par semaine vers 1880.

Le «sweating system»: une femme et ses enfants apportent chez eux les piles de tissus dont ils devront faire des vêtements.

Ce «régime de la sueur» est l'une des méthodes de production les plus vieilles de l'histoire du capitalisme. Il existait en Angleterre bien avant la révolution industrielle du 18e siècle, surtout pour le filage et le tissage. Apparu au Québec vers 1870, le «sweating system» prend par la suite des dimensions considérables dans la région de Montréal. Vers 1890, près des trois quarts des vêtements sont confectionnés de cette façon.

Les institutrices et les instituteurs

Il n'y a pas que les travailleuses et les travailleurs de l'industrie qui soient exploités à cette époque, mais aussi les employés des services en général. C'est le cas, en particulier, des institutrices et des instituteurs laïcs francophones du Québec, qui sont parmi les plus mal rémunérés au Canada.

Dans plusieurs manufactures, ateliers et magasins, les employés doivent payer pour le chauffage et l'éclairage. Le système de ventilation est à peu près inexistant. On ne trouve aucun dispositif contre les accidents: par de rampe ni d'écran protecteur aux abords des machines, des monte-charges, des scies, des presses. Aucune mesure d'hygiène, même dans les boulangeries, meuneries et raffineries de sucre.

Il n'existe par ailleurs aucun système d'indemnisation pour les accidents du travail et les maladies industrielles. Pour arracher une indemnité au patron, la travailleuse ou le travailleur doit intenter des poursuites, à ses frais, devant les tribunaux et prouver la responsabilité de son employeur. En définitive, l'ouvrier accidenté doit se contenter, le plus souvent, de la souscription de ses camarades de travail.

Les «secours mutuels»

En vue d'assurer une certaine protection en cas d'accident, de maladie, de décès et de retraite, quelques sociétés de secours mutuels, associations d'entraide et coopératives sont mises sur pied, souvent à l'initiative du clergé. C'est le cas, entre autres, de l'Union ouvrière Saint-Joseph, fondée à Montréal en 1851, et de la Société des Artisans (1876). Les cotisations recueillies assurent une modeste indemnité aux personnes accidentées et aux malades, ainsi qu'une petite pension à la veuve en cas de décès.

Il n'existe encore aucun système d'assistance publique assuré par l'État. Les travailleuses et travailleurs les plus mal pris doivent donc se tourner vers des organismes de charité comme la Société Saint-Vincent-de-Paul et d'autres sociétés de bienfaisance fondées par l'Église catholique.

Les travailleuses et travailleurs eux-mêmes fondent également des sociétés de secours mutuels pour se protéger contre le malheur et la pauvreté. Plusieurs des premières associations ouvrières se sont formées ainsi sous le couvert de sociétés d'entraide.

La «Loi des maîtres et des serviteurs»

La principale loi régissant les relations entre les travailleurs et les patrons, au 19e siècle, est la célèbre «Loi des maîtres et des serviteurs» dont le titre, à lui seul, en dit long sur la condition ouvrière à l'époque.

Cette loi, adoptée en 1847 et qui sera en vigueur jusqu'à la fin du siècle, reprend les dispositions majeures de la «Loi des maîtres et apprentis» (1821) datant de la période artisanale. Elle prévoit des amendes et des peines d'emprisonnement pour les travailleuses et travailleurs trouvés coupables de bris de contrat («désertion»), d'abstentéisme, d'insubordination, de paresse, de mauvaise conduite, ou de toute autre attitude jugée inconvenante à l'égard du patron. Elle est beaucoup moins dure pour le patron qui renvoie son employé sans avis préalable ou sans le payer.

La «Loi des maîtres et des serviteurs» est dénoncée comme une «loi d'esclavage» par le mouvement ouvrier.

La Commission d'enquête sur le capital et le travail

Les conditions parfois inhumaines des travailleuses et des travailleurs seront longues à changer, même partiellement, bien qu'elles aient été dénoncées, entre autres, par la commission royale d'enquête sur «les relations entre le capital et le travail», dans son rapport remis au gouvernement fédéral en 1889.

Cette vaste enquête, entreprise sous la poussée du jeune mouvement ouvrier, dévoile les conditions de vie et de travail dans les grandes villes manufacturières et les centres miniers du Québec et du Canada. Les témoignages recueillis décrivent les effets du capitalisme: bas salaires, longues heures de travail, exploitation particulière du travail des femmes et des enfants, accidents résultant de la négligence criminelle des patrons, amendes qui atteignent et dépassent même le salaire d'une journée, saisie du salaire des ouvriers endettés, etc.

Sur le plan des relations de travail, l'enquête fait état notamment des «listes noires» de syndiqués dressées par les patrons, des congédiements arbitraires, des contrats individuels stipulant que l'employé n'a pas le droit d'adhérer à un syndicat.

Pour corriger les situations scandaleuses, la commission propose une série de mesures législatives qui ne seront pas adoptées avant bien des années, sous prétexte que le partage des responsabilités entre Ottawa et les provinces ne permet pas au gouvernement fédéral d'intervenir. La commission recommande en particulier la journée normale de 9 heures (54 heures par semaine) dans les manufactures, au moins pour les femmes et les enfants. Elle propose également l'interdiction de travailler pour les enfants de moins de 14 ans, un système d'indemnisation pour les accidents du travail, un régime d'inspection pour surveiller la sécurité et l'hygiène dans les fabriques, la suppression des amendes et de la saisie des salaires.

En matière de relations de travail, la commission propose un système d'arbitrage pour les conflits et la création d'un ministère du Travail — dont les bases ne seront posées qu'en 1900 à Ottawa et en 1905 à Québec.

Parmi les 13 commissaires, on comptait quatre Québécois: le président de la commission, le juge James Armstrong, ancien président du chemin de fer Montréal-Sorel; un industriel de la chaussure, Guillaume Boivin; un débardeur et militant syndical de Québec, l'Irlandais Patrick Kerwin, et un journaliste au quotidien populaire La Presse, Jules Helbronner, qui signait des chroniques ouvrières sous le pseudonyme de Jean-Baptiste Gagnepetit.

Pour améliorer un tant soit peu leurs conditions de vie et de travail et forcer le patronat et les gouvernements à mettre en oeuvre des réformes élémentaires, les travailleurs et les travailleuses ont dû s'organiser et mener des luttes nombreuses. Le syndicalisme a joué un rôle vital en ce sens.

4. LE MOUVEMENT SYNDICAL

C'est en vue d'améliorer leur sort, dans une société capitaliste qui les exploite, que les travailleuses et les travailleurs vont se donner un outil irremplaçable, fondé sur la solidarité: le syndicalisme.

Ce sera un long et patient travail d'organisation et de mobilisation, marqué par de multiples échecs et même par des reculs, mais qui finira par porter fruit. Et c'est uniquement par leurs luttes — et des luttes très dures, souvent violentes — que les travailleuses et travailleurs vont conquérir la reconnaissance de leurs syndicats ainsi que des gains majeurs, non seulement pour eux mais pour l'ensemble de la société. Pour en arriver là, il leur faudra d'abord conquérir un droit fondamental, *le droit d'association*, qui n'est au fond que leur droit à la dignité.

Une «conspiration criminelle»

Durant la majeure partie du 19e siècle — jusqu'en 1872 — le droit d'association est formellement interdit aux travailleuses et travailleurs, au Québec et au Canada, en vertu des lois édictées par les autorités coloniales en Grande-Bretagne.

Selon le «Combinations Act» (Loi des associations) voté en 1800 par le Parlement de Londres, toute «coalition» ouvrière est considérée comme une «conspiration criminelle», un «complot» en vue de restreindre la «liberté du commerce», donc comme illégale. Toute personne qui s'associe avec d'autres dans le but d'obtenir de meilleures conditions de travail et de salaire peut donc être inculpée en vertu du Common Law britannique — le droit commun — et condamnée à l'amende et/ou l'emprisonnement.

Les chapeliers (1815)

C'est ainsi qu'en 1815, un groupe d'artisans subissent les rigueurs de la loi par suite d'une grève des chapeliers à Québec. Les leaders du mouvement sont arrêtés et accusés de conspiration criminelle. Ils écopent de sentences d'emprisonnement. Bien qu'on ignore si les chapeliers étaient alors regroupés au sein d'une organisation, il s'agit là de la première manifestation connue d'une résistance organisée de la part d'un groupe de travailleurs au Québec.

En 1821, la «Loi des maîtres et des apprentis» stipule que toute personne qui «désertera» son travail et incitera un salarié sous contrat à la «désertion» de son poste est passible d'amende et d'emprisonnement. Cette disposition, reprise dans la «Loi des maîtres et des serviteurs» (1847), sera utilisée jusqu'à la fin du 19e siècle pour procéder à l'arrestation de «meneurs» de grève et de dirigeants syndicaux.

La clandestinité

Dans ce contexte, nul ne s'étonne que le syndicalisme soit né dans la clandestinité. Les activités des premières «unions» ouvrières («trade unions») demeurent le plus souvent secrètes ou semi-clandestines.

Les travailleurs se regroupent sous le couvert de «cercles ouvriers», de «sociétés amicales et bienveillantes», de «sociétés de secours mutuels», et n'affichent que des objectifs d'entraide et de solidarité. Ils versent une cotisation qui leur assure, à eux et à leur famille, une protection financière en cas d'accidents du travail, de maladie, de décès, de retraite, d'endettement, de chômage.

En réalité, les travailleurs s'unissent déjà pour déterminer ensemble des conditions de travail et de salaire acceptables, en-deçà desquelles ils refuseront solidairement de vendre leur force de travail aux patrons.

De leur côté, les employeurs se communiquent des «listes noires» de membres des associations ouvrières et s'entendent pour ne pas les embaucher ou les congédier. Ils ont aussi recours très souvent à des briseurs de grève qu'on appellera plus tard des «scabs» (littéralement: des galeux).

Rapport de forces

Progressivement, sous la pression des travailleuses et travailleurs qui s'organisent et revendiquent, les patrons — et les gouvernements — seront obligés de transiger avec les syndicats. Mais cette reconnaissance ne peut être acquise, à chaque fois, que par la force du syndicat et de ses membres, le plus souvent des travailleurs de métier indispensables à la production et difficiles à remplacer par des «scabs».

Au 19e siècle, le syndicalisme demeure donc marginal. Aucune loi n'oblige encore l'employeur à négocier avec une organisation ouvrière. Les «conventions collectives» qui peuvent exister ne sont que des ententes limitées à quelques points, dont la négociation et l'application reposent uniquement sur le rapport de forces entre les parties.

LES PREMIÈRES «UNIONS»

Dans l'état actuel des recherches historiques, les premières unions ouvrières, dans les colonies britanniques de l'Amérique du Nord, seraient apparues en Nouvelle-Écosse chez les travailleurs des chantiers maritimes de Halifax. En 1816, les autorités coloniales britanniques promulguent un décret dans le but de mettre fin à l'«insubordination» d'un groupe de grévistes. Ce décret interdit toute forme d'association sous peine d'emprisonnement et de travaux forcés.

Au Québec — si l'on exclut les chapeliers de Québec qui n'auraient pas eu d'«union» comme telle lors de leur grève en 1815 — c'est en 1823 que serait apparue la première union, chez les tailleurs de vêtements de Montréal.

En 1824, on relève des unions chez les cordonniers, les ébénistes et les ouvriers-imprimeurs à Montréal. À Québec, la Société typographique est fondée en 1827 par des ouvriers-imprimeurs francophones et anglophones, à l'instigation de Français récemment immigrés. Entre 1830 et 1835, des unions se forment à Montréal parmi les travailleurs des métiers du bâtiment (compagnons charpentiers et menuisiers, tailleurs de pierre, maçons), les ouvriers boulangers, les pompiers.

Les premières associations ouvrières regroupent des travailleurs qualifiés d'un corps de métier, qui sont encore des artisans. Elles fonctionnent sous la forme de sociétés de secours mutuels. Elles sont généralement fondées par des immigrants d'origine britannique inspirés de la pratique du syndicalisme («trade unionism») en Grande-Bretagne. Les Canadiens français, encore peu urbanisés, sont peu présents au sein des premières unions.

La journée de 10 heures

À Montréal, l'Association des charpentiers et menuisiers, fondée le 5 février 1833, prend la tête du mouvement de lutte en faveur de la réduction de la journée de travail de 12 à 10 heures par jour (60 heures par semaine). Les membres de l'Association — Anglais, Irlandais, Canadiens français — déclenchent la grève le 18 mars et obtiennent satisfaction. Ils devront débrayer à nouveau en 1834, quand les patrons voudront relever la journée de travail à 11 heures.

L'Union des Métiers de Montréal (1834)

Ce premier mouvement d'organisation syndicale conduit à la fondation, en mars 1834, de l'Union des Métiers de Montréal («Montreal Trades Union»), une initiative des charpentiers-menuisiers. C'est le premier effort de regroupement régional de travailleurs de divers métiers au Québec et même au Canada.

Le quartier général de l'Union est situé à l'Hôtel Lavoie, rue Saint-Laurent près de Sainte-Catherine, qui devient le «Mechanic's Hall», la Maison des artisans-ouvriers. Ainsi, en mai 1834, quand les tailleurs d'habits employés à la journée se mettent en grève, ils informent leurs employeurs et le public qu'on peut les engager, aux conditions qu'ils ont fixées, à la Maison des artisans-ouvriers.

L'Union des métiers de Montréal joue un rôle important dans la lutte menée à cette époque pour la journée de 10 heures, tant au Québec qu'au Canada et aux États-Unis. Une tentative de regroupement semblable a lieu dans la ville de Québec.

L'Union appuie par ailleurs, en 1834, les «92 Résolutions» des Patriotes contre le pouvoir colonial britannique et en faveur des droits démocratiques. Lors de la Rébellion de 1837-38, beaucoup de travailleurs — artisans et journaliers — prendront part au mouvement de lutte. Plusieurs dizaines d'entre eux seront tués, ou encore arrêtés, emprisonnés et même déportés.

L'Union des métiers de Montréal n'a pas eu d'existence durable, tout comme les premières associations ouvrières de cette époque. Certaines d'entre elles, après avoir disparu, se reconstituent pour des durées brèves. Elles sont actives lors des périodes de croissance économique ou, au contraire, lorsqu'une crise survient et provoque une baisse des salaires. Il est difficile de suivre leur évolution à cause du caractère quasi-clandestin de leurs activités.

LES PREMIÈRES GRANDES GRÈVES

Les premières grandes grèves se produisent au début des années 1840, là où existent de fortes concentrations de travailleurs: dans la construction navale et chez les ouvriers embauchés temporairement pour la construction des canaux et des chemins de fer.

En 1840, une première grande lutte immobilise les chantiers maritimes de la rivière Saint-Charles, à Québec. Le débrayage, qui touche 8 000 ouvriers, est déclenché par la Société amicale et bienveillante des charpentiers de vaisseaux, qui réclame une hausse de salaire. L'association est dirigée par deux Canadiens français: Joseph Laurin et François Giffard.

Mais les luttes les plus dures sont menées sur les chantiers de construction des canaux de Lachine et de Beauharnois, près de Montréal.

Le massacre de Beauharnois (1843)

Au début de 1843, près de 4 000 ouvriers, au pic et à la pelle, triment comme des forçats au creusage des canaux de Beauharnois (2 500 hommes) et de Lachine (1 300). Ce sont, pour la plupart, des immigrants de fraîche date, d'origine irlandaise. Ils n'ont pas de syndicat.

La journée de travail normale s'étend de six heures du matin à six heures du soir, soit 12 heures par jour et six jours par semaine. Certains ouvriers sont à l'ouvrage dès quatre heures du matin et jusqu'à sept ou huit heures le soir.

Le 24 janvier 1843, les paies sont subitement coupées du tiers (de trois à deux shillings par jour) par les entrepreneurs qui ont reçu du gouvernement le contrat de construction des canaux. Les travailleurs irlandais déclenchent la grève, le jour même, à Lachine et à Beauharnois. C'est la première d'une série de grèves entrecoupées d'interventions répressives de l'armée, de congédiements et de promesses confuses.

En mars 1843, 500 ouvriers de Lachine et de Beauharnois marchent sur Montréal et y tiennent des assemblées. Le 1er juin, devant les promesses non tenues des patrons, la grève générale commence. Elle dure un mois, unissant 2 500 Irlandais et Canadiens français. Revendications: réduction des heures de travail, meilleur salaire et versement de ce salaire à dates fixes. Le 13 juin, les grévistes organisent une «parade» puis assiègent les résidences des patrons à Saint-Timothée. La «Loi de l'émeute» est proclamée et l'armée britannique charge les «émeutiers»: au moins une dizaine d'hommes sont tués — une vingtaine selon des versions officieuses —, une cinquantaine d'autres blessés.

Il s'agit là du plus grand massacre de travailleurs dans l'histoire du mouvement ouvrier au Québec et au Canada, qui marque la première d'une longue série d'interventions militaires dans les conflits de travail. Les ouvriers remportent finalement une victoire en obtenant leurs trois shillings par jour.

Les travaux se poursuivent un certain temps sous la surveillance de l'armée. Les entrepreneurs font également appel à un prêtre catholique qui doit aider à assurer l'ordre sur les chantiers grâce à son influence auprès des ouvriers irlandais. Malgré cela, d'autres grèves éclatent jusqu'à la fin du creusage du canal.

En 1845, le Parlement du Canada-Uni promulgue une loi pour «prévenir les émeutes sur les chantiers de travaux publics». On prévoit le recours à la loi martiale et à des peines d'emprisonnement sévères contre les «émeutiers». Cette loi vise notamment les grèves nombreuses qui surviennent lors des travaux de construction des lignes de chemins de fer. Menées en l'absence de toute organisation syndicale, ces grèves sont parfois de véritables révoltes spontanées.

DE NOUVELLES UNIONS

Avec l'essor des chemins de fer, des ports et de la construction, des unions voient le jour ou réapparaissent de façon plus durable. À Montréal, l'Union des tailleurs de pierre s'implante à l'occasion d'une grève en 1844. À Québec, on signale un syndicat de matelots en 1847. Des unions de cordonniers sont également actives dans les deux villes.

En 1851, un syndicat britannique fonde une section à Montréal: il s'agit de l'«Amalgamated Society of Engineers», une association de mécaniciens, machinistes et mouleurs. L'«Amalgamated» est le plus puissant syndicat en Angleterre dans la seconde moitié du 19e siècle et, dit-on alors, le plus grand au monde. Tout indique que ses membres sont impliqués dans la première grève qui touche, en 1855, les ateliers de la compagnie ferroviaire du Grand Tronc à Pointe Saint-Charles. Environ 500 ouvriers des forges et des fonderies débraient pour obtenir une hausse de salaires. La violence éclate et la Ville de Montréal engage des «constables spéciaux» pour rétablir l'ordre.

Les débardeurs de Québec

En mai 1855, toute activité cesse sur les quais de Québec et de Sillery à la suite d'une grève des débardeurs. Ce conflit est à l'origine de la création du syndicat le mieux organisé à Québec au 19e siècle.

Le syndicat des débardeurs du port de Québec est fondé en 1857 sous le nom de «Ship Labourers Benevolent Society», une société de secours mutuels. Composée à 95% d'Irlandais, c'est une union militante qui n'hésite pas à recourir à la grève, utilisant à fond son rapport de forces dans une industrie saisonnière centrée sur le commerce du bois équarri. Elle fixe une échelle de salaires et un horaire de travail que les patrons sont forcés d'accepter après plusieurs grèves — dont certaines entraînent l'intervention de l'armée. Le syndicat comptera jusqu'à 2 000 membres.

Québec, 15 août 1879: affrontement entre travailleurs irlandais et canadiens-français dans la rue Champlain.
Archives nationales du Québec, collection initiale.

Le quasi-monopole de l'embauche détenu par les Irlandais finit cependant par provoquer des heurts avec les ouvriers canadiens-français. Ceux-ci fondent, en 1865, leur propre syndicat, l'Union canadienne des débardeurs.

L'expansion des années 1860

Les années 1860, qui voient la naissance de la Confédération canadienne, marquent les véritables débuts de l'implantation du syndicalisme au Québec, à l'occasion d'une période de croissance économique et de l'essor des industries manufacturières.

À Montréal, des syndicats sont fondés dans l'industrie de la chaussure et du tabac (ouvriers-cordonniers, cigariers), la métallurgie (mouleurs de fonte), le bâtiment (charpentiers et menuisiers, maçons, etc.), les transports (débardeurs et charretiers). À Québec, des unions plus durables se forment chez les débardeurs, les charpentiers de navires, les toueurs de bois et les bateliers (pilotes).

Les travailleurs des chemins de fer commencent également à s'organiser dans un secteur où le grand capital a bâti ses premières assises et où les employeurs sont les plus importants. Des syndicats s'implantent parmi les cheminots

Pour l'année scolaire 1894-1895, la moyenne des traitements à l'école primaire catholique, pour les enseignantes et enseignants brevetés de langue française, est de 233 $ par année pour les hommes et de 103 $ pour les femmes — qui forment 80% du personnel laïque. En comparaison, le personnel enseignant des écoles anglo-protestantes reçoit près du double.

C'est la cléricalisation de l'enseignement qui, en bonne partie, maintient les salaires à un niveau aussi misérable. De 1870 à 1900, le corps enseignant est passé de quelque 5 000 à près de 11 000 membres. Or, en même temps, le système d'éducation francophone est tombé presque entièrement sous le contrôle de l'Église catholique; à la fin du siècle, près de la moitié du personnel est formé de religieux et de religieuses.

En 1894, le Conseil de l'instruction publique — qui tient lieu de ministère de l'Éducation — accède à la demande des institutrices et instituteurs qui veulent être rémunérés mensuellement plutôt que semestriellement, ce qui leur permettra de ne plus emprunter à des taux d'intérêt souvent usuraires pour survivre. Cependant, leur maigre salaire n'est pas augmenté pour autant. Le gouvernement du Québec ne consent pas à fournir de fonds à cet effet, pas plus qu'il ne fixe de salaire minimum.

Santé et sécurité au travail

Les risques pour la santé et la sécurité au travail des ouvrières et ouvriers sont fort élevés à l'époque car les mesures de protection sont scandaleusement limitées, même après l'entrée en vigueur de certaines dispositions de la Loi des manufactures à partir de 1885.

Accident de travail sur un chantier de construction en 1870.
Canadian Illustrated News.

Travailleurs du rail en 1887.
Archives nationales du Québec, collection initiale.

(mécaniciens et conducteurs de locomotives) et les ouvriers des ateliers. Les travailleurs du rail se regroupent en plusieurs «fraternités» de métiers («brotherhoods»), indépendantes les unes des autres.

Nombreuses grèves

Les années 1860 sont marquées par un bon nombre de grèves qui soulignent le degré d'organisation plus élevé des travailleurs. Parmi ces luttes, il faut signaler la grève des 1 200 charretiers de la Ville de Montréal, en 1864, et une grève générale des charpentiers et menuisiers qui paralyse la plupart des chantiers de la métropole en 1867. Les charpentiers, qui gagnent 1,20 $ à 1,50 $ par jour, obtiennent une hausse de salaire.

Les luttes de cette époque sont souvent violentes à cause de l'intransigeance des patrons, de l'embauche quasi-systématique de briseurs de grève, ou encore à cause des ouvriers qui demeurent au travail. Plusieurs conflits se terminent par le congédiement des grévistes.

Dans les chantiers maritimes de Québec, les patrons décident de ne plus engager de membres du syndicat, dans le but avoué de briser la Société amicale des charpentiers de vaisseaux qui regroupe des ouvriers canadiens-français et irlandais. Le syndicat riposte par la grève en septembre 1867. Elle dure 2 mois. Les 2 300 grévistes réclament une hausse de salaire de 35 cents par jour (de 90 cents à 1,25 $). Ils tentent d'associer à leur lutte tous les charpentiers et les journaliers encore au travail. Une bagarre éclate et un ouvrier est tué. Dix-neuf dirigeants syndicaux sont arrêtés. L'armée est appelée pour surveiller les chantiers où les travaux se poursuivent au ralenti. Les grévistes organisent plusieurs manifestations dans les rues de la capitale et l'arrêt de travail se termine avec la médiation de la Chambre de Commerce. Les charpentiers de vaisseaux obtiennent une augmentation, mais inférieure à celle qu'ils demandaient.

LA GRANDE ASSOCIATION (1867)

Les luttes ouvrières ont d'abord été isolées et axées sur la défense du métier. Le passage à une phase de regroupement et à un embryon d'organisation de classe est illustré clairement pour la première fois par la Grande Association de protection des ouvriers du Canada, fondée à Montréal par Médéric Lanctôt.

C'est en avril 1867 que naît la Grande Association, qui va regrouper les travailleurs de 26 corps de métiers de Montréal. Son président et principal organisateur est Médéric Lanctôt, 30 ans, avocat et journaliste, nationaliste imbu d'idées sociales généreuses en vue de soulager la misère de la classe ouvrière.

Capital et travail

La cause des problèmes ouvriers, dit Lanctôt, c'est l'organisation de la production en fonction des seuls intérêts des capitalistes. C'est l'absence de justice sociale qui provoque les révoltes populaires en Europe. Ici, il est encore temps d'éviter cette calamité: que les ouvriers s'unissent et fassent valoir leurs droits auprès de la classe des capitalistes. Puisque le capital est associé au travail dans la production, pourquoi ne le serait-il pas aussi dans le partage des profits et l'organisation de la société?

La Grande Association met donc l'accent sur la complémentarité et la collaboration du travail et du capital — et non pas sur leur opposition. L'action syndicale se situe dans un contexte où le capitalisme est peu développé et où la classe ouvrière est encore peu nombreuse et faiblement organisée. Les idées de Lanctôt représentent un courant très largement dominant dans le mouvement ouvrier à l'époque.

La Grande Association prône également le développement des entreprises locales et des coopératives afin de «sauver la nationalité canadienne-française». Elle réclame des mesures pour stopper l'émigration massive des Canadiens français vers les États-Unis.

La «Grande Procession»

Dès le départ, et bien qu'elle ne favorise pas la grève comme moyen d'action, la Grande Association est entraînée dans la lutte. Au printemps et à l'été 1867, elle appuie la grève des charpentiers et diverses luttes menées par les typographes, ébénistes, charretiers, maçons, boulangers. Elle fonde des magasins coopératifs et demande à la population de n'acheter du pain que dans les boulangeries où une entente a été négociée.

Le soir du 10 juin 1867, une grande manifestation de solidarité réunit plus de 10 000 ouvriers montréalais, groupés par corps de métiers, qui défilent sur le Champ-de-Mars précédés du drapeau vert, blanc et rouge des Patriotes de 1837. Cette «Grande Procession», ainsi qu'on l'a baptisée, illustre bien la tentative de faire le lien entre les préoccupations sociales (les luttes ouvrières) et nationales (la promotion des Canadiens français du Québec).

En septembre 1867, Lanctôt décide de se lancer dans la lutte électorale, dans le comté fédéral de Montréal-Est. Il se présente sous l'étiquette des «rouges», le Parti Libéral, radical à cet époque. Opposé à la Confédération, il affronte nul autre que le chef conservateur Georges-Étienne Cartier, un des «pères» de la Confédération mise en place cette année-là. Le clergé menace de refuser les sacrements à ceux qui voteraient pour les «rouges». Lanctôt est battu de justesse. La Grande Association se dissout peu après, dans l'amertume de cette lutte électorale et par manque de fonds et d'organisation.

Malgré qu'elle n'ait duré qu'un an à peine, la Grande Association laisse une profonde impression dans la classe ouvrière montréalaise. Elle manifeste déjà la nécessité de regrouper les travailleurs au sein d'une organisation large et permanente.

LES «UNIONS INTERNATIONALES»

Les années 1860 marquent aussi les débuts d'un mouvement qui prendra de l'ampleur à la fin du siècle, au Québec, jusqu'à prédominer sur la scène syndicale: la formation des «unions internationales». Ces syndicats sont ainsi nommés parce qu'ils regroupent des travailleurs des États-Unis (où se trouve leur quartier général), du Canada et du Québec. Ce sont, plus précisément, des syndicats nord-américains. Ils regroupent essentiellement des ouvriers de métiers ou ouvriers qualifiés.

C'est à Montréal que s'effectue la première percée des unions internationales. En 1861, l'Association des mouleurs de fonte de la métropole, fondée deux ans plus tôt, est la première à s'affilier au syndicat américain qui regroupe les ouvriers qualifiés des fonderies et qui devient, de ce fait, la première union «internationale».

Des ouvriers-cigariers font de même en 1865, des ouvriers-cordonniers et des typographes en 1867, en même temps que des mécaniciens de locomotives. Dans certains cas, l'affiliation fait suite aux efforts de travailleurs ou d'organisateurs venus des États-Unis; dans d'autres, ce sont les ouvriers d'ici qui, d'eux-mêmes, mettent sur pied une section locale de l'union — d'où le terme «local», emprunté à l'anglais, pour désigner une section. Ce n'est toutefois que dans les années 1880 et surtout 1890 que les unions internationales prendront de l'expansion au Québec.

Les mouleurs de fonte

Les mouleurs de fonte de Montréal, en s'affiliant à l'union américaine, adhèrent ainsi à l'un des syndicats les plus puissants en Amérique du Nord, bâti à l'initiative du premier grand leader syndical des États-Unis, William Sylvis, de Philadelphie. Sylvis est le président-fondateur, en 1866, de la première centrale syndicale américaine, la «National Labour Union».

Mouleurs de fonte, dans une fonderie de Montréal, en 1872.
Canadian Illustrated News.

Dès l'année suivante, la centrale s'affilie à l'Association internationale des travailleurs (la Première Internationale), qui regroupe à la fois des syndicats et des organisations politiques et dont Karl Marx a été l'un des fondateurs, à Londres, en 1864. La «National Labour Union» sera toutefois emportée par la crise économique qui débutera en 1873 aux États-Unis.

Les Chevaliers de Saint-Crépin

Le syndicalisme américain fait aussi une percée remarquable au Québec dans l'industrie de la chaussure. Les Chevaliers de Saint-Crépin («St. Crispin», en anglais), fondés en 1867 à Milwaukee, s'implantent à Montréal chez la majorité des 3 000 ouvriers-cordonniers. Des «loges» ou syndicats locaux apparaissent aussi à Québec, Trois-Rivières, Saint-Hyacinthe. Les salaires des ouvriers-cordonniers ont été réduits de beaucoup à la suite des changements technologiques et de la nouvelle division du travail qui permet l'embauche de femmes et d'enfants comme «cheap labor».

Les cordonniers ne s'opposent pas tant à la mécanisation qu'à ses effets sur leurs conditions de travail et de salaires. Ils déclenchent des grèves importantes à Montréal et à Québec. La grève des cordonniers de la capitale — dont le salaire a été réduit d'un tiers en quatre ans — dure 9 semaines à l'automne 1869. L'union internationale leur verse près de 3 500 $ en prestations de grève. Les évêques dénoncent le débrayage au nom de l'«obligation du sacrifice» et de la «loi du renoncement». Mais les ouvriers parcourent les rues en processions, drapeau rouge en tête, criant «du pain ou du sang». Et il y aura du sang: un dirigeant syndical est abattu par les militaires chargés de réprimer le mouvement.

L'organisation des Chevaliers de Saint-Crépin va disparaître au Québec lors de la crise économique en 1874.

De l'artisanat à la production mécanisée.
Collection Walker, Musée McCord.

Les typographes

Les premières sections durables d'une union internationale de métier au Québec ont été fondées par les typographes, un groupe de travailleurs hautement qualifiés et combatifs qui resteront longtemps à l'avant-garde du mouvement syndical.

C'est en 1867, à Montréal, qu'un premier groupe de typos s'affilie à l'union américaine fondée quinze ans plus tôt. Une première grève d'un mois éclate en

1869 mais se solde par un échec. Une soixantaine de grévistes, non-réengagés, doivent émigrer aux États-Unis pour se trouver du travail. En 1870, les typographes francophones de Montréal se regroupent au sein de la section locale 145 qui prend le nom d'Union typographique Jacques-Cartier — aujourd'hui le plus ancien syndicat au Québec. Parmi les fondateurs, on trouve Trefflé Berthiaume, qui deviendra propriétaire de La Presse. Les typographes mèneront des luttes exemplaires dans les années qui suivront.

Un phénomène unique

L'implantation des unions internationales au Québec et au Canada est un phénomène syndical unique en son genre dans les pays occidentaux, fort complexe, et qui peut s'expliquer de différentes façons.

D'abord, malgré les frontières politiques, les États-Unis et le Canada forment un vaste marché du travail où la main-d'oeuvre est très mobile. On en a comme exemple frappant l'émigration massive des Canadiens français devenus Franco-Américains. Or, les syndicats américains ont voulu se protéger contre la concurrence des ouvriers canadiens qui émigraient aux États-Unis. Ils ont estimé qu'un des moyens d'inciter les travailleurs à rester au Canada était d'y organiser des syndicats affiliés. Ils comptaient également empêcher les patrons américains d'exporter du travail au Canada afin de profiter d'une main-d'oeuvre non syndiquée et à bon marché.

Une autre raison, plus fondamentale semble-t-il, est que les syndicats se sont développés beaucoup plus rapidement et sur une plus grande échelle aux États-Unis qu'au Canada et au Québec. Ils ont négocié des conditions de travail et de salaires bien supérieures, tout en procurant à leurs membres diverses protections sociales en cas d'accident, de maladie, de décès, de retraite — protections qui s'accroîtront avec l'expansion des unions de métiers vers la fin du siècle. Or, les travailleurs du Canada et du Québec ont voulu obtenir, grâce aux mêmes syndicats, des conditions qui s'apparentaient à celles des travailleurs américains. Ils ont aussi voulu profiter, lors de leurs luttes, d'un soutien technique et financier plus considérable, comme un fonds de grève.

Enfin, les syndicats internationaux affirment exprimer l'identité des intérêts de classe entre les travailleurs des États-Unis, du Canada et du Québec, indépendamment de leurs différences nationales et culturelles. Mêmes patrons, mêmes syndicats, soutiennent-ils, en s'appuyant à la fin du siècle sur l'entrée croissante du capital américain ici. Cet «internationalisme» servira peu à peu de prétexte à une influence, voire à une domination de plus en plus forte du syndicalisme américain. Ce qui ne sera pas sans provoquer bien des résistances, particulièrement au Québec.

LA LUTTE POUR LES «9 HEURES»

Au début des années 1870, le mouvement syndical se renforce au Canada et au Québec.

Au plan international, c'est d'ailleurs une époque de remontée des luttes, comme en témoigne l'un des faits politiques les plus marquants de l'histoire du mouvement ouvrier mondial, la Commune de Paris, en 1871. Les travailleurs de Paris s'emparent de la capitale et y instaurent un premier pouvoir révolutionnaire prolétarien. L'Armée française les en déloge sauvagement, dans une répression sanglante. Au moins 20 000 ouvriers sont tués et autant envoyés au bagne ou en exil.

Au Canada, les luttes de cette époque aboutissent à la première grande victoire du mouvement syndical sur la longue voie de la conquête du droit d'association et du droit de grève: la Loi des unions ouvrières de 1872.

Hamilton, 15 mai 1872: manifestation ouvrière en faveur de la journée de 9 heures.

Canadian Illustrated News.

Cette victoire est le résultat du mouvement lancé dans les grands centres urbains en faveur de la journée de travail de 9 heures, soit la semaine de 54 heures. Le «Mouvement des 9 heures» déclenche la première véritable mobilisation générale des syndiqués au Canada et au Québec. Dans la métropole, les travailleurs de différents syndicats de métiers, réunis en assemblée générale, fondent la Ligue ouvrière de Montréal, qu'on appelle aussi la «Ligue des 9 heures».

La grève des typos de Toronto

C'est à Toronto, en Ontario, que le mouvement revendicatif est le plus fort. Il est dirigé par l'Association des syndicats de métiers («Trades Assembly»), fondée à la fin de 1871, et par le syndicat des typographes torontois, le premier au Canada à s'affilier à l'Union américaine des typos en 1866.

En mars 1872, les typographes déclenchent la grève au quotidien The Globe par suite du refus de leur patron George Brown — leader de l'Opposition libérale au Parlement d'Ottawa — de leur accorder la journée de 9 heures.

Les leaders du comité de grève des typos sont arrêtés et accusés de «conspiration criminelle». Ces arrestations dramatisent le fait que les syndicats sont toujours considérés comme illégaux en vertu de la Common Law et qu'ils sont forcés d'agir dans une sorte de semi-clandestinité.

Les travailleurs de Toronto ripostent par une manifestation qui rassemble plus de 10 000 personnes. Ils reçoivent des appuis de plusieurs villes de l'Ontario et du Québec. Assemblées, manifestations de masse et grèves se succèdent.

LA «LOI DES UNIONS OUVRIÈRES» (1872)

La lutte des typographes et de tout le mouvement syndical permet d'arracher une grande victoire: la promulgation d'une première loi reconnaissant que la libre association des travailleurs et la grève ne sont plus désormais des actes illégaux.

En effet, devant l'ampleur du mouvement de protestation, le gouvernement fédéral adopte la «Loi des unions ouvrières» qui reconnaît que le simple fait de s'associer et de faire la grève ne peut être considéré comme un délit en vertu du droit commun.

Les syndicats ne sont pas «légalement» reconnus pour autant: la loi n'oblige nullement les employeurs à reconnaître les unions ouvrières et à négocier des contrats de travail. Ce qui n'empêchera pas les travailleurs de se syndiquer, de négocier et de faire la grève si le rapport de forces leur semble favorable.

La loi de 1872 est la copie d'une loi semblable adoptée l'année précédente par le Parlement britannique, sous la pression de la grande centrale syndicale anglaise, le «Trades Union Congress» (TUC), fondée en 1868.

Elle est aussi le résultat d'une manoeuvre politique opportuniste du Premier ministre conservateur, John A. Macdonald, qui veut exploiter à son profit un conflit de travail entre le chef de l'Opposition libérale, George Brown, et ses employés du Globe. Néanmoins, la «décriminalisation» des syndicats constitue un acquis pour le jeune mouvement ouvrier. Elle résulte d'une lutte solidaire des travailleurs de divers métiers.

Progressivement, le gouvernement fédéral devra insérer dans le Code criminel des exceptions reconnaissant certaines manifestations de l'action syndicale. Ainsi, en 1876, une nouvelle loi reconnaîtra, malgré beaucoup de restrictions, que les syndiqués peuvent dresser des piquets de grève — des lignes de piquetage.

La «Canadian Labour Union»

La lutte pour la journée de 9 heures va aussi entraîner la création, en 1873, d'une première centrale syndicale, la «*Canadian Labour Union*» (l'Union canadienne du travail), limitée presque exclusivement à l'Ontario, voire à Toronto.

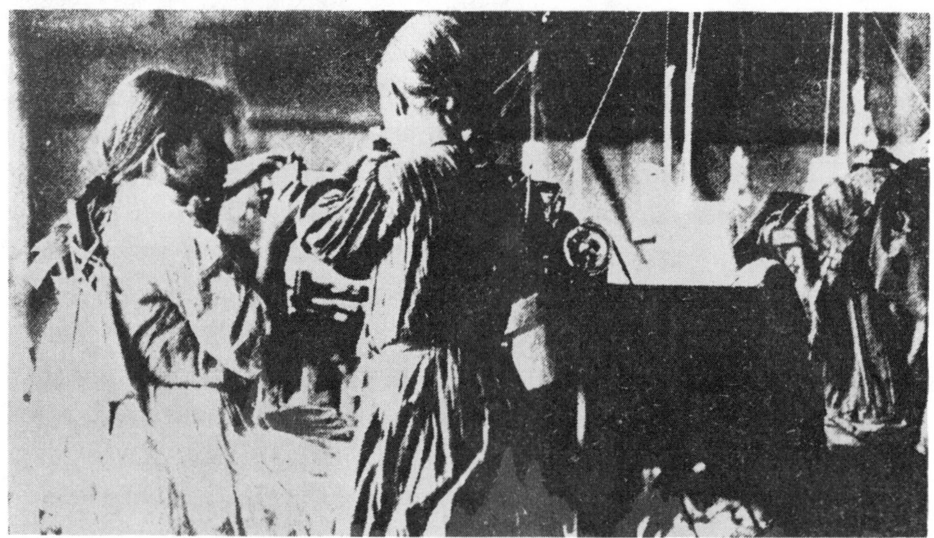

L'abolition du travail des enfants de moins de dix ans est une des principales revendications syndicales en 1873.

À son congrès de fondation, la centrale réclame la journée de 9 heures, qui commence à être gagnée par certains groupes de syndiqués comme les typographes et quelques catégories de cheminots et d'ouvriers qualifiés de l'industrie. Il s'agit là de la journée normale de travail, les heures supplémentaires devant être payées à un taux supérieur. À ce sujet, la «Canadian Labour Union» condamne le temps supplémentaire obligatoire comme pratique patronale qui fait perdre aux ouvriers les acquis de la réduction des heures de travail.

La centrale revendique l'interdiction du travail des enfants de moins de 14 ans, le relèvement des salaires et diverses mesures pour améliorer le sort de la classe ouvrière. Elle lance un appel à l'action politique ouvrière.

LA GRANDE DÉPRESSION

La «Canadian Labour Union» est toutefois victime de la grande dépression économique qui débute au Canada en 1874; elle disparaît presque en même temps que la «National Labour Union» aux États-Unis.

Pendant cette dure crise qui persiste jusqu'en 1879, les travailleurs doivent lutter contre de fréquentes coupures de salaires, allant de 25 à 60% selon les métiers. La plupart des acquis sont perdus, comme la journée de 9 heures. De même, la grande majorité des grèves se soldent par des défaites.

Les employés itinérants des chemins de fer déclenchent leurs premières grandes grèves. Ils le font presque en même temps que leurs camarades des États-Unis où la première véritable révolte ouvrière contre le Big Business, en 1877, prend la forme d'une grève quasi-insurrectionnelle des cheminots, réprimée dans le sang par les milices d'État et l'armée fédérale américaine. Au Québec et en Ontario, les mécaniciens de locomotives du Grand Tronc, membres d'une Fraternité internationale de métier, paralysent tout le réseau pendant une semaine. Les grévistes abandonnent parfois leurs machines sur les lignes. À Québec, ils occupent les dépôts pour éviter d'être remplacés par des briseurs de grève. Les syndiqués ne réussissent pas à éviter une coupure de salaires.

Cheminots à l'assaut d'un train occupé par des briseurs de grève.

Encore en 1877, à Montréal, les journaliers employés à des travaux au canal Lachine débraient contre une réduction de leur salaire de 90 à 80 cents pour une journée de 10 heures. L'embauche de briseurs de grève provoque des éclats de la violence et l'intervention de l'armée. De leur côté, plus de 1 000 débardeurs du port de Montréal, en majorité irlandais, quittent le travail pour conserver leur salaire qui varie de 15 à 20 cents l'heure.

Ces deux groupes de grévistes reçoivent du pain que leur distribue gratuitement Jos Beef, tavernier du port, l'un des personnages les plus pittoresques de l'époque. Célèbre pour son ragoût de boeuf et sa bière, Jos Beef, de son vrai nom Charles McKiernan, est l'ami des débardeurs, des marins et de tous les travailleurs qu'il aide généreusement lors des conflits. Lors de ses funérailles, en 1889, au moins 50 unions ouvrières seront représentées, leurs membres en vêtements de travail, dans le convoi funèbre.

Une autre grande grève ponctuée de violence survient pendant la récession, en juin 1878, à Québec. Plus de 1 000 journaliers du bâtiment, employés aux chantiers des édifices parlementaires, protestent contre une baisse de salaire de 60 à 50 cents par jour. Ils gagnent à leur cause d'autres ouvriers du bâtiment de la ville et marchent sur le Parlement en chantant et en arborant le drapeau tricolore de la France. À la suite du pillage d'un entrepôt de farine dans le quartier Saint-Roch, les autorités font appel à l'armée. Après lecture de la Loi de l'émeute, les soldats tirent sur les manifestants. La fusillade fait une dizaine de blessés et un mort, un leader ouvrier d'origine française, Édouard Beaudoire, qu'un rapport militaire décrit comme «un socialiste ayant participé à la Commune de Paris»... Le soir, une nouvelle manifestation rassemble près de 4 000 ouvriers près de la prison de Québec où sont détenus plusieurs grévistes. L'armée protège les lieux de peur que la foule ne libère des travailleurs emprisonnés. Le lendemain, après l'arrivée d'un renfort de troupes venues de Montréal, l'ordre est rétabli. Les grévistes ont finalement gain de cause.

Les périodes de crise économique provoquent par ailleurs des divisions entre travailleurs. C'est notamment le cas en 1879, à Québec, où les syndicats de débardeurs irlandais et canadiens-français se disputent l'embauche dans le port. Les francophones, réunis dans l'Union canadienne, acceptent d'être payés moins cher. Les deux groupes s'affrontent, le 15 août, lors d'une «parade» de 2 000 Canadiens français. Bilan: deux francophones tués et 30 blessés de part et d'autre. Les autorités font appel à l'armée pour rétablir l'ordre. Le calme reviendra quand les syndicats auront conclu une entente spécifiant que tout chargement requiert l'emploi d'un nombre égal de travailleurs de chacun des deux groupes ethniques.

Montréal, juillet 1877: grève des journaliers du port.
Archives nationales du Québec, collection initiale.

Lachine, janvier 1877: les journaliers du canal réclament 1,00 $ par jour.
L'opinion publique, 1878.

1877. La milice occupe le port de Montréal pendant la grève des débardeurs.
Bibliothèque nationale du Canada.

La fameuse taverne de Jos Beef, rue de la Commune, face au port de Montréal.
Collection Walker, Musée McCord.

LA REPRISE

Par suite de la reprise économique et d'une industrialisation accélérée, au début des années 1880, le mouvement syndical connaît une expansion très rapide. Les luttes sont plus souvent victorieuses malgré une répression patronale très forte. Les grèves ont pour buts le rétablissement des salaires coupés pendant la crise ou encore des augmentations, ainsi que la réduction de la semaine de travail. Elles ont souvent lieu en l'absence de syndicats, tant la combativité est forte; ce n'est qu'ensuite que les travailleuses et travailleurs décident de s'organiser de façon plus permanente.

C'est à Montréal que surviennent la majorité des arrêts de travail, notamment dans le bâtiment — où les syndicats de métiers sont très actifs —, les fonderies et, pour la première fois, à la Compagnie du Gaz. Les charretiers débraient contre la Compagnie des tramways à chevaux, ces voitures roulant sur des rails de bois et tirées par des chevaux. Les conducteurs et hommes d'écurie réussissent à obtenir 2 $ par jour. (Les charretiers sont les précurseurs du grand syndicat des camionneurs, les «Teamsters», fondé aux États-Unis en 1898, et dont le nom vient du fait que les conducteurs de voitures menaient des attelages ou «teams» de chevaux.)

De leur côté, 1 000 débardeurs du port de Montréal déclenchent en 1881 une grève agitée qui leur permet de décrocher une hausse de salaires. La présence de scabs a provoqué des éclats de violence qui ont entraîné la proclamation de la Loi de l'émeute et l'intervention de l'armée sur les quais.

En fait, les luttes sont ponctuées d'une forte répression. Les patrons ont souvent recours à des briseurs de grève et certains ouvriers, non-réengagés, doivent aller grossir les rangs des émigrants vers les Etats-Unis. Les employeurs, eux, recourent à l'immigration sur commande: pour briser une grève dans le tabac à Montréal, 200 cigariers allemands sont «importés» ici, voyage et pension payés. Par ailleurs, les patrons commencent à utiliser une arme nouvelle, le lock-out, en fermant les portes de leur entreprise pour obliger les travailleurs à accepter leurs conditions. Certains forcent également les ouvriers à signer des contrats individuels par lesquels ils s'engagent à ne pas être membre d'un syndicat.

Premières grèves du textile

Alors que les syndicats progressent parmi les ouvriers de métiers qui ont souvent un meilleur rapport de forces face à l'employeur, ils ont beaucoup de mal à s'implanter parmi les travailleuses et les travailleurs du textile, de la chaussure et du tabac. Ces derniers sont de plus en plus nombreux par suite de l'essor des manufactures et forment une main-d'oeuvre non qualifiée, facilement remplaçable, où l'on compte beaucoup d'enfants. C'est là un secteur où les prolétaires canadiens-français sont largement majoritaires.

Un premier débrayage d'importance dans le textile se produit en 1880 à la Dominion Cotton de Hochelaga, dans l'est de Montréal. Les grévistes, dont la moitié sont des femmes, réclament la réduction de leur journée de travail de 12 à 10 heures et une hausse de salaire de 10%. Ils formulent plusieurs griefs au sujet de la brutalité des contremaîtres et des irrégularités dans le versement des salaires. Malgré l'absence de syndicat, la résistance ouvrière est grande. Par exemple, les femmes décident d'imposer une amende à celles qui voudraient reprendre le travail. Après avoir obtenu certaines concessions dont la réduction d'une demi-heure de la journée de travail, la plupart des grévistes retournent à leurs machines. D'autres vont travailler dans les filatures des États-Unis.

Peu après, une autre grève a lieu à la grande filature de la Montreal Cotton de Valleyfield, la première d'une longue série. Une charge de la police fait un mort, un jeune gréviste de 18 ans du nom de Tessier. Les grèves spontanées sont également nombreuses dans la chaussure et le tabac où la mécanisation entraîne des baisses de salaires de 40 à 60% et l'embauche de femmes et d'enfants.

LES CHEVALIERS DU TRAVAIL

La reprise économique et le regain de la combativité ouvrière coïncident avec l'entrée en scène, au Québec, d'une organisation syndicale d'origine américaine qui sera très active de 1882 jusqu'à 1902: les Chevaliers du travail.

Fondés aux États-Unis en 1869, les «Knights of Labour» ont d'abord fait un travail clandestin avant d'émerger au grand jour, à partir de 1880, pour devenir un mouvement de masse. À leur apogée, en 1886, ils comptent plus de 700 000 membres et participent au grand mouvement de grève pour la journée de 8 heures, qui est à l'origine de la Fête du 1er mai. Puis ils déclinent aussi rapidement qu'ils avaient grandi: en 1893, ils sont à peu près disparus de la carte syndicale aux États-Unis, supplantés par les unions internationales de métiers.

Les Chevaliers au Québec

Au Québec, les Chevaliers du travail, pratiquement autonomes vis-à-vis de l'organisation américaine, se maintiendront jusqu'au début du 20e siècle. À partir de 1882, ils recrutent plusieurs milliers d'adhérents à Montréal, Québec, Lévis, Hull, Sherbrooke, Saint-Hyacinthe, Trois-Rivières, Saint-Jean. Ils sont également nombreux en Ontario.

Les Chevaliers sont considérés comme les précurseurs du «syndicalisme industriel», c'est-à-dire des syndicats réunissant tous les travailleurs d'une entreprise ou d'une industrie sans distinction des métiers qu'ils exercent.

À Montréal, sur les 64 «assemblées» fondées par les Chevaliers jusqu'en 1902, 39 sont des regroupements exclusifs de travailleurs de métiers, souvent membres d'unions internationales, mais 25 sont «mixtes», c'est-à-dire composées à la fois d'ouvriers de métiers et d'ouvriers non qualifiés. Dans certaines assemblées, on trouve même des artisans, des chômeurs, des ménagères ainsi que des petits commerçants et des membres de professions libérales. À Montréal et à Québec, ces assemblées sont établies sur la base des quartiers.

Jules Hellromer, journaliste à La Presse, fut membre de la Commission royale d'enquête sur les relations entre le capital et le travail.

Débordant les intérêts du métier, les Chevaliers revendiquent auprès des pouvoirs publics des réformes sociales progressistes: nationalisation ou municipalisation des services publics, impôt progressif, accès à l'instruction pour tous les citoyennes et citoyens, égalité des sexes, des races et des religions dans le travail (à travail égal, salaire égal), la journée de 8 heures, l'abolition du travail des enfants. Ils sont à l'origine de la première loi ouvrière au Québec, la Loi des Manufactures de 1885.

Neutres en matière de religion, les Chevaliers sont vivement dénoncés par le clergé. En 1884, le cardinal Taschereau de Québec décrète qu'il est défendu, sous peine de «péché grave», d'être membre de cette organisation. L'interdit est levé en 1887 sous la pression de plusieurs évêques américains et de l'archevêque de Montréal, Mgr Fabre. Cependant, une bonne partie du clergé continue de recommander à ses ouailles de ne pas adhérer à cette «société secrète». À Montréal, les Chevaliers ont notamment l'appui du quotidien populaire La Presse, fondé en 1884, et dont le rédacteur en chef est Jules Helbronner («Jean-Baptiste Gagnepetit»). Ils se donnent également en 1886 un organe officieux, «Le Trait d'union», un hebdomadaire qui est le premier journal ouvrier au Québec.

LES BASES DU MOUVEMENT SYNDICAL

Les bases d'un mouvement syndical durable sont jetées à Montréal, au Québec et au Canada, grâce en grande partie à l'action des Chevaliers du travail, avec l'appui des unions internationales de travailleurs de métiers.

Le CCMTM

Le 12 janvier 1886, les Chevaliers sont à l'origine de la fondation du *Conseil central des métiers et du travail de Montréal (CCMTM)*, la première organisation permanente qui regroupe les travailleuses et travailleurs de la métropole. Le premier président du Conseil est le «Chevalier» Louis Guyon, mécanicien de son métier, qui deviendra le premier sous-ministre du Travail à Québec. Le secrétaire est un membre de l'Union internationale des typographes, Alphonse-Télesphore Lépine, qui deviendra en 1888 le premier député ouvrier élu au Parlement d'Ottawa.

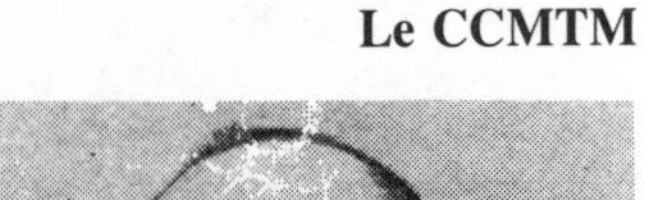

À Québec, le premier Conseil des métiers est fondé en 1889, en même temps que celui de Hull-Ottawa. Un autre est formé plus tard à Saint-Hyacinthe.

Alphonse-T. Lépine, premier député ouvrier du Québec au parlement d'Ottawa, en 1888.
Archives publiques du Canada.

Le CMTC

En septembre 1886, les Chevaliers et les unions internationales de métier vont également fonder le *Congrès des métiers et du travail du Canada (CMTC)*, la première centrale syndicale d'envergure canadienne. Le CMTC est l'ancêtre du Congrès du Travail du Canada (CTC) dont la Fédération des travailleurs du Québec (FTQ) est l'aile québécoise. Le président de la centrale en 1890 est un Canadien français, Urbain Lafontaine, typographe et militant des Chevaliers du Travail. Il en sera de même pour Patrick Jobin en 1894. À cette époque, il n'y a pas encore de fédération québécoise des syndiqués. En 1892, le CMTC désigne pour le Québec un «Comité exécutif provincial», porte-parole des unions ouvrières auprès du gouvernement du Québec.

1886 est aussi une année capitale à d'autres égards:

- En décembre, le gouvernement conservateur de Macdonald, à Ottawa, doit instituer une première Commission royale d'enquête sur les relations entre le capital et le travail. Et ce, à la suite de la poussée du mouvement ouvrier et de la montée des luttes.

Le Premier Mai

- Enfin, 1886 demeure une année mémorable pour le mouvement ouvrier international parce qu'elle est à l'origine de la Fête des travailleurs et des travailleuses, le Premier Mai. Ce jour-là, plus de 200 000 ouvrières et ouvriers américains participent à la première tentative de grève générale à l'échelle nationale aux États-Unis pour l'obtention de la journée de 8 heures. Le foyer principal de la lutte se trouve à Chicago où, après une répression sanglante, les principaux leaders du mouvement sont pendus.

De grandes grèves

Les Chevaliers du Travail sont impliqués dans plusieurs grandes luttes au Québec, même s'ils ne sont favorables à l'utilisation de la grève qu'en tout dernier recours, lui préférant l'arbitrage.

En 1883, ils dirigent la première grève à l'échelle nord-américaine, celle de 18 000 télégraphistes, à laquelle participent 1 200 de leurs affiliés au Canada et au Québec. Principales revendications: la journée de 8 heures, des hausses de salaire et un salaire égal pour les hommes et les femmes.

En 1887, les Chevaliers sont actifs parmi les 1 500 débardeurs en grève au port de Québec. Les grévistes obtiennent la journée de 8 heures — ce qui est exceptionnel à l'époque —, les heures supplémentaires étant payées à un taux supérieur. Ils gagnent 37,5 cents l'heure, comparé à 30 cents à Montréal. La même année, les Chevaliers appuient la plus grande grève survenue jusqu'alors dans l'industrie métallurgique, celle des 1 000 ouvriers de la fonderie Montreal Rolling Mills (aujourd'hui la Stelco).

En 1888, les typographes de tous les journaux de Québec se mettent en grève. Affiliés à l'Union internationale des typos et aux Chevaliers du travail, ils réclament la parité avec leurs camarades de Montréal, soit la journée de 9 heures et un salaire minimum de 8 $ par semaine. Les grévistes publient un journal, L'Artisan, pour expliquer leurs revendications. Alors que les typos de langue anglaise, regroupés dans une section locale distincte, ont gain de cause, les typos francophones ont moins de succès. La plupart d'entre eux obtiennent cependant, à titre individuel, les conditions exigées par leur syndicat.

En 1891 survient la grève générale d'un mois de 3 000 travailleurs des scieries de Hull et de l'Outaouais. Ceux-ci gagnent de 6,50 $ à 8,50 $ par semaine pour des journées de travail allant jusqu'à 11 heures et demie; ils réclament une augmentation hebdomadaire de 50 cents et la journée de 10 heures. Les grévistes se sont donné une organisation dirigée par Napoléon Fauteux et ils sont soutenus par les Chevaliers du Travail qui contribuent à leur fonds de solidarité. Ils organisent une «parade» jusqu'au Parlement d'Ottawa. L'embauche de scabs entraîne de la violence et le maire de Hull, E.B. Eddy, propriétaire d'une scierie touchée par la grève, fait appel à l'armée. Le conflit prend fin quand la plupart des employeurs accordent la hausse de 50 cents et, pour certains, la journée de 10 heures.

Les années qui suivent sont marquées par une dure crise économique qui affaiblit le mouvement syndical. On estime à 10 000 le nombre de chômeurs à

Montréal en 1894. Cette crise et plusieurs autres raisons vont contribuer au déclin des Chevaliers du Travail.

Hull: ouvriers de la scierie E.B. Eddy à l'époque de la grève générale de 1891.
Archives publiques du Canada.

Le déclin des Chevaliers

En réalité, les orientations et les pratiques des Chevaliers du Travail apparaissent confuses et même contradictoires, ce qui contribue à accélérer leur disparition au tout début du 20e siècle.

Les Chevaliers veulent, par l'action syndicale et politique, «harmoniser les rapports entre le capital et le travail». Ils cherchent à dépasser le capitalisme, disent-ils, pour construire une nouvelle société fondée sur la coopération, où le salariat disparaîtra, où le travail retrouvera sa dignité et où les hommes accéderont au juste partage des richesses de la société industrielle. Pour accéder à cette société, ils ne désirent pas accentuer la lutte des classes, mais entreprendre un long travail d'éducation, organiser dès maintenant des coopératives de production où le travail et le capital seront réconciliés. La pensée des Chevaliers s'apparente, en fait, au courant du socialisme utopique d'origine européenne.

Sur le plan proprement syndical, plusieurs contradictions, encore là, contribuent au déclin des Chevaliers. Outre qu'ils préfèrent l'arbitrage à la grève, ils se heurtent aussi au problème de la coexistence, au sein de leurs syndicats, des ouvriers de métiers et des ouvriers non qualifiés. Les ouvriers de métiers accusent la direction des Chevaliers de les utiliser pour améliorer le sort des ouvriers non qualifiés, plutôt que de les défendre adéquatement dans leurs luttes. Les hommes de métiers quittent donc le mouvement. Et les Chevaliers sont bientôt réduits à leurs regroupements de quartiers, admettant de plus en plus dans leurs rangs des non-salariés, marchands, petits entrepreneurs et ceux qu'on appellerait aujourd'hui des professionnels.

Toutes ces raisons accumulées, auxquelles s'ajoute la grave récession économique des années 1890, amènent les Chevaliers sur la voie du déclin. Ils sont alors supplantés par les unions internationales de métiers.

LES UNIONS DE MÉTIERS: L'AFL

Samuel Gompers, président de l'AFL de 1886 à 1924.

Au Québec et au Canada, les Chevaliers du Travail et les unions internationales de métiers ont coexisté assez pacifiquement jusque vers la fin du 19e siècle. Aux États-Unis, par contre, la rupture entre les deux groupes est survenue dès 1886. Les syndicats américains de métiers, jusque-là indépendants les uns des autres, décident alors de se regrouper en une centrale syndicale, provoquant ainsi des scissions au sein des Chevaliers.

C'est ainsi que naît, en 1886, l'«American Federation of Labor» (AFL), la future grande centrale syndicale des États-Unis, qui compte quelque 100 000 adhérents à sa fondation. Les principales unions affiliées sont d'abord celles des typographes et des ouvriers de l'imprimerie, du bâtiment, des chemins de fer, de la métallurgie, du bois, des brasseries et du tabac. Elles ont répondu à l'invitation du leader de l'Union des cigariers, Samuel Gompers, un Britannique arrivé à New York en 1863. Gompers, à 36 ans, devient le premier président de l'AFL, poste qu'il occupera jusqu'à sa mort en 1924. Rapidement, la centrale dépasse en effectifs les Chevaliers du Travail américains; elle compte plus d'un demi-million de membres en 1900.

La force des ouvriers de métiers

L'«American Federation of Labor» cherche avant tout à organiser et à défendre les hommes de métiers. Ces travailleurs qualifiés, qui ont suivi un long apprentissage, ont un meilleur pouvoir de négociation auprès des employeurs qui peuvent plus difficilement les remplacer. Or, la force d'un syndicat est proportionnelle à la difficulté pour les patrons d'embaucher des briseurs de grève.

Les unions de l'AFL concentrent donc leurs activités parmi les travailleurs de métiers. Leur succès vient de ce qu'elles améliorent les conditions de travail et de salaires de leurs membres en développant tous les moyens d'action du syndicalisme contemporain: négociation collective, grève — et fonds de grève bien garni, piquetage efficace, boycottage des entreprises qui ne veulent pas reconnaître les unions, contrat de travail avec des clauses de plus en plus nombreuses, étiquette syndicale («union label») sur les produits fabriqués par les syndiqués, etc. Elles procurent également à leurs cotisants des protections sociales considérables pour l'époque en cas de chômage, de maladie, d'accidents, de retraite, de décès.

Les unions internationales de métiers participent aux grandes luttes pour la journée de 8 heures aux États-Unis dès 1886. Un de leurs gains majeurs est la conquête de l'atelier fermé («closed shop»), une forme de sécurité syndicale qui oblige l'employeur à n'embaucher que des travailleurs membres du syndicat. L'appartenance au syndicat est aussi une condition pour conserver son emploi. Les unions en viennent ainsi à former des bureaux de placement pour leurs membres, surtout dans les métiers du bâtiment.

L'AFL est méfiante envers l'État qu'elle juge acquis aux employeurs: ce que les gouvernements donnent, dit Gompers, ils peuvent le reprendre, tandis que les gains obtenus dans les contrats de travail restent.

Au sein de l'AFL, le pouvoir est concentré au sein des grandes unions internationales. Elles disposent de la pleine souveraineté sur leur métier et ces privilèges de juridiction sont à l'origine, dans le bâtiment par exemple, de dizaines d'unions «protégeant» autant de métiers différents. Par ailleurs, les sections locales des unions et leurs membres ont des pouvoirs limités, l'union disposant même d'un certain droit de véto sur les décisions de la section locale, en cas de grève par exemple.

L'«aristocratie ouvrière»

L'AFL s'inspire des origines du syndicalisme en Grande-Bretagne: organisation par métiers, défense des ouvriers qualifiés, cotisations élevées, secours mutuels. Toutefois, les syndicats britanniques ont évolué depuis la fondation du «Trades Union Congress» (TUC) en 1868; ils commencent à syndiquer les ouvrières et les ouvriers non qualifiés, développant ainsi la solidarité de classe de tous les travailleuses et travailleurs, sans égard aux métiers qu'ils exercent.

De son côté, l'AFL va se figer par rapport à l'évolution même de l'économie capitaliste, qui tendra à fondre les métiers au sein de grandes unités industrielles. Elle ne fera guère d'efforts pour syndiquer les travailleuses et travailleurs non qualifiés dont les femmes. Elle contribuera ainsi à l'émergence d'une catégorie de travailleurs mieux protégés qu'on appellera «l'aristocratie ouvrière», ce qui aura pour effet d'accentuer les écarts au sein de la classe ouvrière.

LES UNIONS DE MÉTIER AU QUÉBEC

L'essor du syndicalisme de métier aux États-Unis a des retombées majeures au Canada et au Québec. Les unions internationales affiliées à l'AFL se lancent dans un vaste mouvement d'organisation qui leur permet progressivement de supplanter les Chevaliers du Travail. Vers la fin du siècle, elles représentent la majorité des syndiqués québécois.

Le Conseil central des métiers et du travail de Montréal, pierre angulaire du jeune mouvement syndical québécois, vit intensément les premiers affrontements entre les Chevaliers du Travail et les unions internationales de métiers. En 1892, les syndicats du bâtiment se séparent du CCMTM et fondent le Conseil des métiers de la construction, à l'initiative de la Fraternité des peintres et décorateurs d'Amérique (AFL). Après une brève réconciliation en 1896, nouvelle rupture, définitive, en 1897: les unions internationales de l'AFL fondent le *Conseil fédéré des métiers et du travail de Montréal*, à l'initiative surtout des ouvriers du bâtiment et des typographes. Ce Conseil finira par avoir le dessus sur son rival et prendra à toutes fins utiles sa succession.

Joseph Ainey, de la Fraternité des charpentiers-menuisiers, l'un des premiers leaders des unions internationales à Montréal.

Son président, Joseph Ainey, leader de la Fraternité unie des charpentiers et menuisiers (le «local» 134), est l'un des chefs de file des unions internationales au Québec. En 1894, il est l'un des dirigeants de la grève d'un mois de 2 000 charpentiers de la métropole auxquels l'Union internationale verse plus de 5 000 $. Les grévistes gagnent notamment la journée de 9 heures, un salaire horaire minimum de 20 cents et 30 cents pour les heures supplémentaires.

La même année, l'Union internationale des cigariers soutient une longue grève dans les manufactures de tabac à Montréal. Les travailleurs sont invités à ne fumer que les cigares portant l'étiquette bleue de l'Union. En 1899, l'Union internationale des mouleurs verse à 600 de ses membres en grève dans la métropole 7 $ par semaine, soit autant que plusieurs d'entre eux gagnent en travaillant. L'Union internationale des chaudronniers («boiler makers») verse leur plein salaire aux grévistes des ateliers de chemins de fer. La plupart de ces grèves se soldent par des gains importants.

C'est à cette époque que remonte vraiment la prédominance des unions internationales au Québec. C'est là un phénomène qui reflète l'influence grandissante du syndicalisme américain et dont nous avons déjà donné quelques explications (voir page 51).

Le «Labor Day»

Il n'est pas sans intérêt de signaler que l'influence américaine a été à l'origine, en 1894, du premier jour de congé annuel férié pour les travailleurs et les travailleuses, promulgué par le gouvernement d'Ottawa. Le «Labor Day», la Fête du travail, est célébré depuis lors chaque premier lundi de septembre.

Montréal, 3 septembre 1894: répression policière lors d'une manifestation marquant la Fête du Travail.
Gravure d'Edmond J. Massicotte, Le monde illustré, 1894.

Le «Labor Day» a d'abord été une fête chômée, à compter de 1882, par les membres du syndicat des ouvriers-cigariers (celui de Samuel Gompers), qui organisaient ce jour-là un défilé dans les rues et un pique-nique. En 1887, l'État de New York en fait une fête légale puis, peu à peu, tous les États américains. En 1889, à Montréal, le Conseil central des métiers et du travail prend en main l'organisation de la fête; 10 000 ouvrières et ouvriers participent à la marche et au pique-nique. En 1891, ils sont plus de 15 000 et on y voit même des ministres et le maire de Montréal. Une manifestation annuelle est née qui durera jusqu'au milieu du 20e siècle.

La célébration du «Labor Day» comme jour férié a longtemps mis en veilleuse, au Québec, le fait que la véritable Fête internationale des travailleuses et travailleurs, partout dans le monde, était le Premier Mai. C'est en effet cette date qu'avait fixée la Deuxième Internationale ouvrière, en 1889, en souvenir de la grève générale du 1er mai 1886 aux États-Unis pour la journée de 8 heures. Au Québec — comme dans toute l'Amérique du Nord —, le Premier Mai ne sera d'abord célébré que par les groupes socialistes.

CONCLUSION

12 000 syndiqués

À la fin du 19e siècle, les unions internationales de métiers sont donc en position de force au Québec où elles regroupent près des deux tiers des syndiqués. Le mouvement syndical n'en est toutefois qu'à ses premiers pas: vers 1900, on estime à environ 12 000 le nombre de membres des syndicats, soit moins de 5% des salariés. Le syndicalisme connaîtra sa première grande période d'expansion au début du 20e siècle mais déjà, il représente une force montante.

5. L'ACTION POLITIQUE OUVRIÈRE

Les dures luttes menées par les travailleuses et travailleurs et leurs syndicats ont des limites, car elles se livrent généralement au sein des entreprises en fonction d'un rapport de forces entre patrons et ouvriers. C'est pourquoi les organisations syndicales ont aussi exercé des pressions auprès des pouvoirs publics, en vue d'obtenir de l'État des législations favorables aux intérêts et aux besoins de la classe ouvrière.

Les syndicats ont élaboré un «programme législatif» comprenant toute une série de réformes, voire un projet de société remettant en cause, à des degrés divers, le système capitaliste. Ce fut le cas, en particulier, comme nous l'avons vu, des Chevaliers du Travail, qui ont joué un rôle déterminant à cet égard au sein du Congrès des métiers et du travail du Canada et du Conseil des métiers et du travail de Montréal.

Vers la fin du 19e siècle, plusieurs militants ouvriers mesurent plus clairement les limites du syndicalisme et s'orientent vers l'action politique pour compléter l'action syndicale. Certains d'entre eux se tournent alors vers l'action politique électorale.

Le droit de vote

Il faut d'abord rappeler qu'au 19e siècle, la majorité des travailleurs — et la totalité des travailleuses — ne peuvent pas encore voter lors des élections, encore moins s'y présenter comme candidats.

Les femmes ne gagneront le droit de vote, de haute lutte, qu'en 1918 à Ottawa et en 1940 à Québec. Pour les hommes, le droit de vote repose encore sur ce qu'on appelle le cens: un électeur doit être propriétaire de biens-fonds d'une valeur minimale (le cens), ou encore être locataire tout en ayant des revenus équivalents au cens, ce qui a pour effet d'exclure les petits salariés.

Peu à peu, des lois viendront élargir l'électorat mais le revenu ou la propriété restent à la base du système. Il en va de même de la qualification foncière exigée des candidats aux élections fédérales, provinciales et municipales. Le cens électoral sera finalement abaissé, en 1912, à 10 $ de revenu par mois en moyenne. À toutes fins utiles, le Québec disposera alors du suffrage universel... masculin.

Les premiers députés ouvriers

Au début des années 1880, certains militants ouvriers, formés par les Chevaliers du Travail, décident de défendre les revendications ouvrières au Parlement, à Ottawa et à Québec, et dans les conseils municipaux. Ils ne s'appuient pas encore sur un parti politique ouvrier — dont les bases ne seront posées que vers 1900. Ils se présentent comme candidats ouvriers «indépendants», ou encore comme «libéral ouvrier» ou «conservateur ouvrier».

L'histoire retient comme premier député ouvrier du Québec Alphonse-Télesphore Lépine, élu le 26 septembre 1888 au Parlement d'Ottawa pour représenter la grande circonscription francophone de Montréal-Est. Typographe de son métier, membre de l'Union internationale des typos et des Chevaliers du Travail, Lépine a été le secrétaire-fondateur du Conseil central des métiers et du travail de Montréal.

Premier député à faire entendre la voix des ouvriers au Parlement canadien, Lépine siège à Ottawa pendant huit ans. Il défend le programme législatif des syndicats et notamment la nationalisation des services publics (chemins de fer, télégraphes, téléphone), la journée de 8 heures, l'abolition du travail des enfants de moins de 15 ans, la reconnaissance des syndicats et la mise en place d'un système de conciliation et d'arbitrage pour régler les conflits de travail.

En 1889, un autre candidat ouvrier, le briqueteur Joseph Béland, est élu au Parlement de Québec pour représenter le comté de Sainte-Marie à Montréal. Béland a reçu l'appui du Conseil central des métiers et du travail dont il est le président et qui donne ainsi, pour la première fois, son soutien officiel à un candidat ouvrier.

Cependant, les candidatures ouvrières indépendantes conduisent, le plus souvent, à une collaboration entre les députés ouvriers et les partis bourgeois. Lépine reçoit l'appui du Parti conservateur au pouvoir à Ottawa et Béland celui du Parti National (libéral) d'Honoré Mercier. Les leaders syndicaux sont peu à peu intégrés par les vieux partis.

D'autres anciens dirigeants ouvriers occupent des postes au sein de l'administration gouvernementale. C'est le cas du président-fondateur du Conseil des métiers et du travail de Montréal, le mécanicien Louis Guyon, qui devient en 1888 le premier inspecteur général des manufactures, avec le soutien des syndicats, puis plus tard le premier sous-ministre du Travail à Québec.

Vers un premier parti ouvrier

En 1892, lors de la réunion annuelle du Congrès des métiers et du travail du Canada, on débat pour la première fois une proposition visant à créer un parti ouvrier, lié aux organisations syndicales. Cette proposition, présentée par deux délégués canadiens-français du Québec, est rejetée, mais les congressistes demandent aux dirigeants du CMTC d'examiner l'éventualité d'une telle action.

Cette question revient à tous les congrès jusqu'en 1899, alors qu'une première étape est franchie sur la voie de l'organisation politique ouvrière indépendante. Le CMTC recommande à ses Conseils de métiers affiliés, dans les grandes villes, de favoriser la mise sur pied de partis ouvriers, indépendants des partis traditionnels. C'est ainsi que le premier parti ouvrier sera fondé à Montréal au tournant du siècle (voir page 112).

Les socialistes

Parmi les promoteurs d'un parti ouvrier, on compte aussi les militants des premiers groupes socialistes qui émergent vers la fin du 19e siècle.

Les premières cellules socialistes apparues au Canada, vers 1890, sont des sections du Parti socialiste Ouvrier («Socialist Labor Party») animé aux États-Unis par le marxiste Daniel De Leon. Au Québec, on fait remonter la première cellule à 1894, alors que le SLP distribue un manifeste lors de la Fête du travail, en septembre, à Montréal. Ce document lance un appel à la prise du pouvoir politique par les travailleurs et réclame une série de réformes sociales dans le but d'améliorer, à court terme, la condition ouvrière. On revendique, entre autres, la propriété publique des grands services comme les transports et les communications, le contrôle des ressources naturelles et des mesures comme la réduction des heures de travail.

Le SLP publie trois journaux au Canada dont le «Commonwealth» à Montréal. Il est en relation avec la Deuxième Internationale ouvrière fondée à Paris en 1889. Mais son attitude sectaire, souvent hostile envers le syndicalisme qu'il juge trop modéré, l'empêche de progresser.

L'organisation politique ouvrière indépendante ne prendra vraiment forme au Québec qu'au début du 20e siècle.

CHAPITRE 2

les débuts du vingtième siècle (1900-1930)

1. L'ÉCONOMIE

Les trois premières décennies du 20e siècle sont marquées par une industrialisation massive et une expansion économique sans précédent au Canada et au Québec, à tel point que la période apparaît comme une espèce d'âge d'or du capitalisme sauvage.

En 1920, l'industrie manufacturière représente 38% de la production québécoise, dépassant pour la première fois l'agriculture (37%) et les forêts (15%).

La croissance est particulièrement forte lors de la Première Guerre mondiale. À compter de 1916, l'industrie de guerre tourne à plein rendement et en trois ans, la valeur de la production manufacturière augmente du tiers. C'est une période de plein emploi.

L'année 1920 met brutalement fin à cette prospérité artificielle et le Québec est plongé dans une grave récession. On estime que près du quart de la main-d'oeuvre est sans emploi à Montréal en 1921. Puis la reprise s'amorce et à partir de 1925, on assiste à un boom de la production. Ce sont les «Années folles» qui se termineront abruptement avec la Grande Crise, la terrible Dépression des années trente.

Un Québec urbain

De 1900 à 1930, la population du Québec double presque, passant à près de 3 millions d'habitants.

En même temps, l'urbanisation est foudroyante: plus de la moitié des Québécoises et Québécois vivent dans les villes vers la fin de la Première Guerre et près de 60% en 1930. C'est autant qu'en Ontario. Chez les Canadiennes et Canadiens français, le pourcentage de la population urbaine a presque doublé en 30 ans, passant aussi à près de 60%. Au-delà de la moitié des citadins vivent dans la grande région de Montréal.

La «deuxième révolution industrielle»

Le mouvement d'industrialisation s'est accéléré au début du siècle à l'occasion de ce qu'on a appelé la «deuxième révolution industrielle»: l'électricité remplace la vapeur comme principale source d'énergie industrielle.

Le Québec dispose d'un atout majeur grâce à sa production massive d'hydro-électricité. C'est un secteur qui est entièrement contrôlé par l'entreprise privée et où se forment de petits empires comme Power Corporation (1925).

Le moteur électrique, des machines plus complexes ainsi que de nouvelles technologies provoquent une croissance rapide des secteurs manufacturiers plus anciens et créent de nouveaux pôles de l'économie québécoise liés à l'exploitation des richesses naturelles: pâtes et papiers, aluminium, produits électriques et chimiques, mines.

L'ère de l'électricité: poteaux, fils et tramways, rue Saint-Jacques à Montréal, en 1910.
Archives de la Commission de transport de la Communauté urbaine de Montréal.

Papier, aluminium, mines

L'industrie des pâtes et papiers est le pôle de croissance le plus dynamique au début du 20e siècle. Des «moulins» sont construits ou s'agrandissent en Mauricie (Trois-Rivières, Shawinigan, Grand'Mère, La Tuque), au Saguenay-Lac Saint-Jean (usines Price et Dubuc à Chicoutimi et dans la région), dans l'Outaouais et en Estrie. Shawinigan — où l'on a construit le premier barrage hydro-électrique au Québec vers 1900 — devient vite un symbole de prospérité avec ses usines de pâtes et papiers et d'aluminium; elle s'impose aussi comme l'un des grands centres de l'industrie chimique au Canada. Par ailleurs, le plus grand complexe d'aluminium au monde, l'Alcan, surgit dans les années vingt à Arvida, au Saguenay, à l'initiative de la société américaine Alcoa.

Dans l'industrie minière, des gisements de grande valeur (or, cuivre) commencent à être exploités en Abitibi, dans une zone qui s'étend de Rouyn à Val-d'Or. La mine de cuivre Horne, propriété de la Noranda (à l'époque sous contrôle américain), entre en production en 1927. L'amiante, exploitée depuis les années 1880 en Estrie, connaît son essor avec l'implantation à Thetford de l'Asbestos Corporation des États-Unis.

La drave sur la rivière Gatineau, vers 1900.
Archives publiques du Canada.

Mine d'amiante à Black Lake en 1888.
Archives publiques Canada.

La rue principale de Rouyn en 1924.
Archives publiques Canada.

L'industrie légère

L'industrie manufacturière reste dominée par les industries dites légères — textile, vêtement, chaussure, tabac, meuble, alimentation — qui continuent de croître, protégées par les tarifs douaniers imposés sur les exportations. Quant à l'industrie lourde, à l'exception du matériel ferroviaire, elle continue de se concentrer en Ontario, en particulier l'industrie sidérurgique.

Le textile devient le plus gros employeur manufacturier au Québec et le second après l'industrie du bois. La création de la Dominion Textile, en 1905, fournit l'un des premiers exemples du mouvement de concentration des entreprises propre au capitalisme industriel. Le plus grand monopole du textile au Canada naît à la suite du regroupement de toutes les grandes filatures, à l'exception de la Montréal Cotton de Valleyfield qui sera aussi absorbée en 1940.

Un autre petit empire du textile apparaît en Mauricie, en 1907, avec la Wabasso de Trois-Rivières. Dans les années vingt, la Celanese s'installe à Drummondville.

Intérieur d'une filature de coton de la Dominion Textile, en 1929.
Archives publiques du Canada.

L'automobile

Un bouleversement économique majeur se produit dans les transports avec l'essor de l'automobile et des véhicules-moteur. En 1930, on compte 130 000 véhicules du genre contre 167 en 1906. Dans les villes, les camionneurs remplacent rapidement les charretiers et les chauffeurs de taxis délogent les cochers. Le réseau routier nécessite des investissements importants du nouveau ministère québécois de la Voirie. Cependant, le Québec est exclu de la production automobile qui se concentre en Ontario. (Il faudra attendre en 1965 pour que la General Motors s'implante à Sainte-Thérèse).

Un chemin de colonisation en Abitibi.
Archives nationales du Québec.

L'apparition des véhicules automobiles rend nécessaire le déneigement des rues en hiver.
Archives de la ville de Montréal.

Pendant ce temps, le gouvernement fédéral continue de soutenir l'expansion du réseau des chemins de fer. En 1919, il nationalise diverses compagnies ferroviaires menacées de faillite pour former le Canadien National, la première société d'État. Les années vingt voient aussi les débuts de l'aviation commerciale.

Les villes industrielles

La grande région de Montréal compte près de la moitié des travailleurs salariés mais la région de Québec se développe également, ainsi que plusieurs villes industrielles en province.

Le tramway favorise l'expansion du territoire urbanisé et la croissance des villes de banlieue.
Archives de la Commission de transport de la Communauté urbaine de Montréal.

Les plus grandes villes, en 1930, outre Montréal et Québec, sont dans l'ordre: Trois-Rivières (pâtes et papiers, textile), Sherbrooke (centre du textile), Hull (scieries et pâtes et papiers), Sorel (chantiers maritimes et métallurgie), Shawinigan (ville champignon de l'ère hydro-électrique), Saint-Hyacinthe (textile et chaussure) et Chicoutimi (pâtes et papiers).

Québec, la capitale, est axée sur l'industrie légère comme la chaussure (où elle est en tête), la confection, le bois. Les emplois de fonctionnaires se multiplient. Quant à Montréal, elle se consolide comme métropole du Canada. Les industries, les banques et les grandes compagnies de chemins de fer s'y concentrent, sous la direction de la bourgeoisie anglo-canadienne. Premier port du pays et terminus de la navigation maritime, c'est là que transitent notamment les marchandises nécessaires au développement de l'Ouest canadien en plein essor.

La domination étrangère

Après la Première Guerre mondiale, les États-Unis remplacent la Grande-Bretagne comme première puissance industrielle du monde.

Du même coup, le capital américain supplante définitivement le capital britannique au premier rang des investissements étrangers au Canada. En 1930, 60% de ces investissements viennent des États-Unis alors que la part des Britanniques est tombée à moins du tiers.

Le «Big Business» des États-Unis étend son aire d'expansion au Québec, par l'entremise de filiales, dans des secteurs clefs de l'économie comme l'aluminium, les mines d'amiante, les pâtes et papiers, les produits électriques et chimiques et même, en partie, dans la production d'énergie hydro-électrique.

Le Québec, tout comme le Canada, devient de plus en plus dépendant de l'économie américaine: il exporte aux États-Unis des matières premières et des produits semi-finis (bois, métaux, produits alimentaires) et importe des produits finis et des biens d'équipement.

Le capital américain et anglo-canadien absorbe peu à peu ou fait disparaître par la concurrence les entreprises des principaux capitalistes canadiens-français. En 1930, on estime que les Américains contrôlent 30% du capital investi dans l'industrie au Québec, les Anglo-Canadiens et les Britanniques 60% et la bourgeoisie canadienne-française à peine 10%.

2. LA SCÈNE POLITIQUE

Les débuts du 20e siècle consacrent l'emprise du Parti libéral sur le Québec.

Les libéraux profitent notamment de la popularité exceptionnelle d'un chef francophone, Wilfrid Laurier, alors premier ministre du Canada. Ils s'appuient sur le nationalisme canadien-français et sont soutenus par le clergé catholique et une partie de la haute finance anglophone du Montréal.

Un long règne à Québec

À Québec, le Parti libéral s'est installé au pouvoir en 1897 pour un long règne de près de 40 ans. Sous les premiers ministres Félix-Gabriel Marchand mais surtout Lomer Gouin et Alexandre Taschereau, les libéraux utilisent le patrimoine national à des fins de marchandage pour créer des emplois. Ils cèdent peu à peu au grand capital de vastes concessions forestières et minières, l'immense puissance hydro-électrique du Québec et une main-d'oeuvre à bon marché. Ils pratiquent le «patronage» (favoritisme politique) en se servant de la machine du parti.

À Ottawa, les libéraux de Laurier suivent une politique semblable de dépendance à l'égard du grand capital, notamment du capital américain. Leur projet de libre-échange avec les États-Unis les conduisent cependant à la défaite, en 1911, au profit du Parti Conservateur de Robert Borden, qui est davantage pro-britannique.

La Conscription

Les «bleus» de Borden vont se rendre très impopulaires au Québec, et ce pour longtemps, à l'occasion de la Première Guerre mondiale.

Dès 1914, le Canada entre en guerre aux côtés de l'Angleterre, en tant que membre de l'Empire britannique. Le gouvernement fédéral s'octroie des pouvoirs exceptionnels en votant la Loi des mesures de guerre. De plus, il adopte diverses mesures de centralisation politique et économique afin de maximiser l'«effort de guerre», dont la création d'un impôt fédéral sur le revenu des particuliers et des entreprises.

Montréal, octobre 1916: discours de Wilfrid Laurier en faveur de l'enrôlement volontaire dans les forces armées.
Archives publiques du Canada.

Une manifestation contre la conscription à Montréal, en 1917.
Archives publiques Canada.

En juillet 1917, le gouvernement d'Ottawa impose la Conscription, c'est-à-dire l'enrôlement obligatoire dans l'armée et le service militaire outre-mer. Or, les Canadiennes et Canadiens français du Québec sont farouchement opposés à cette mesure. Des milliers de Québécoises et Québécois, dans une agitation monstre, participent à des manifestations de masse à Montréal et à Québec. Des conscrits s'enfuient dans les bois afin de ne pas aller «se battre pour l'Angleterre». L'armée canadienne est dépêchée à Québec, en avril 1918, pour réprimer des manifestations houleuses: son intervention fait cinq morts.

L'opposition des Québécoises et Québécois francophones à la Conscription se manifeste avec éclat lors des élections fédérales de décembre 1917: les libéraux de Laurier, anticonscriptionnistes, recueillent 72% des voix au Québec — un pourcentage inégalé depuis lors — et raflent 62 des 65 sièges. Ce vote massif est cependant annulé par les résultats du scrutin au Canada anglais qui reportent le gouvernement Borden au pouvoir.

La Conscription explique pourquoi le Parti libéral, identifié aux Canadiens français, sera si populaire au Québec par la suite.

Les nationalistes

Parmi les principaux opposants à la Conscription, on trouve le leader incontesté des forces nationalistes au Québec depuis le début du siècle, le journaliste Henri Bourassa, député dissident du Parti libéral de Laurier et fondateur du quotidien Le Devoir en 1910. Les partisans de Bourassa, qui ont recueilli jusqu'à 15% des voix au Québec lors des élections de 1908, représentent le courant du nationalisme canadien-français et catholique, animé par la petite bourgeoisie intellectuelle. Favorables à une plus grande autonomie du Canada à l'égard de la Grande-Bretagne, ils défendent un nationalisme pancanadien opposé à la vieille tendance pro-britannique largement dominante au Canada anglais.

Après la guerre, on voit émerger un courant encore plus nationaliste centré sur le Québec et animé notamment par le chanoine Lionel Groulx («Notre État français, nous l'aurons»). Certains partisans de ce courant vont même jusqu'à souhaiter l'avènement d'un Québec séparé du Canada.

Mackenzie King

En 1921, le Parti libéral reprend le pouvoir à Ottawa. Au Québec, il remporte tous les sièges et 70% des voix. Depuis la mort de Laurier, les libéraux sont dirigés par Mackenzie King, ancien sous-ministre puis ministre du Travail, conseiller en relations industrielles du millionnaire américain Rockefeller pendant la guerre. Son bras droit au Québec est le ministre de la Justice Ernest Lapointe. Le gouvernement King reste au pouvoir à Ottawa pendant toute la période de prospérité des «années folles» jusqu'aux débuts de la Crise, en 1930.

Le vote des femmes

Parmi les grandes conquêtes politiques de cette période, il faut mentionner le droit de vote gagné par les femmes au niveau fédéral, en 1918, et exercé pour la première fois lors des élections de 1921. Cette conquête démocratique est le résultat d'une longue lutte menée par les groupes féministes de l'époque — dont les «suffragettes» — avec l'appui de certaines organisations comme les syndicats. Au Québec, le droit de vote des femmes aux élections provinciales ne sera conquis qu'en 1940.

3. LA CONDITION OUVRIÈRE

Si les débuts du 20e siècle apparaissent comme une sorte d'âge d'or du système capitaliste, il est loin d'en être de même pour les travailleuses et les travailleurs qui font les frais du capitalisme sauvage.

Certaines nouveautés — comme l'électricité, l'automobile, le téléphone — et le caractère de plus en plus urbain du Québec peuvent donner l'illusion d'un progrès important. Mais pour la masse de la population, les conditions de vie et de travail restent difficiles et les améliorations se font à un rythme très lent.

En réalité, la majorité de la classe ouvrière continue de vivre sous le seuil de la pauvreté. Cependant, les syndiqués sont mieux en mesure de se défendre et d'améliorer leur sort.

La classe ouvrière

En une période d'industrialisation rapide et de croissance économique, la classe ouvrière augmente massivement. Les travailleuses et travailleurs de l'industrie manufacturière et ceux de la construction forment désormais plus du tiers de la main-d'oeuvre. Les employées et employés des transports, du commerce et des services en général suivent de près.

Après la Première Guerre, les industries qui occupent le plus grand nombre de salariés sont les suivantes, dans l'ordre: le bois (chantiers, forêts, scieries, pâtes et papiers, meuble, etc.), où l'on compte près de 50 000 employés, puis le textile, le vêtement, la construction de matériel ferroviaire, la chaussure, le tabac et la nouvelle industrie des produits électriques. L'industrie légère emploie les trois quarts de la main-d'oeuvre manufacturière.

Pendant les guerres, les gouvernements sollicitent le travail à l'usine des femmes.

Aux côtés des travailleurs qualifiés de métier, on trouve une grande majorité d'ouvrières et d'ouvriers spécialisés travaillant dans les établissements industriels où se répandent le travail mécanisé en série et les chaînes de montage. La plupart viennent des campagnes et d'une vague d'immigration.

L'afflux de main-d'oeuvre est particulièrement élevé pendant le premier conflit mondial: en 1917, les industries de guerre emploient au-delà de 100 000 personnes au Québec (300 000 au Canada) dont environ 20 000 femmes.

Les travailleuses

En trente ans, la proportion des femmes occupant un emploi salarié passe de 15% à 20% de la main-d'oeuvre au Québec, soit un peu plus qu'en Ontario. Moins d'une travailleuse sur dix est mariée, ce qui est cependant un peu plus qu'au 19e siècle. Pour les gouvernements, le clergé et même les syndicats, la place des femmes est toujours «au foyer».

Le travail de bureau en 1924: les femmes occupent de plus en plus des emplois de secrétaire et de dactylo.
Archives Notman, Musée McCord.

Le quart des travailleuses sont employées dans les manufactures: la majorité dans le textile et le vêtement, puis dans la chaussure et le tabac. Presque autant oeuvrent dans les services personnels, surtout comme domestiques et femmes d'entretien. 20% travaillent dans les bureaux, un peu moins dans le commerce. Autres «ghettos d'emploi» féminins: les institutrices et les infirmières.

Les travailleurs immigrants

Les années d'avant-guerre sont marquées par une vague d'immigration sans précédent. Montréal, qui draine la majorité des nouveaux citadins, est le port d'entrée des familles immigrantes recrutées jusqu'aux confins de l'Europe afin notamment de peupler les Prairies. Plusieurs des nouveaux arrivants se fixent dans la métropole qui devient peu à peu une ville cosmopolite.

Aux francophones — qui représentent 60% de la population de Montréal — et aux anglophones s'ajoutent les membres de la communauté juive qui forment le troisième groupe ethnique en importance au Québec. Leur nombre passe de 8 000 à environ 60 000 de 1900 à 1930. Ils travaillent surtout dans l'industrie du vêtement.

Travailleurs immigrants en attente à la douane en 1900.
Archives publiques du Canada.

Viennent ensuite les immigrants d'origine italienne qui sont près de 20 000 à Montréal en 1930. Ils travaillent notamment dans les métiers du bâtiment et la construction des voies ferrées. Les travailleuses et travailleurs immigrants, qui s'installent presque en totalité à Montréal, y forment une proportion de plus en plus forte de la main-d'oeuvre.

LES CONDITIONS DE VIE

Les débuts du 20e siècle sont marqués par une forte hausse du coût de la vie qui va presque doubler pendant la Première Guerre. La nourriture et le logement absorbant près des trois quarts du revenu des familles ouvrières, qui sont des familles nombreuses, la majorité arrive difficilement à joindre les deux bouts.

Le logement

Les loyers montent en flèche. À Montréal, ville composée à 80% de locataires, le coût du logement se situe à près de 20 $ par mois à la fin de la guerre, soit environ le tiers du salaire ouvrier moyen.

Les logements ouvriers sont surpeuplés.

Les logements trop petits et l'insalubrité restent la règle dans les quartiers ouvriers. Avec l'arrivée massive de nouveaux citadins, le nombre d'habitations disponibles ne peut plus répondre entièrement à la demande. Plusieurs familles doivent parfois s'entasser dans un même logement. Les constructions anciennes se détériorent, ce qui multiplie les taudis. Quant aux nouveaux logements, ils sont souvent hors de prix. Les hausses de loyers expliquent la frénésie annuelle de déménagements qui s'empare des Montréalais, à la recherche d'un logis moins cher, lors de l'expiration des baux le premier mai.

Les conditions de santé

L'insalubrité de l'habitation et de l'environnement urbain (pollution des usines, services municipaux inadéquats) est une cause majeure du mauvais état de santé de la population ouvrière.

À Montréal, le taux de mortalité dans les quartiers populaires reste l'un des plus élevés de toutes les grandes villes occidentales. Les familles canadiennes-françaises sont beaucoup plus touchées que les familles anglophones. Il faudra attendre l'après-guerre pour que la mortalité baisse de façon significative, mais elle reste toujours plus élevée qu'à Toronto, par exemple.

La plus grande tragédie demeure la mortalité infantile. Avant la guerre, plus du quart des enfants montréalais meurent avant d'avoir atteint l'âge d'un an. En 1926, le taux est encore de 14%, soit presque le double de celui de Toronto et de New York.

La tuberculose («consomption») continue de faire des ravages, avec un taux de mortalité qui est le plus fort de toutes les grandes villes d'Amérique du Nord: 3 000 décès par année avant la guerre. Même si ce taux diminue par la suite, il reste plus élevé qu'à Toronto. C'est au début des années vingt que le gouvernement du Québec entreprend vraiment de lutter contre la tuberculose et la mortalité infantile. Il met sur pied un Service d'hygiène publique, embryon d'un ministère de la Santé qui ne sera créé qu'en 1936.

L'assistance publique

La maladie reste un drame pour les familles ouvrières qui ne sont pas en mesure d'assumer le coût des soins. Ce n'est qu'en 1921 que l'État intervient pour la première fois dans le domaine des services de santé et de bien-être avec la Loi de l'assistance publique. Cette Loi instaure la gratuité des soins hospitaliers pour les personnes qualifiées d'«indigentes». En fait, le gouvernement verse des subventions aux institutions privées qui fournissent des soins aux personnes nécessiteuses. L'État ne joue qu'un rôle secondaire de soutien, sans contrôle sur ces institutions qui sont, pour l'essentiel, sous la direction des communautés religieuses.

Le refuge Meurling pour les sans-abri de Montréal.
Archives de la ville de Montréal.

«La goutte de lait», Ste-Justine, 1912.

Les pensions de vieillesse

De son côté, le gouvernement fédéral adopte en 1927 une loi qui instaure un premier régime de pensions de sécurité de la vieillesse pour les personnes âgées les plus démunies. Réclamée depuis le début du siècle par les syndicats, cette mesure du gouvernement King s'applique aux personnes de 70 ans et plus ne disposant pas d'un revenu supérieur à 365 $ par année. L'État s'engage à verser à ces retraités extrêmement pauvres un montant minimum de 20 $ par mois. Ce n'est qu'en 1952 que le régime des pensions de vieillesse s'appliquera à toutes les personnes âgées de plus de 70 ans.

La loi prévoit que les coûts doivent être partagés également entre Ottawa et les provinces. En 1929, toutes les provinces ont signé l'entente à l'exception du Québec. Le gouvernement Taschereau refuse au nom de la juridiction exclusive du Québec en matière de sécurité sociale et, aussi, par opposition à l'intervention de l'État en ce domaine. Il faudra attendre en 1936, sous l'effet de la Crise, pour que les retraités québécois les plus démunis puissent recevoir un premier chèque de pension de vieillesse.

L'enseignement

L'intervention de l'État québécois est également très réduite dans le domaine de l'enseignement qui reste pratiquement sous le contrôle de l'Église catholique. La cléricalisation va même s'accentuant chez le personnel enseignant.

L'école ménagère de Roberval en 1905.
Archives Notman, Musée McCord.

Le taux d'analphabétisme demeure plus élevé qu'ailleurs au Canada. L'école n'est toujours pas obligatoire (elle ne le sera, jusqu'à 14 ans, qu'en 1943), malgré les revendications des syndicats qui réclament la création d'un ministère de l'Instruction publique. L'établissement d'un système scolaire non-confessionnel est même revendiqué, en 1918, par le Conseil des métiers et du travail de Montréal.

L'enseignement technique et professionnel commence à se développer à la suite d'une première loi votée en ce sens en 1907. Des écoles publiques sont fondées en 1911, à Montréal et à Québec, pour assurer la formation professionnelle de la main-d'oeuvre. Enfin, la fréquentation des écoles du soir augmente.

LES CONDITIONS DE TRAVAIL

Les conditions de travail et de salaire restent très dures dans les trois premières décennies du 20e siècle mais elles s'améliorent graduellement, grâce surtout à l'action des syndicats qui doivent mener des luttes nombreuses.

Le travail des enfants

Sous la pression du mouvement ouvrier, l'exploitation du travail des enfants diminue progressivement au début du 20e siècle. En 1909, la loi des établissements industriels fixe à 14 ans — et non plus à 12 ans — l'âge minimum pour le travail en usine des garçons. Pour les filles, le minimum reste fixé à 14 ans. Par ailleurs, tous les jeunes au travail en usine et âgés de moins de 16 ans doivent suivre des cours du soir s'ils ne savent lire et écrire. En 1919, la loi interdit l'embauche des jeunes de moins de 16 ans à moins qu'ils n'aient complété leur sixième année d'études.

La semaine de travail

Dans les années 1900, la semaine habituelle de travail compte entre 54 et 65 heures par semaine, soit de 9 à 11 heures par jour, pendant 6 jours. Certains travailleurs font encore jusqu'à 72 heures par semaine.

Le travail le dimanche est interdit en 1906 par une loi fédérale, sauf pour les travaux d'urgence ou de caractère humanitaire. Cette loi est loin d'être rigoureusement respectée.

Les syndicats font campagne pour la semaine de 48 heures, soit 8 heures par jour. Cet horaire est gagné à Montréal en 1907 par un groupe de syndiqués d'avant-garde, les typographes, un an après son obtention par leurs camarades américains. Ils sont imités par les travailleuses et travailleurs qualifiés du rail, de quelques corps de métiers du bâtiment et de certaines manufactures commes les tailleurs de vêtements de Montréal. Les heures supplémentaires sont payées à un taux plus élevé chez les syndiqués.

Vers la fin de la Première Guerre, la semaine de 48 heures devient plus courante mais la semaine moyenne de travail en usine compte toujours de 50 à 60 heures, réparties sur 6 jours. En 1930, une loi d'Ottawa reconnaît la journée normale de 8 heures (48 heures) pour les ouvriers des travaux publics fédéraux.

Les syndicats font campagne pour la semaine de 44 heures, soit 8 heures par jour et congé le samedi après-midi. Les «44 heures» sont gagnées par certaines catégories de travailleurs qualifiés, dans l'imprimerie et les chemins de fer notamment.

1er mai par André Rossel.

Les heures supplémentaires payées à un taux supérieur deviennent plus courantes chez les travailleurs en général. Les congés le samedi après-midi sont plus fréquents et plusieurs groupes de syndiqués gagnent une première semaine de vacances payées.

La seule loi réglementant les heures de travail au Québec, celle des établissements industriels, fixe à un maximum de 10 heures par jour et 60 heures par semaine le travail en usine des femmes et des garçons de moins de 18 ans. Dans les établissements commerciaux, il n'y aura aucune réglementation avant 1934. Une seule loi à signaler dans ce secteur: la «loi des sièges» qui permet aux vendeuses de magasins de s'asseoir en l'absence de clients.

La condition des femmes travaillant en usine est particulièrement pénible. Les rapports gouvernementaux d'inspection insistent régulièrement sur la nécessité de réduire la promiscuité, en assurant notamment aux travailleuses des cafétérias et des toilettes distinctes, tout en améliorant les conditions générales d'hygiène.

Les salaires

En une période de forte hausse du coût de la vie, les salaires restent insuffisants malgré les longues heures de travail. En plus des disparités entre régions ainsi qu'entre travailleurs qualifiés et non qualifiés, on relève une grande différence entre les hommes et les femmes, les travailleuses gagnant en moyenne la moitié du salaire des hommes, souvent pour le même travail. De plus, les anglophones gagnent plus que les francophones et les Ontariens davantage que les Québécois.

En 1910, un charpentier-menuisier gagne en moyenne 16,20 $ pour une semaine de 54 heures à Montréal, 15 $ pour 60 heures à Québec. Un journalier gagne 12 $ (Montréal) et 10,80 $ (Québec) pour 54 heures. Alors qu'un machiniste montréalais reçoit 15,40 $ pour une semaine de 55 heures, un ouvrier non qualifié de manufacture gagne 14 $ pour 60 heures. Un cordonnier-monteur de Québec touche 16,65 $ pour 55 heures.

Les travailleuses sont toujours très peu payées. Ainsi, en 1910, une tisserande de Valleyfield reçoit 7,40 $ pour 60 heures et une couturière de Montréal de 6 $ à 8 $ pour 53 heures.

En 1915, près de la moitié des travailleuses et travailleurs gagnent moins de 12 $ par semaine (625 $ par année). Après la guerre, en 1920, le revenu ouvrier moyen à Montréal est d'environ 700 $ par année. Mais la récession économique entraîne bientôt des coupures de salaires.

En 1929, avant la Crise, la situation s'est améliorée: le salaire industriel moyen est de 1 042 $ à Montréal, soit environ 20 $ par semaine. Toutefois, plus de la moitié des «soutiens de famille» gagnent moins de 1 000 $ par année (60% des hommes et 82% des femmes) et plus des deux tiers moins de 1 300 $.

Or, selon le ministère fédéral du Travail, le minimum vital familial est estimé à un peu plus de 1 000 $. Dans les grandes villes comme Montréal, il faudrait près de 1 500 $ pour s'assurer un niveau de vie décent et un logement adéquat. La majorité de la classe ouvrière vit donc sous le seuil de la pauvreté.

Les revenus sont si bas et le chômage si fréquent que pour aider à la subsistance de la famille, les femmes et les jeunes sont obligés de travailler comme main-d'oeuvre à bon marché.

Le salaire au rendement

La période est également marquée par l'expansion du salaire au rendement, c'est-à-dire du salaire proportionnel à la quantité de produits fabriqués par l'ouvrier. Ce salaire est versé à la pièce ou sous forme de primes («boni») à la production. Dans les entreprises qui comptent une forte proportion de travailleuses et de travailleurs au rendement (vêtement textile, chaussure, tabac, etc.), le salaire moyen est inférieur à celui qui est payé dans l'industrie manufacturière en général.

Le «rendement maximum» de la main-d'oeuvre est d'ailleurs à la base des nouvelles techniques d'organisation du travail introduites à partir de cette époque dans les usines et connues sou le nom de taylorisme, du nom de l'ingénieur américain F.W. Taylor. Ce système est fondé sur la division et la spécialisation poussée des tâches, le chronométrage des opérations et l'augmentation des cadences de travail pour accroître la productivité («speed-up»). L'employeur fixe une norme de production et accorde à l'ouvrière et à l'ouvrier une prime («boni») pour toute production dépassant cette norme. Le taylorisme met ainsi au service du patronat un système plus «moderne» d'exploitation du travail.

Le salaire minimum des femmes

Sous la pression des syndicats, en 1919, le gouvernement du Québec adopte une première loi du salaire minimum, qui ne touche que les femmes travaillant dans les établissements industriels. (Un salaire minimum sera fixé pour les hommes en 1937.) Cette loi est à toutes fins utiles inappliquée jusqu'en 1925 alors que Québec forme une Commission du salaire minimum des femmes — qui ne comprend aucun commissaire féminin.

Partant du principe que les travailleuses n'ont pas de dépendants et qu'il ne faut pas perturber les lois du marché en ce qui a trait aux salaires, la Commission détermine un minimum très bas: 12,20 $ par semaine ou 634,40 $ par année. Elle émet des ordonnances pour divers secteurs à partir de 1927: textile d'abord, puis vêtement, chaussure, tabac, etc. Non seulement les salaires fixés sont-ils nettement insuffisants mais le nombre des inspecteurs et des inspectrices est très limité et ils ont peu de pouvoirs contre les employeurs récalcitrants.

L'endettement

Une des revendications constantes du mouvement ouvrier, depuis la fin du 19e siècle, est la réforme de la loi concernant les saisies de biens et de salaires en cas de dettes, une pratique courante à l'époque.

Le gouvernement du Québec adopte finalement, en 1903, la Loi des dépôts volontaires, appelée familièrement «Loi Lacombe», du nom du Dr Georges-Albini Lacombe, député libéral du comté ouvrier de Sainte-Marie dans l'est de Montréal. Cette mesure — qui revêt des aspects fort humiliants — permet aux petits salariés de rembourser leurs dettes progressivement, sans risque de saisie.

C'est également pour protéger les gagne-petit contre les usuriers et les sociétés de crédit naissantes que sont fondées, dans les années 1900, les premières caisses populaires. La première coopérative d'épargne et de crédit, ouverte à Lévis en 1901 par Alphonse Desjardins, aura une descendance fort nombreuse. Les caisses populaires ne s'implanteront toutefois pour de bon dans les milieux urbains qu'à l'occasion de la Deuxième Guerre. Elles sont généralement contrôlées par les petites élites locales et le clergé.

Le chômage

Autre problème de fond relié à la condition ouvrière: l'insécurité d'emploi et le chômage. C'est en 1910 que le gouvernement québécois ouvre les premiers centres de main-d'oeuvre ou bureaux de placement. Le Québec est alors la première province au Canada à légiférer en ce domaine. L'État organise ses propres bureaux, sans frais, à côté des bureaux de placement privés qui jouissaient jusque-là d'un monopole et se faisaient payer par les travailleuses et travailleurs et les patrons.

Il n'existe encore aucun système de protection des sans-emploi. Le premier régime d'assurance-chômage, réclamé depuis longtemps par les syndicats, n'entrera en vigueur qu'en 1941.

Les accidents du travail

La question des accidents du travail a été l'une de celles qui a le plus préoccupé le mouvement ouvrier au début du 20e siècle. Il s'agissait là d'un véritable fléau qui entraînait chaque année des milliers de familles ouvrières dans la misère, tout comme les maladies industrielles — qui ne seront reconnues qu'en 1931 au titre des accidents du travail.

Une tannerie de Montréal vers 1905; l'arrachage mécanique des poils se fait dans des conditions de santé et sécurité pénibles. Archives publiques du Canada.

À la suite des pressions répétées des syndicats, le gouvernement du Québec adopte, en 1909, une première loi d'indemnisation («compensation») des accidentés. Jusqu'alors, un travailleur devait prouver la responsabilité de son employeur, à ses frais, devant les tribunaux. Le nouveau régime reconnaît que les accidents du travail constituent un «risque professionnel» et oblige l'employeur à verser une indemnité qui peut aller jusqu'à 50% du salaire de l'accidenté, en cas d'incapacité totale. Le montant final est fixé par la Cour.

Ce système se révèle toutefois inadéquat car les recours légaux sont lents et coûteux et aucun organisme gouvernemental ne surveille l'application de la loi. En 1925, le système est révisé: les «compensations» peuvent aller jusqu'aux deux tiers du salaire et les patrons sont obligés de s'assurer, individuellement, en vue d'indemniser les accidentés. En 1928, la loi instaure la gratuité des frais médicaux.

Montréal, 1912: travailleurs posant des rails de tramways sur la rue Ontario.
Archives de la CTCUM.

Ce n'est qu'en 1931 qu'est enfin mis sur pied un régime collectif d'indemnisation fondé sur des cotisations patronales obligatoires et administré par un organisme gouvernemental, la Commission des accidents du travail, chargée de fixer les indemnités prévues par la loi. Sept provinces canadiennes, à commencer par l'Ontario en 1914, avaient déjà adopté des lois du genre. La loi québécoise de 1931 représente un acquis durement gagné par les syndicats.

Elle marque aussi l'entrée en vigueur d'un premier système d'inspection un peu cohérent, sous l'autorité du nouveau ministère du Travail. Au total, on compte alors 16 inspecteurs du travail pour tout le Québec. Le secteur de la construction avait fait l'objet d'une attention spéciale avec l'adoption, en 1908, de la première d'une série de lois d'inspection des échafaudages sur les chantiers.

En conclusion, on doit constater que pour s'assurer une véritable protection financière en cas d'accident, de maladie, de décès, de retraite, les travailleuses et les travailleurs ne peuvent vraiment compter, aux débuts du 20e siècle, que sur les syndicats. Ceux-ci procurent généralement à leurs membres des services de base comme un régime d'assurance-maladie et une caisse de retraite. Ces services iront s'accroissant en raison de l'indigence de la législation sociale.

4. LE MOUVEMENT SYNDICAL

En une période d'industrialisation massive et de croissance économique, le mouvement syndical fait des progrès remarquable durant les trois premières décennies du 20e siècle.

La montée des syndiqués

Le nombre de membres des syndicats au Québec passe d'environ 12 000 vers 1900 (moins de 5% des salariés) à plus de 25 000 en 1910 et à 80 000 en 1919, après la Première Guerre, soit 14% des salariés. Durant la guerre, les effectifs syndicaux font plus que doubler.

La grave récession qui suit provoque le chômage et une baisse considérable du nombre des syndiqués. La progression reprend avec la relance économique, jusqu'en 1929, mais la Grande Crise brise net cet élan. En 1930, on estime à 75 000 le nombre des syndiqués, soit 10,5% des salariés.

Si les syndicats connaissent une longue période d'expansion jusqu'en 1929, aucune loi n'oblige encore les employeurs à reconnaître les organisations ouvrières et à négocier des contrats de travail. En fait, les lois protègent en priorité les biens de l'employeur et sa liberté d'embaucher des briseurs de grève, plutôt que la liberté des travailleuses et travailleurs de s'organiser, de négocier collectivement et de protéger leur emploi.

Les lois du travail

Durant toute cette période, les seules lois en matière de relations de travail concernent la conciliation et l'arbitrage des conflits. En 1900, le gouvernement fédéral — imité par celui du Québec l'année suivante — adopte une première loi prévoyant le recours volontaire à un mécanisme de conciliation pour prévenir ou régler les différends.

Cette loi, inspirée d'une législation britannique votée quelques années auparavant, coïncide avec la mise sur pied d'un embryon de ministère fédéral du Travail relevant d'un sous-ministre, Mackenzie King, qui devient en 1909 le premier ministre du Travail en titre dans le gouvernement Laurier. À Québec, le «département du travail» mis sur pied en 1905, et rattaché aux Travaux Publics, ne deviendra un ministère distinct qu'en 1931.

En 1903, le gouvernement d'Ottawa impose par une loi une période de conciliation obligatoire avant tout arrêt de travail ou lock-out dans les chemins de fer. Le «Railway Labour Disputes Act» fait suite à une série de grèves du rail, notamment celle de quelque 5 000 préposés à l'entretien des voies ferrées qui a paralysé tout le réseau du Canadien Pacifique. Les grévistes ont alors gagné la reconnaissance de leur union internationale.

La «Loi Lemieux» (1907)

Le gouvernement fédéral, qui donne le ton en matière de législation du travail, promulgue en 1907 une première loi fondamentale sur les relations ouvrières.

Cette loi fait également suite à une série d'arrêts de travail et impose les premières restrictions majeures au droit de grève. Tout débrayage est interdit, avant la fin d'une période obligatoire de conciliation et d'arbitrage, dans les services dits d'intérêt public comme les transports, les ports, les communications, les industries minières. La loi impose la formation d'un «conseil de conciliation» de trois membres, composé d'un représentant du patron, d'un autre du syndicat (ou des travaileurs) et d'un président chosi par les parties ou, à défaut d'entente, par le ministère fédéral du Travail. Si le droit de grève n'est pas supprimé, son exercice est dorénavant encadré et différé. La loi n'oblige pas les employeurs à reconnaître les syndicats et à négocier avec eux.

Cette «Loi des enquêtes relatives aux différends industriels» est aussi connue sous le nom de «Loi Lemieux», du nom du ministre fédéral de la Justice sous Laurier, Rodolphe Lemieux. Elle a été préparée par le sous-ministre du Travail, MacKenzie King. Son application s'étend peu à peu à d'autres entreprises dites d'intérêt public jusqu'à ce qu'en 1925, la «Loi Lemieux» soit déclarée inconstitutionnelle parce qu'elle empiète sur la juridiction des provinces. Elle ne touche plus par la suite que les entreprises de juridiction fédérale et les cas dits d'«urgence nationale».

Le gouvernement du Québec a imité cette loi d'Ottawa pour l'appliquer à certains secteurs sous sa juridiction. En 1921, le gouvernement Taschereau a imposé la conciliation obligatoire avant tout arrêt de travail dans les services publics municipaux, à la suite d'une série de grèves à Montréal et à Québec.

Avec une législation aussi peu favorable à son expansion, le mouvement syndical ne devra compter que sur ses luttes pour progresser.

LES ORGANISATIONS SYNDICALES

C'est durant les années 1900-1930 que s'enracinent les trois grands courants qui marqueront, par la suite, l'histoire du mouvement syndical au Québec.

- *Les unions internationales* (nord-américaines), affiliées à l'«*American Federation of Labor*» (AFL) des États-Unis, représentent le courant prédominant au Québec et au Canada. Elles rassemblent les deux tiers des syndiqués québécois. Axées sur la défense des travailleurs de métiers, elles sont très influencées par le syndicalisme tel qu'il se pratique aux États-Unis. À partir de 1902, les syndicats internationaux dominent la principale centrale syndicale, le *Congrès des métiers et du travail du Canada (CMTC)*. Au Québec, ils sont surtout regroupés au sein du *Conseil des métiers et du travail de Montréal.*

- *Les syndicats nationaux canadiens*, opposés à ce qu'ils appellent la «domination» américaine, représentent le tiers des syndiqués au Québec au début du siècle. Ce courant demeure constamment présent mais minoritaire au sein du CMTC après l'exclusion de plusieurs syndicats nationaux en 1902. Les exclus, dont la majorité sont du Québec, fondent alors le *Congrès national des métiers et du travail du Canada*, qui devient en 1908 la *Fédération canadienne du travail* et en 1927 le *Congrès pancanadien du travail.*

- *Les syndicats nationaux et catholiques* sont implantés presque exclusivement au Québec et parmi les travailleurs canadiens-français. Ils représentent près du quart des syndiqués québécois après la fondation, en 1921, de la *Confédération des travailleurs catholiques du Canada (CTCC)*, aujourd'hui la *Confédération des syndicats nationaux (CSN)*. La centrale est née de la jonction de certains syndicats nationaux et des efforts du clergé québécois en vue de bâtir un mouvement syndical confessionnel, unique en Amérique du Nord, au nom de la doctrine sociale de l'Église.

Syndicalisme catholique: le premier bureau de direction de la Fédération ouvrière, 1910.

LES UNIONS INTERNATIONALES

Les unions internationales, qui représentent les deux tiers des syndiqués au Québec dans les années 1900-1930, dominent la scène ouvrière, particulièrement dans la région de Montréal. Composées surtout de travailleurs de métiers, elles mènent des luttes syndicales très dures contre les employeurs tout en cherchant à obtenir de l'État des législations sociales améliorant la condition ouvrière. Elles offrent à leurs membres divers services comme des régimes d'assurance-maladie et de retraite et un fonds de grève.

Le «syndicalisme d'affaires»

Très influencées par le syndicalisme américain, les unions internationales pratiquent de plus en plus au Québec ce qu'on a appelé un «syndicalisme d'affaires» («business unionism»).

Samuel Gompers, fondateur de l'American Federation of Labor (AFL).

Pour Samuel Gompers, président de l'American Federation of Labor jusqu'à sa mort en 1924, les syndicats sont «the business organization» des travailleuses et travailleurs. La question principale, dit-il, c'est «how to get more», comment obtenir davantage. Le travail, c'est de l'argent, et les syndiqués doivent arracher leur part du gâteau capitaliste. Les intérêts de classe des patrons et des ouvriers ne sont pas *opposés* mais *divergents*. L'entente entre les deux groupes repose sur un rapport de forces à l'intérieur du système capitaliste.

De même que les patrons cherchent à vendre leurs produits au meilleur prix possible, les syndiqués doivent chercher à vendre leur force de travail au prix le plus avantageux. Dans le rapport de forces qui les oppose au patronat, les syndicats doivent contrôler l'«offre» de travailleuses et travailleurs d'un même métier, de façon à augmenter leur pouvoir de marchandage («bargaining power») auprès des employeurs. Il leur apparaît impossible d'obtenir le maximum là où existe une concurrence intersyndicale, puisque le patron peut alors dresser les syndicats les uns contre les autres. Voilà pourquoi les unions internationales cherchent à éliminer les syndicats concurrents, ce qui suscite de forts mouvements de résistance, en particulier au Québec.

Le Congrès de Berlin (1902)

L'expansion des unions internationales, au début du siècle, provoque la première grande scission au sein du mouvement syndical au Canada et au Québec.

La division éclate lors du congrès historique tenu en 1902 à Berlin (aujourd'hui Kitchener), en Ontario, par le Congrès des métiers et du travail du Canada. Les unions internationales assurent leur emprise sur le CMTC en votant l'exclusion des Chevaliers du travail en déclin et, surtout, de plusieurs syndicats nationaux qui recrutent leurs membres dans les mêmes secteurs que certaines unions affiliées à l'AFL. Le nouveau président élu, John Flett, un charpentier de Hamilton, est l'organisateur général de l'AFL au Canada.

Par cette décision, le congrès se trouve à expulser la plupart des partisans d'un syndicalisme national canadien, indépendant des unions internationales. Parmi les 2 500 membres exclus (sur quelque 25 000 au sein du CMTC), près de 2 000 sont des syndiqués canadiens-français du Québec, pour la plupart des travailleurs de la chaussure et du bâtiment. Ce sont eux qui prendront l'initiative de fonder une nouvelle centrale syndicale canadienne, sans aucun lien avec l'AFL (voir page 97).

Après 1902, le courant «américain» va dominer à la direction du CMTC. Mais le courant «canadien» persiste et les luttes pour l'autonomie à l'égard de l'AFL sont fréquentes.

Par ailleurs, en réaction contre le syndicalisme de métier dominant, un courant se développe en faveur d'un syndicalisme industriel, regroupant les travailleurs et les travailleuses sans distinction de métiers.

Le CMTC augmente régulièrement le nombre de ses adhérents au Canada, passant de quelque 25 000 au début du siècle à 175 000 en 1920. Aux États-Unis, l'AFL passe d'un demi-million de membres vers 1900 à 2 millions en 1914 et 4 millions en 1920.

Une force au Québec

Au Québec, les unions internationales passent d'environ 8 000 membres en 1900 à plus de 50 000 à la fin de la Première Guerre. Leur principal château-fort est la région métropolitaine de Montréal. Elles sont largement majoritaires dans les métiers de la construction, les chemins de fer et les transports en général, la métallurgie, l'imprimerie, le vêtement et chez les ouvriers qualifiés de l'industrie manufacturière. Elles font une percée dans l'industrie en pleine expansion des pâtes et papiers. Plus des trois quarts de leurs membres sont canadiens-français.

Alphonse Verville, président du CMTC de 1904 à 1909 et député à Ottawa pendant 15 ans.

Lors de son congrès de 1904, le CMTC élit comme président Alphonse Verville, leader de la section locale 144 de l'Union des plombiers et l'un des chefs de file du Conseil des métiers et du travail de Montréal. Verville est élu député fédéral du comté de Maisonneuve à Montréal, sous la bannière du premier Parti Ouvrier, en 1906 (voir page 113). Il siège pendant 15 ans au Parlement d'Ottawa où il tente en vain de faire adopter une loi en faveur de la journée de travail de 8 heures. Il se joint finalement au Parti libéral de Laurier lors de la Crise de la Conscription en 1917.

Un autre leader des «internationaux» à cette époque est Joseph Ainey, président de la section locale 134 de la Fraternité unie des charpentiers et menuisiers, le syndicat qui compte alors le plus grand nombre de membres au Québec. Premier président du Conseil des métiers et du travail de Montréal, Jos Ainey est le premier organisateur permanent de l'AFL au Québec. En 1917, il est élu président du Parti Ouvrier. En 1918, il devient surintendant général des bureaux de placement du Québec.

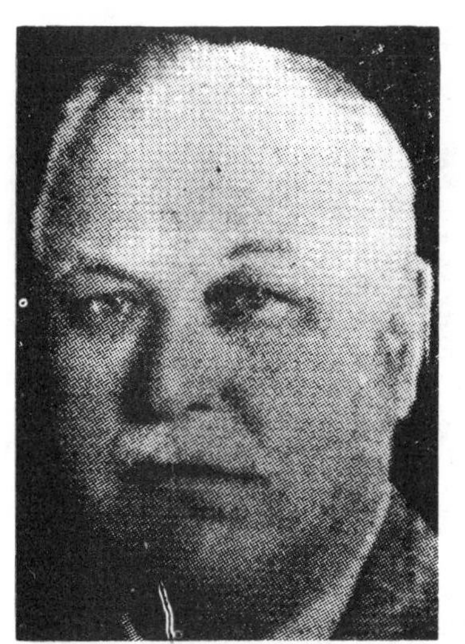

Gustave Francq, typographe, fondateur du *Monde ouvrier.*

La figure dominante du syndicalisme international au Québec reste cependant Gustave Francq, qui sera pendant de longues années vice-président du CMTC et président du Comité exécutif provincial de la centrale. Il est également secrétaire du Conseil des métiers et du travail de Montréal et l'un des chefs de file du Parti Ouvrier. Militant d'origine belge, typographe de métier, Francq est le directeur-fondateur, en 1916, du journal «*Le Monde ouvrier*» («Labor World»), hebdomadaire bilingue qui devient l'organe officiel des unions internationales, du Conseil des métiers de Montréal et du Parti Ouvrier — et qui est aujourd'hui le journal de la FTQ.

D'abord considéré comme socialiste à cause de ses positions progressistes pour l'époque, Gustave Francq déclare en 1910: «Je n'ai rien à faire avec le Parti socialiste, bien que je n'aie nullement honte de dire que j'approuve quelques-uns de ses principes qui sont, d'après moi, pour le bien de l'humanité». Il dira également que «le but du mouvement syndical, c'est de faciliter autant que faire se peut un rapprochement entre le capital et le travail». Gustave Francq deviendra, en 1925, le premier président de la Commission du salaire minimum.

DES GRÈVES IMPORTANTES

Les unions internationales, qui n'hésitent pas à recourir à la grève, mènent la plupart des grandes luttes ouvrières du début du siècle au Québec. D'une façon générale, les syndiqués cherchent à obtenir la reconnaissance de leur union et l'atelier syndical, des augmentations de salaire ou bien leur maintien pendant une récession, la réduction des heures de travail et le paiement des heures supplémentaires à un taux plus élevé, l'obtention des premiers congés payés et, finalement, le respect du contrat de travail dont l'application ne dépend que du rapport de forces entre les parties.

Les grèves des «p'tits chars»

En février 1903 éclate dans la métropole la première grève des tramways — les «p'tits chars» — qui paralyse le transport en commun. Les 1 500 grévistes se battent pour la reconnaissance de leur syndicat, l'Union des employés de tramways, et pour des hausses de salaires. La Montreal Tramways est la propriété d'un des plus grands brasseurs d'affaires canadiens-français, le sénateur conservateur Louis-Joseph Forget, premier courtier francophone de la rue Saint-Jacques. La famille Forget détient aussi des intérêts dans la Montreal Light, Heat and Power (Gaz et Électricité). Au bout de deux jours de grève, les syndiqués gagnent une augmentation de 10%. Ils organisent une grande marche de victoire dans les rues de la ville.

Travailleurs posant des rails de tramways à Montréal.
Atelier d'histoire Hochelaga-Maisonneuve.

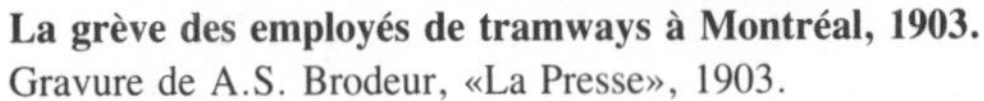

La grève des employés de tramways à Montréal, 1903.
Gravure de A.S. Brodeur, «La Presse», 1903.

Montréal, 1903: au cours de la grève des débardeurs, cavaliers et fantassins de l'armée repoussent les grévistes et protègent les briseurs de grève.
Gravure de Paul Caron, Album universel, 1903.

Trois mois plus tard, la compagnie refusant de reconnaître leur union internationale, les conducteurs et les contrôleurs de tramways déclenchent une nouvelle grève. La présence de scabs provoque de la violence: des «p'tits chars» sont renversés et un tramway conduit par un briseur de grève est stoppé par une barricade dressée aux coins des rues Saint-Jacques et Atwater. Les électriciens de la Montreal Light, Heat and Power déclenchent une grève de sympathie, plongeant dans l'obscurité des quartiers entiers de Montréal. Le conflit se termine par la fondation d'un syndicat de boutique qui coexiste avec l'«internationale».

La grève des débardeurs

En avril 1903, à l'ouverture de la navigation dans le port de Montréal, 2 200 débardeurs débraient pour obtenir la reconnaissance de leur syndicat, l'Union internationale des «longshoremen», et améliorer leurs conditions de travail et de salaires. La violence éclate sur les quais entre les grévistes et des scabs protégés par la police — vite débordée et assistée par l'armée. La Presse appuie les débardeurs, tout comme elle avait soutenu les employés des «p'tits chars». De son côté, l'Archevêque de Montréal, Mgr Bruchési, condamne la grève et l'affiliation à l'«internationale».

L'Union américaine multiplie les gestes d'appui: prestations de grève, boycottage dans d'autres ports. Le 30 avril, le président de l'AFL lui-même, Samuel Gompers, vient à Montréal où certains journaux le traitent d'«agitateur juif américain». Ce qui n'empêche pas des milliers d'ouvriers d'aller l'entendre au parc Sohmer, dans le «Faubourg à la Mélasse». Il est présenté par Joseph-Alphonse Rodier de l'Union typographique Jacques-Cartier, chroniqueur ouvrier à la Presse. C'est la première d'une série de visites de Gompers à Montréal. Au bout de 5 semaines de conflit, les grévistes arrachent non seulement la reconnaissance de leur union mais la préférence d'embauche pour les syndiqués et une hausse de salaire.

Les grèves du bâtiment

En mai 1904, les chantiers de la métropole sont paralysés par une grève générale de plusieurs milliers d'ouvriers du bâtiment qui va durer 3 mois. C'est dans le secteur de la construction que les unions internationales sont le plus solidement implantées et qu'elles font la plupart de leurs grèves — et de leurs gains, comme l'atelier syndical fermé. De 1900 à 1914, près du quart des arrêts de travail au Québec surviennent dans le bâtiment, qui connaît alors un boom sans précédent. Le mouvement de lutte est surtout animé par la Fraternité internationale des charpentiers et menuisiers.

La grève de Buckingham

Une des plus célèbres luttes ouvrières du début du siècle survient en 1906 dans la petite ville forestière de Buckingham, près de Hull. Elle fera deux morts, deux leaders syndicaux abattus par les gardes privés de la compagnie MacLaren.

Les miliciens arrivent à Buckingham, le lendemain de la fusillade pour protéger les installations de la MacLaren.

La grève est déclenchée le 12 septembre par plus de 400 ouvriers membres d'un syndicat international qui vient de s'implanter au «moulin» à bois de la famille MacLaren. Leurs revendications: la reconnaissance du syndicat, la réduction des heures de travail de 11 à 10 heures par jour et une hausse de salaire de 12,5 à 15 cents l'heure. Les MacLaren congédient les meneurs, menacent de fermer leur scierie et embauchent des briseurs de grève et des gardes armés. Ils réquisitionnent aussi la police municipale, car le maire de Buckingham est aussi le gérant du moulin.

Le 8 octobre, c'est l'affrontement entre les grévistes et des «scabs» qui font descendre des billots de bois sur la rivière La Lièvre. Les gardes privés tirent et deux ouvriers sont tués: Thomas Bélanger, président du syndicat, et François Thériault. Plusieurs travailleurs sont blessés. La loi de l'émeute est proclamée et l'armée est dépêchée sur les lieux. Plusieurs leaders du syndicat sont arrêtés, emprisonnés puis condamnés. Les unions internationales (CMTC et CMTM) organisent des manifestations de solidarité et des collectes. On remet une longue pétition au premier ministre Laurier pour exiger la libération des ouvriers emprisonnés. Le syndicat sera finalement démantelé mais lors des élections municipales suivantes, le maire sera battu et certains candidats ouvriers élus.

Le 11 octobre 1906: cortège funèbre de Thomas Bélanger et de François Thériault, dans les rues de Buckingham.

Si les syndicats ont du mal à s'implanter dans les scieries et chez les travailleurs forestiers, ils ont un peu plus de succès dans les «moulins» de pâtes et papiers. Dans les années 1900, des unions internationales font quelques percées dans des papeteries à Hull, Trois-Rivières, Grand'Mère, Windsor. Ils recrutent essentiellement les ouvriers qualifiés comme les papetiers.

La grève des «shops» Angus

En août 1908, Montréal est à nouveau le théâtre d'affrontements entre grévistes et «scabs» protégés par la police, à l'occasion de la grande grève des ouvriers spécialisés des usines Angus du Canadien Pacifique, la plus puissante des compagnies de chemins de fer. Les grévistes des «shops» Angus forment la majorité des 8 000 travailleurs des ateliers du CPR en grève au Canada. Le débrayage vise notamment à faire reconnaître le Syndicat international des machinistes. Sur les piquets de grève, les ouvriers et leurs femmes en viennent aux coups avec des «scabs» venus de Grande-Bretagne et des USA. La police fait du matraquage. Le mouvement syndical organise une assemblée de solidarité pour recueillir des fonds, au Monument National. Le député ouvrier de Maisonneuve, Alphonse Verville, va contribuer au règlement du conflit.

En 1910, c'est au tour des 8 500 employés itinérants du Grand Tronc (le futur Canadien National) de débrayer, paralysant l'ensemble du réseau au Québec et en Ontario.

Les grèves du vêtement

Parmi les luttes les plus vives de l'époque, il y a celle des travailleurs et des travailleuses du vêtement à Montréal. Dans l'industrie de la confection, où une multitude de petits ateliers se font concurrence, on relève près d'une centaine de grèves de 1910 à 1930, soit 20% des arrêts de travail au Québec durant cette période.

Une manufacture de vêtements à Hull, vers 1910. Archives publiques du Canada.

La plupart de ces grèves sont menées par un nouveau syndicat industriel combatif, l'Union des travailleurs amalgamés du vêtement d'Amérique, mieux connue sous le nom de l'«Amalgamated». À la suite de durs conflits à New York, l'Union, qui n'est pas encore affiliée à l'AFL, a «traversé» au Québec pour venir en aide aux ouvrières et ouvriers du vêtement. Comme à New York, l'industrie de la confection à Montréal est dominée par des patrons issus de la communauté juive, à qui s'opposent des militants syndicaux de même origine, surtout des tailleurs émigrés d'Europe avec leur métier et leur militantisme ouvrier et socialiste.

En 1912 débute dans la métropole une grève de 3 000 tailleurs et presseurs, les travailleurs les plus qualifiés de l'industrie. Au bout d'un mois et demi de conflit, ils gagnent la semaine de 49 heures (contre 55 heures auparavant) et un salaire moyen d'environ 12 $ par semaine. C'est la première grande victoire syndicale dans la confection.

En 1917, l'industrie du vêtement pour hommes à Montréal est touchée par une grève de deux mois de près de 5 000 membres de l'«Amalgamated», juifs, canadiens-français et italiens. Les grévistes obtiennent l'atelier syndical et des hausses de salaires substantielles. Dès 1919, le syndicat obtient même pour les tailleurs la réduction de la semaine de travail de 49 à 44 heures, mais c'est un gain impossible à conserver par suite de la récession d'après-guerre. De 1921 à 1930, on compte une trentaine de grèves dans le vêtement à Montréal. La violence éclate souvent sur les piquets à cause des scabs. La police à cheval intervient, plusieurs grévistes sont arrêtés. Les conventions signées sont difficiles à faire respecter.

La situation est encore plus précaire chez les couturières (les midinettes), en majorité canadiennes-françaises, que tente de syndiquer l'Union internationale des ouvriers du vêtement pour dames, dans les années vingt. Payées à la pièce, à des salaires minables, les ouvrières de l'aiguille font des semaines de 50 heures en moyenne. Ce n'est qu'en 1937 que l'UIOVD pourra s'implanter solidement à l'occasion d'une grande grève dans la robe. En 1926, une militante de l'Union, Fernande Morin, est la première femme élue à l'exécutif du Conseil des métiers et du travail de Montréal.

LA PREMIÈRE GUERRE

Au cours de la Première Guerre Mondiale, le mouvement syndical et les unions internationales en particulier vont faire de grands progrès. L'expansion de la production pour répondre à l'«effort de guerre» et la rareté de la main-d'oeuvre disponible accroissent le rapport de forces en faveur des syndiqués.

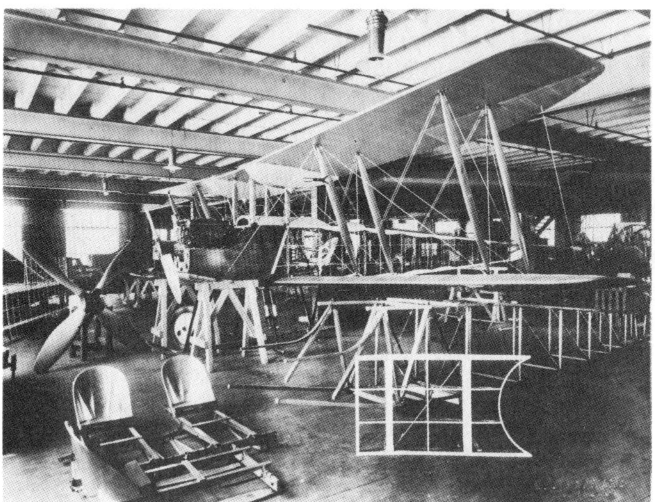

L'effort de guerre s'est traduit par le développement du secteur avionnerie de la société Canadian Vickers. Ici, vue de l'intérieur de l'usine de Montréal en 1920.
Archives publiques du Canada.

Sous-marins construits au chantier de la Vickers pendant la première guerre mondiale.
Archives publiques du Canada.

Le principal syndicat implanté dans les industries de guerre, l'Association internationale des machinistes, lutte surtout pour l'ajustement des salaires à la hausse du coût de la vie, car l'inflation est très forte. Les machinistes mènent de grandes grèves aux chantiers navals de la Vickers, aux usines Angus et dans d'autres fabriques d'armements à Montréal. Les unions internationales sont aussi très actives à l'extérieur de la métropole, dans les mines et les pâtes et papiers notamment. En 1915, la Fédération des mineurs (AFL) soutient un débrayage de grande ampleur chez les 2 500 travailleurs des mines d'amiante de Thetford, en Estrie. De son côté, le syndicat international des papetiers s'implante dans les moulins de la Mauricie et fait une percée à Jonquière et Kénogami au Saguenay.

En 1916, le gouvernement fédéral, invoquant l'état d'urgence créé par le conflit mondial, étend à toutes les industries engagées dans l'effort de guerre les dispositions de la «Loi Lemieux» qui impose la conciliation obligatoire avant toute grève. L'agitation ouvrière se poursuivant, le premier ministre Borden annonce, à l'été 1917, l'interdiction de tout arrêt de travail dans les industries reliées à la production militaire, en vertu du décret CP 1743. Cette mesure reste en vigueur jusqu'à la fin de la guerre, à l'automne 1918, mais elle n'empêche pas les débrayages spontanés, malgré la coopération des dirigeants syndicaux à l'effort de guerre.

Menace de grève générale

En 1917, la question du service militaire obligatoire outre-mer — la Conscription — est au centre des débats. Le Congrès des métiers et du travail du Canada s'oppose à «toute forme de conscription de la classe ouvrière tant que n'aura pas été organisée la conscription de la richesse», c'est-à-dire la nationalisation des industries de guerre et des banques. Pourquoi, demande-t-il, les travailleurs iraient-ils se faire tuer en Europe, et leurs camarades restés ici se feraient-ils exploiter dans les usines, pendant que le patronat empoche des millions de profits? Le CMTC se dit prêt à aller jusqu'à la grève générale contre la Conscription. Devant un auditoire ouvrier canadien-français à Hull, le président de la centrale, J.C. Watters, déclare que si le service militaire outre-mer devient obligatoire, les syndiqués vont «déposer leurs outils et refuser de travailler.»

La Conscription entre en vigueur en juillet 1917 mais le CMTC renonce à toute grève, influencé en cela par l'attitude des dirigeants de l'American Federation of Labor aux États-Unis. Le président de l'AFL, Samuel Gompers, effectue une tournée au Canada pour stimuler l'«effort de guerre» et inciter les syndicats à «contrôler» les grèves. Les partisans de la grève générale sont mis en minorité lors du congrès du CMTC, en septembre 1917. La centrale décide de lutter contre la Conscription par l'action politique électorale, en réactivant le Parti Ouvrier lors du scrutin de décembre 1917.

Explosion de grèves en 1919

Immédiatement après la guerre, en 1919, survient une vague d'adhésions aux syndicats et une véritable explosion de grèves au Québec et au Canada — dont la célèbre grève générale de Winnipeg (voir page 110). Il s'agit d'une année-record en ce domaine depuis les débuts du mouvement ouvrier.

Les travailleuses et travailleurs, qui ont subi pendant plus de quatre ans l'effort de guerre et les contrôles gouvernementaux, estiment qu'ils n'ont pas eu leur part des profits énormes réalisés par la bourgeoisie, d'autant plus que la hausse du coût de la vie a été terriblement dure pour la classe ouvrière.

Au Québec, on compte un nombre sans précédent de 81 débrayages en 1919. Le mouvement démarre dès la fin de décembre 1918 à Montréal où une grève des cols bleus, des pompiers et même des policiers dure 32 heures. Les autorités font appel à l'armée pour remplacer les grévistes, soutenus par le Conseil des métiers et du travail de Montréal, et qui ont finalement gain de cause.

En 1919, des grèves éclatent aux chantiers navals de la Vickers à Montréal (4 000 grévistes) et de la Davie à Lauzon, près de Québec — où l'armée intervient à la suite d'affrontements provoqués par des scabs. L'armée est également appelée à la filature de la Dominion Textile de Montmorency où les grévistes font partie d'un groupe de 7 000 ouvrières et ouvriers qui ont débrayé aussi à Montréal et à Magog. Les syndiqués sont affiliés aux Ouvriers unis du textile d'Amérique et le gérant de la compagnie déclare: «Nous ne reconnaîtrons aucune union organisée en dehors de ce pays».

Dans la métropole, parmi d'autres luttes importantes, on peut noter un premier débrayage d'envergure de quelques milliers de camionneurs qui obtiennent la reconnaissance de leur syndicat et la journée de 9 heures. Des grèves se produisent aussi parmi les ouvriers du caoutchouc, aux usines Angus et dans l'industrie du bâtiment où plusieurs milliers d'ouvriers déposent leurs outils pendant deux mois et demi. À la fin de l'année, un arrêt de travail spectaculaire des employés de l'Aqueduc de Montréal perturbe l'approvisionnement en eau potable. Les grévistes gagnent notamment la semaine de 48 heures.

Tout ce mouvement revendicatif est pratiquement stoppé à partir de 1920 par la grave récession de l'après-guerre. Le nombre des chômeurs monte en flèche. La plupart des arrêts de travail visent alors à combattre des coupures de salaires et la perte de divers acquis. Plusieurs de ces luttes seront perdues.

Le «Mouvement des 44 heures»

Le début des années vingt est marqué par la grande bataille de l'Union internationale des typographes, menée dans toute l'industrie nord-américaine de l'imprimerie, en faveur de la réduction de la semaine de travail de 48 à 44 heures, soit la journée minimum de 8 heures et un congé le samedi après-midi.

L'Union a choisi le premier mai 1921 comme date d'implantation des 44 heures. Le mouvement de grève qui s'ensuit est l'un des plus considérables au Québec et dure jusqu'en août 1924 dans certains cas. Les typographes et d'autres ouvriers des métiers de l'imprimerie débraient à Montréal, Québec, Saint-Hyacinthe et Hull-Ottawa. La grève interrompt même l'impression des travaux du Parlement de Québec, alors en pleine session, et le premier ministre Alexandre Taschereau fait une violente sortie contre les syndicats internationaux. Les typos du journal de l'épiscopat, l'Action catholique, agissent comme briseurs de grève. Malgré tout, les typographes finissent par gagner la semaine de 44 heures dans les années vingt.

Avec la reprise économique, surtout à partir de 1925, les unions internationales mènent plusieurs luttes dans l'industrie des pâtes et papiers, la construction, le vêtement. Les débuts de la Grande Crise, en 1929, obligeront les syndicats à ne se préoccuper désormais que de la protection des acquis, mais ils ne pourront éviter des reculs considérables.

LE SYNDICALISME NATIONAL CANADIEN

Si le syndicalisme international d'origine américaine prédomine largement durant toute la période, une autre forme de syndicalisme, exclusivement canadienne, se manifeste. Il s'agit du syndicalisme dit national, qui regroupe surtout au départ des travailleuses et travailleurs canadiens-français, soit le tiers des syndiqués du Québec au début du siècle.

Exclus du Congrès des métiers et du travail du Canada lors du congrès de Berlin en 1902, plusieurs syndicats nationaux et les dernières assemblées des Chevaliers du travail s'unissent pour former une nouvelle centrale, sans aucun lien avec l'American Federation of Labor. C'est ainsi que naît le *Congrès National des métiers et du travail du Canada* qui prend le nom, en 1908, de *Fédération canadienne du travail.*

«Le Canada aux Canadiens»

En fait, il s'agit à ses débuts d'une centrale québécoise puisque 90% de ses quelques milliers de membres sont canadiens-français. Le premier congrès a d'ailleurs lieu en 1903 à Québec, noyau de la résistance au syndicalisme international. La plupart des adhérents sont des travailleurs de la chaussure et du bâtiment de Québec et de Montréal. Le premier président est un cordonnier-monteur de Québec, Omer Brunet, l'un des dirigeants de la Fédération canadienne des cordonniers.

Le Congrès national se donne comme devise «Le Canada aux Canadiens» et comme emblème un castor. Adoptant une attitude très dure à l'égard des unions internationales, la nouvelle centrale refuse d'affilier les syndicats locaux de ces unions qui pourraient y adhérer. Elle dresse ainsi un obstacle majeur à son développement.

Par ailleurs, sauf la Fédération des cordonniers, les syndicats nationaux ne possèdent pas de fonds de grève et n'offrent pas non plus de compensation en cas de maladie ou de décès, ce qui constitue un handicap sérieux par rapport à leurs rivaux internationaux.

Enfin, plusieurs de leurs leaders sont proches du Parti Libéral de Laurier et dénoncent les unions internationales qui appuient le Parti Ouvrier.

La Fédération des cordonniers

La ville de Québec est le centre de l'industrie de la chaussure au Canada et les syndicats nationaux sont très militants dans ce secteur. Ils déclenchent au moins une vingtaine de grèves de 1900 à 1916 et réussissent notamment à conquérir l'atelier syndical fermé, un gain majeur à l'époque. À Montréal, la Fédération des cordonniers mène également plusieurs luttes. En 1911, la plupart de ses membres vont toutefois rallier le syndicalisme international. La disparition de la Fédération va entraîner, en pratique, celle du syndicalisme national dans la métropole.

Cordonnerie au début du siècle.

À Québec, des dissensions au sein des syndicats nationaux — dont plusieurs se rapprochent du syndicalisme catholique — affaiblissent considérablement le mouvement. À tel point qu'après 1911, la Fédération canadienne du travail n'a plus vraiment d'importance au Québec et recrute surtout des membres au Canada anglais.

La Fédération du textile

D'autres syndicats nationaux — non affiliés à la Fédération canadienne du travail — se sont affirmés au début du siècle dans une industrie concentrée au Québec, celle du textile. Pas moins de 40 grèves et lock-out sont survenus dans ce secteur de 1900 à 1908.

Travailleuses du textile vers 1918-20.
Atelier d'histoire Hochelaga-Maisonneuve.

Les travailleuses et travailleurs du coton avaient d'abord adhéré aux syndicats internationaux vers 1900. Cette année-là deux grèves violentes entraînent l'intervention de l'armée à la filature de la Montreal Cotton, à Valleyfield, et à la Dominion Cotton à Magog. En 1906, les Ouvriers unis du textile d'Amérique comptent plus de 3 000 membres au Québec.

C'est alors que les syndiqués rompent avec l'«internationale» pour fonder la Fédération des ouvriers du textile du Canada, présidée par l'ancien responsable du syndicat américain au Québec, Wilfrid Paquette. La Fédération recrute la majorité des tisserands et des tisserandes, soit plus de 7 000, et soutient une quinzaine de grèves de 1906 à 1908. Elle obtient des hausses substantielles de salaires, de l'ordre de 25%, et la réduction de la semaine de travail de 60 à 58 heures.

En 1908, la Fédération dirige l'une des plus grandes grèves de l'époque: au-delà de 6 000 travailleuses et travailleurs abandonnent leurs machines, durant un mois, dans les filatures du nouveau «trust» Dominion Textile à Montréal, Magog et Montmorency près de Québec, ainsi qu'à la Montreal Cotton de Valleyfield. La grève est provoquée par une coupure de 10% des salaires, dont le taux moyen est alors de 92 cents par jour. Les compagnies ripostent en refusant de réengager les principaux leaders syndicaux et en menaçant les syndiqués de mise à pied. Ils réussissent ainsi à briser la Fédération dont les dirigeants étaient d'ailleurs divisés sur la poursuite de la grève. Plusieurs syndiqués réintègrent par la suite les rangs des Ouvriers unis du textile d'Amérique, à Montréal et Montmorency.

Malgré tout, l'ampleur de la lutte conduit le gouvernement fédéral à former une commission royale d'enquête sur «les conflits de travail dans les filatures de coton au Québec», dont le secrétaire est le sous-ministre du Travail Mackenzie King. Le rapport de cette commission, pro-patronal dans l'ensemble, propose néanmoins une réduction de la semaine de travail des tisserandes, qui passe progressivement de 58 à 55 heures.

La Fédération des briqueteurs

Le syndicalisme national va connaître une autre poussée au Québec, en 1920, avec la fondation de la *Fédération canadienne des briqueteurs, maçons et plâtriers*. Le groupe est composé d'anciens membres de l'Union internationale des briqueteurs à Montréal et à Québec. Il s'affilie à la Fédération canadienne du travail dont il est, en pratique, le seul syndicat québécois. Le leader des briqueteurs, David Giroux, a été candidat du Parti Ouvrier dans le comté de

Dorion à Montréal. En 1929, les membres de la Fédération rejoignent cependant l'Union internationale après avoir tenu un référendum sur la question.

Le Congrès pancanadien du travail

La Fédération des briqueteurs a été le seul grand syndicat québécois à participer, en 1927, à la fondation du *Congrès pancanadien du travail*, la nouvelle centrale qui représente le syndicalisme national au Canada. Le Congrès est issu de la fusion de la Fédération canadienne du travail et du plus puissant syndicat indépendant canadien, la *Fraternité des employés (non-itinérants) de chemins de fer*. Le président de la Fraternité, Aaron Mosher, est élu à la tête de la nouvelle organisation qui déclare quelque 40 000 membres au départ.

La Fraternité des employés de chemins de fer, fondée en 1909 dans les Maritimes, a été expulsée du Congrès des métiers et du travail du Canada en 1921. On l'a exclue non seulement parce qu'il s'agit d'un syndicat national, mais aussi parce qu'elle pratique un syndicalisme de type industriel qui empiète sur les juridictions des vieux syndicats de métiers du rail.

Sous l'impulsion de Mosher, le nouveau Congrès pancanadien du travail reprend la lutte en faveur du syndicalisme national et accuse le CMTC d'être une «succursale» de l'American Federation of Labor. Il lutte également en faveur du syndicalisme industriel.

LE SYNDICALISME NATIONAL ET CATHOLIQUE

Le peu de succès des syndicats nationaux non confessionnels au Québec est dû, en fait, à un phénomène unique en son genre en Amérique du Nord: l'émergence du syndicalisme catholique.

En rejetant, en 1902, les syndicats qui voulaient conserver leur autonomie face aux unions internationales d'origine américaine, le Congrès des métiers et du travail du Canada venait de préparer, à long terme, l'avènement du syndicalisme catholique au Québec. Le clergé va étendre progressivement son influence sur le syndicalisme national pour en faire un syndicalisme national et catholique, au nom de la doctrine sociale de l'Église.

Ce mouvement aboutit, en 1921, à la fondation de la *Confédération des travailleurs catholiques du Canada (CTCC)* — aujourd'hui la *Confédération des syndicats nationaux (CSN)*. Le Québec devient ainsi le seul endroit en Amérique du Nord où des syndicats confessionnels réussissent à s'implanter.

Septembre 1921: congrès de fondation de la Confédération des travailleurs catholiques du Canada (CTCC).

Tout comme les unions internationales, les syndicats catholiques sont un phénomène particulier sur le continent nord-américain. Alors que le syndicalisme international reflète l'appartenance nord-américaine des travailleuses et travailleurs québécois, le syndicalisme national et catholique reflète leur singularité.

L'identité nationale

La naissance de la CTCC s'inscrit, en partie, dans le courant autonomiste des Chevaliers du travail et des syndicats nationaux non confessionnels, en réaction contre l'influence syndicale américaine.

Implantée presque exclusivement au Québec — malgré ses velléités d'expansion pancanadienne — la CTCC s'appuie solidement sur le nationalisme canadien-français, expression d'un peuple minoritaire au Canada. Elle entend refléter l'identité nationale des travailleurs francophones, leurs traits culturels et leurs traditions spécifiques. Solidarité de classe et solidarité de communauté nationale y sont souvent confondues, ce qui explique, pour une bonne part, la collaboration de classes qui va s'établir entre les travailleuses et travailleurs, le clergé et la petite-bourgeoisie nationaliste du Québec.

La doctrine sociale de l'Église

Beaucoup plus importante que le nationalisme, la référence à la doctrine sociale de l'Église constitue le deuxième pôle idéologique auquel se rattache la CTCC.

Au début des années 1900, le clergé québécois adopte tardivement la ligne du «catholicisme social» définie par le pape Léon XIII dans son encyclique Rerum Novarum, en 1891, et complétée par les encycliques de Pie X. Il cesse de rejeter le syndicalisme et tente plutôt de l'encadrer dans le but avoué de combattre toute forme de lutte des classes et de socialisme et pour leur substituer l'harmonie du capital et du travail en vue de la paix sociale. Le clergé met l'accent sur la complémentarité, voire la communauté d'intérêts qui unissent patrons et ouvriers, c'est-à-dire sur la collaboration de classes.

L'École sociale populaire, fondée à Montréal par les Jésuites en 1911, exerce à cet égard une grande influence. Elle diffuse la doctrine sociale de l'Église et les idées de la petite-bourgeoisie catholique au sein du mouvement ouvrier. Il en est de même des journaux lancés ou appuyés par le clergé comme L'Action catholique à Québec (1907), Le Devoir à Montréal (1910) et Le Droit à Ottawa (1913).

L'arbitrage de Mgr Bégin

Mgr Bégin, archevêque de Québec.

Parallèlement à ce travail de propagande — qui prend aussi la forme de cercles d'études et de retraites fermées à l'intention des leaders ouvriers — le clergé intervient de plus en plus dans les conflits de travail. Les évêques de Québec et de Montréal, en particulier, s'intéressent de plus près au syndicalisme à la suite de nombreuses grèves déclenchées dans ces villes.

À l'automne de 1900, l'archevêque de Québec, Mgr Bégin, intervient dans un conflit qui dure depuis deux mois et qui oppose 4 000 travailleuses et travailleurs de la chaussure, membres de syndicats nationaux indépendants, à leurs patrons qui ont décrété un lock-out. Les deux parties acceptent sa médiation et s'engagent à se conformer à la décision arbitrale. Rendue en janvier 1901, la sentence reconnaît le droit d'association des travailleuses et travailleurs mais impose aux syndicats une constitution plus conforme à la doctrine sociale de l'Église ainsi que la présence d'un aumônier. Elle propose aussi l'institution d'un tribunal d'arbitrage permanent pour régler les futurs conflits. Les syndicats acceptent finalement la décision, non sans avoir obtenu en échange la préférence syndicale dans l'embauche. Ils gagnent par la suite l'atelier fermé.

La sentence de Mgr Bégin, si elle ne force pas les syndicats à devenir formellement confessionnels, constitue néanmoins un précédent. C'est le prélude à l'implantation du syndicalisme catholique au Québec.

De son côté, l'archevêque de Montréal, Mgr Bruchési, accorde une attention spéciale au syndicalisme à la suite de grèves importantes des syndicats internationaux de débardeurs et d'employés des tramways, en 1903. À l'occasion du passage à Montréal du président de l'AFL, Samuel Gompers, l'archevêque rend publique une lettre pastorale soulignant le «péril» pour les ouvriers catholiques d'appartenir aux «internationales». L'année suivante, il invite les syndicats à donner à la Fête du travail un caractère religieux par la célébration d'une messe.

Craignant que la multiplication des grèves n'aiguise la lutte des classes et n'ébranle tout l'édifice social, le clergé est unanime à dénoncer le syndicalisme international. Il va faire un pas de plus en contribuant à créer des syndicats nationaux confessionnels, comme il en existe déjà dans certains pays d'Europe tels la France et la Belgique.

Les premiers syndicats catholiques

Monseigneur Eugène Lapointe, qui jeta les bases du premier syndicat catholique, à Chicoutimi, en 1907.

L'abbé Maxime Fortin, aumônier fondateur du Mouvement syndical catholique.

C'est en 1907 que le clergé jette les bases du premier syndicat formellement catholique parmi les travailleurs de la Compagnie de pulpe de Chicoutimi, propriété du grand industriel canadien-français Alfred Dubuc. L'initiative en revient à l'abbé Eugène Lapointe, qui deviendra par la suite évêque de la région. En 1916, la Fédération ouvrière mutuelle du Nord compte des sections totalisant 3 000 membres au Saguenay-Lac Saint-Jean, surtout parmi les travailleurs du bois et des pâtes et papiers à Chicoutimi, Jonquière, Kénogami et Port-Alfred — où les unions internationales sont aussi implantées.

Des regroupements semblables se forment en 1912 à Hull (à partir d'un syndicat national de papetiers en concurrence avec les «internationales» à l'usine E.B. Eddy), en 1913 à Trois-Rivières et en 1914 à Montréal. Un syndicat catholique est aussi fondé en 1915 à Thetford, où la présence d'organisateurs internationaux parmi les mineurs d'amiante en grève a effrayé le clergé local. L'Union catholique des mineurs se donne comme objectif de «vouloir le bien de l'ouvrier sans vouloir de mal au patron» et se comporte comme un syndicat de boutique.

Durant la Première Guerre, alors que l'ensemble du mouvement syndical connaît une poussée exceptionnelle, les syndicats catholiques se multiplient. Mais cette fois, il s'agit, de plus en plus, d'anciens syndicats nationaux ayant une tradition de lutte qui faisait défaut aux premiers syndicats catholiques. C'est le cas, en particulier, des syndicats de la chaussure du Québec qui décident, en 1917, de rallier le syndicalisme catholique. Forts de plus de 4 000 membres, ce sont les syndicats nationaux les plus importants au Québec.

La ville de Québec devient bientôt le château-fort du syndicalisme catholique à la suite d'une campagne menée en 1918 par l'abbé Maxime Fortin et qui rallie la plupart des syndicats nationaux de la capitale ainsi que le Conseil central qui les regroupe depuis près de 20 ans. D'autres Conseils centraux sont fondés dans les diocèses de Sherbrooke et Saint-Hyacinthe. À Montréal, le nouveau Conseil central regroupe des travailleurs de la chaussure, du bâtiment, des services et du commerce, notamment ceux du grand magasin Dupuis Frères, une «institution nationale» au Canada français. Le président du Conseil, Alfred Charpentier, est l'une des figures dominantes des syndicats catholiques au Québec. Ancien leader de la section locale montréalaise de l'Union internationale des briqueteurs, Charpentier relate son changement d'allégeance dans un livre intitulé «Ma conversion au syndicalisme catholique».

À la fin de 1918, une première rencontre nationale est convoquée à Québec, suivie d'autres réunions annuelles à Trois-Rivières et Chicoutimi. En 1921, les syndicats sont prêts à fonder une nouvelle centrale. Le mouvement s'inscrit à cette époque dans le courant international du syndicalisme confessionnel qui donne naissance, en 1919, à la *Confédération française des travailleurs chrétiens (CFTC)* et, en 1920, à la *Confédération internationale des syndicats chrétiens (CISC)*, aujourd'hui la *Confédération mondiale du travail (CMT).*

LA FONDATION DE LA CTCC (1921)

C'est à Hull, en septembre 1921, qu'est fondée la Confédération des travailleurs catholiques du Canada (CTCC).

Issue de la tradition du syndicalisme national et de l'action sociale du clergé, la centrale se donne comme objectif de défendre les intérêts des travailleuses et travailleurs dans le cadre de la doctrine sociale de l'Église.

À sa fondation, la CTCC regroupe environ 18 000 membres, soit près du quart des syndiqués québécois. Affectée par la crise économique de l'après-guerre, elle ne dépasse guère 20 000 adhérents dans les années vingt. Elle compte presque uniquement des travailleuses et travailleurs canadiens-français du Québec et de la région d'Ottawa.

Seuls les travailleuses et travailleurs catholiques sont admis comme membres de plein droit. Les non-catholiques, qui sont en nombre infime, sont accueillis comme «membres adjoints» et n'ont pas le droit de vote. Cependant, dans une ville cosmopolite comme Montréal, les non-catholiques commencent à être admis de plein droit vers la fin des années vingt. Cette tendance gagne lentement la province mais ce n'est qu'en 1943 que la CTCC amendera ses statuts pour mettre fin à toute discrimination religieuse.

La centrale compte 80% de ses affiliés à l'extérieur de Montréal, qui reste le bastion des unions internationales. Elle est surtout implantée à Québec (où l'on établit le siège social), au Saguenay-Lac Saint-Jean, dans l'Outaouais et en Mauricie.

Pierre Beaulé, premier président de la CTCC, de 1921 à 1933.

La seule industrie où ses membres sont majoritaires est celle de la chaussure, d'où provient le premier président de la CTCC, le cordonnier-monteur Pierre Beaulé de Québec, qui reste à la tête du mouvement jusqu'en 1933. La CTCC est également présente dans le bâtiment et le bois (les effectifs les plus nombreux), les pâtes et papiers, l'imprimerie, le textile et le vêtement. Elle est également active dans un secteur où les unions internationales sont encore peu implantées, celui des services: employés de bureau et de commerce, fonctionnaires municipaux, etc.

La CTCC recrute des membres dans les secteurs et les régions traditionnellement négligées par les syndicats internationaux de métiers, entre autres parce que certains groupes de travailleuses et travailleurs ont moins de pouvoir de marchandage lors des négociations. Très peu de sections locales d'unions internationales passent à la CTCC dans les années vingt.

Au tout début, la centrale s'est formée sur la base de Conseils centraux régionaux et de syndicats locaux dotés d'une grande autonomie, ce qui constitue l'une des originalités du mouvement. Mais très tôt, la CTCC regroupe ses membres au sein de fédérations professionnelles de métiers: pâtes et papiers (1923), bâtiment (1924), imprimerie (1925), textile et chaussure (1926).

L'influence du clergé

La CTCC réussit une percée dans deux secteurs en particulier, le bâtiment et l'imprimerie, à cause notamment des pressions qu'exercent les autorités religieuses sur les employeurs qui effectuent des travaux pour le compte des institutions catholiques: écoles, églises, hôpitaux, couvents, etc. Par exemple, en 1926, un syndicat catholique s'implante à la grande imprimerie Beauchemin, à Montréal, qui employait jusque-là des syndiqués de l'Union internationale des typographes dont plusieurs sont congédiés. Le clergé met au service de la nouvelle centrale sa grande influence et ses ressources matérielles. On estime à 20 000 $ par année les sommes versées à la CTCC par l'épiscopat dans les années vingt, sans compter les locaux fournis gratuitement.

L'aumônier général et l'une des chevilles ouvrières du mouvement est l'abbé Maxime Fortin, nommé à ce poste par le cardinal Bégin qui a en outre approuvé la constitution de la centrale. L'aumônier général et les aumôniers des syndicats locaux disposent, jusqu'en 1943, d'un droit de véto sur les décisions qui peuvent mettre en cause la doctrine sociale de l'Église. Des clauses dites «Monseigneur», incluses dans certaines ententes collectives, donnent d'office à l'évêque du lieu un rôle d'arbitrage dans les conflits.

La devise de la CTCC est «Justice et charité». Chaque année, elle participe à des processions à l'Oratoire Saint-Joseph du Mont-Royal à l'occasion de la fête de Saint-Joseph Artisan, vénéré à titre de saint patron des ouvriers. L'une des résolutions votées à son premier congrès condamne, conformément à la position du clergé, l'école publique obligatoire renvendiquée par les syndicats internationaux.

Une autre résolution réclame la reconnaissance des droits de la langue française, alors que les «internationaux» favorisent plutôt le bilinguisme. La CTCC est en cela très proche de la petite-bourgeoisie nationaliste du Québec. Elle s'oppose par ailleurs à toute action politique partisane et dénonce les syndicats internationaux qui appuient le Parti Ouvrier.

Les luttes syndicales

En dépit de l'influence très forte du clergé, la CTCC affirme, dès son congrès de fondation, son caractère syndical, sous la pression de leaders ouvriers qui ont déjà une longue tradition de lutte au sein des syndicats nationaux. Elle favorise l'organisation des travailleuses et travailleurs par métiers, l'atelier syndical fermé, la fixation d'un salaire minimum. À la fin des années vingt, elle réclame un régime d'assurance-chômage.

À ses débuts, la CTCC n'accepte le recours à la grève qu'à certaines conditions fort restrictives et lui préfère l'arbitrage. Les syndicats catholiques n'auront d'ailleurs pas de fonds de grève avant 1951, contrairement aux unions internationales. Selon l'abbé Maxime Fortin, «un fonds de grève fait du syndicat une machine de guerre contre les patrons. Comme la guerre, la grève est un grand mal pour ceux qui la déclarent et nous voulons l'éviter à tout prix». Malgré les appels à la modération, les syndicats locaux vont déclencher trente-deux grèves entre 1920 et 1930, soit 13% des conflits de travail de la période au Québec.

L'une des premières luttes spectaculaires survient en 1921, à Québec, où plus de 300 pompiers et policiers de la ville débraient durant trois jours, contre l'avis de leur aumônier. Les grévistes gagnent entre 17 $ et 24 $ par semaine et réclament une hausse de 1,50 $. Les autorités municipales ripostent par l'arrestation des dirigeants du syndicat, l'embauche de briseurs de grève et l'appel à l'armée pour maintenir l'ordre. Le conflit se termine avec l'intervention du cardinal Bégin et la formation d'un tribunal d'arbitrage qui accorde une hausse de 1,00 $.

En 1924, 275 travailleuses, en majorité des jeunes femmes, remportent une victoire syndicale après avoir subi un lock-out de deux mois à la manufacture d'allumettes E.B. Eddy de Hull, la plus grande au Canada. Contre la compagnie qui veut les forcer à signer des contrats d'engagement individuels, les allumettières obtiennent la reconnaissance de leur syndicat et une amélioration de leurs conditions.

C'est dans l'industrie de la chaussure à Québec, où les syndicats ont une longue tradition de militantisme, que la CTCC mène ses plus grandes luttes. En 1925, près de 5 000 ouvriers et ouvrières déclenchent une grève qui paralyse quatorze usines. Les grévistes se battent contre des coupures de salaires allant jusqu'à 30% et pour conserver l'atelier syndical fermé. Ils retournent à l'ouvrage au bout de deux semaines lorsque Mgr Langlois, l'évêque de Québec, obtient des deux parties la formation d'un tribunal d'arbitrage. Le tribunal ayant maintenu l'essentiel des coupures de salaires, les syndiqués débraient à nouveau en 1926. L'embauche de briseurs de grève provoque des éclats de violence et la police effectue de nombreuses arrestations.

Malgré l'appui de la CTCC et du clergé local, la grève prend fin au bout de quatre mois par une amère défaite. Les salaires payés à Québec restent inférieurs à ceux des autres centres manufacturiers de la chaussure. Cet échec porte un dur coup aux syndicats et à la CTCC elle-même. Il contribue toutefois à briser bien des illusions sur la bonne volonté et la conscience sociale du patronat, même lorsque celui-ci est catholique et francophone.

Les relations intersyndicales

L'émergence des syndicats catholiques n'a pas été sans créer des tensions avec les unions internationales, largement prédominantes au Québec, qui n'ont pas ménagé leurs critiques à l'égard des syndicats confessionnels.

Alors que la CTCC mène une campagne de propagande virulente contre les unions «américaines, neutres, socialistes, sinon communistes», les syndicats catholiques, en retour, sont qualifiés d'instrument de division des forces ouvrières, sous le contrôle du clergé et du patronat. On les accuse, entre autres, d'accepter des conditions de travail et de salaires inférieures à celles négociées par les unions internationales au Québec et au Canada. On accuse aussi le clergé, non sans raison, d'avoir été presque totalement absent jusque-là des luttes menées par les travailleuses et travailleurs syndiqués, quand il ne les a pas combattues.

Les relations changent peu à peu par suite des premières luttes menées par les syndiqués de la CTCC, notamment les grèves de la chaussure. Selon l'un des principaux leaders des unions internationales au Québec, Gustave Francq, ces grèves apportent «un fameux démenti à ceux qui prétendaient qu'avec les syndicats catholiques, il n'y aurait plus de grève possible». Francq admet que la CTCC «offre un avantage particulier à la classe ouvrière dans certaines régions» en organisant des travailleuses et travailleurs que les «internationales» n'ont pas pu ou voulu syndiquer.

De son côté, l'abbé Maxime Fortin, aumônier de la CTCC, écrit à cette époque: «Les syndicats catholiques peuvent bien avoir occasionnellement à lutter contre «l'Internationale» (*sic*), mais leur raison d'être est de veiller aux intérêts de la classe ouvrière. Pour la paix sociale, mieux vaut cent fois l'Internationale américaine que pas d'union du tout.» On peut mesurer l'évolution suivie par l'abbé Fortin, qui est aussi celle de la plupart des dirigeants de la CTCC.

Les relations intersyndicales ne sont pas harmonieuses pour autant. Plusieurs groupes de travailleurs (construction, employés municipaux, transport urbain, imprimerie) font l'objet de fortes rivalités qui persisteront et s'intensifieront même, dans les années qui vont suivre, à mesure que les syndicats catholiques affirmeront leur militantisme.

La Loi des syndicats professionnels

En matière de législation du travail, la CTCC a été à l'origine, en 1924, d'une loi qui n'a pas d'équivalent en Amérique du Nord et qui est inspirée d'une législation française: la Loi des syndicats professionnels.

Encore en vigueur pour l'essentiel aujourd'hui, cette loi, réclamée par la CTCC et votée par le gouvernement Taschereau, permet au syndicat qui désire s'en prévaloir de former une association incorporée, donc légalement reconnue par l'État. Le syndicat incorporé peut conclure une entente collective, de type contrat civil, mais la loi n'oblige pas l'employeur à négocier. La loi sanctionne la formation d'un syndicat dès que vingt personnes dans un groupe réclament sa création et que le gouvernement veut bien l'autoriser. Elle permet aussi à un syndicat de posséder et de gérer des biens: caisse de retraite, assurances, immeubles, locaux, etc.

Les syndicats internationaux se sont vivement opposés à cette législation qui visait, selon eux, à «domestiquer» les syndicats et les exposait à des sanctions légales. En fin de compte, peu de syndicats, même catholiques, se sont incorporés sous l'empire de cette loi.

LE SYNDICALISME DANS L'ENSEIGNEMENT

Dans le même courant confessionnel que la CTCC, on assiste après la guerre aux premières tentatives d'implantation du syndicalisme parmi les institutrices et les instituteurs.

Le personnel enseignant laïc francophone du Québec est alors le moins bien rémunéré au Canada. Près de la moitié du corps enseignant est composé de religieuses et de religieux qui exercent une pression à la baisse sur les traitements. Les institutrices, à l'oeuvre surtout dans les régions rurales, forment 85% du personnel laïc et gagnent deux fois moins que leurs collègues masculins. D'autre part, les enseignants des écoles catholiques francophones touchent environ la moitié du salaire de leurs collègues des écoles anglo-protestantes.

En 1915, le salaire moyen des institutrices francophones est d'environ 300 $ par année, soit la moitié du salaire des instituteurs. En 1924, sur 7 300 institutrices canadiennes-françaises, près des trois quarts reçoivent moins de 350 $ annuellement. En 1929, leur salaire moyen est de 387 $ alors que celui des hommes est de 1 553 $. Dans les écoles anglo-protestantes, le revenu des institutrices est en moyenne de 1 068 $ et celui des instituteurs de 2 350 $.

La situation est moins misérable dans les grandes villes comme Montréal et Québec où les instituteurs se sont donné des associations professionnelles, à caractère surtout pédagogique, dès le milieu du 19e siècle. À la même époque, les enseignants anglo-protestants ont formé, en 1856, une puissante association professionnelle, la «Provincial Association of Protestant Teachers».

Quant aux institutrices francophones, ce n'est qu'au tout début des années 1900 qu'elles ont formé des associations à Montréal et à Québec. Toutes ces organisations ont d'abord des préoccupations éducatives mais elles servent aussi de bureaux de placement pour leurs membres et adressent des requêtes aux autorités scolaires pour l'amélioration de leurs conditions matérielles (salaires, fonds de pension, etc.).

Un premier syndicat à Montréal

Le 10 octobre 1919, à Montréal, plus de 500 enseignants se réunissent en assemblée générale, au Plateau, pour fonder l'*Association du bien-être des instituteurs et institutrices de Montréal*. En plus de réclamer la reconnaissance syndicale, l'Association innove dans l'enseignement en exigeant une augmentation de salaires sur la base d'une échelle salariale. Elle revendique également le droit de grief et une certaine forme de sécurité d'emploi. Elle reçoit le soutien du Conseil des métiers et du travail de Montréal, qui regroupe les syndicats internationaux.

La Commission des écoles catholiques de Montréal (CECM) refuse carrément de négocier avec une organisation syndicale. Elle riposte, avec l'aide de l'Archevêché, en aidant à la création d'une association dominée par l'employeur, l'*Alliance des professeurs catholiques de Montréal*. L'Alliance est fondée le 5 décembre 1919 à l'occasion d'une assemblée convoquée par la CECM et qui réunit non seulement des institutrices et des instituteurs mais les directeurs d'écoles et de districts de la Commission. L'Alliance est une organisation confessionnelle, dotée d'un aumônier, et qui n'a aucun caractère syndical.

En avril 1920, la CECM adopte une première échelle de salaires accordant des augmentations substantielles, largement justifiées par l'inflation très forte des années de guerre. Cette échelle prévoit des salaires variant de 625 $ à 1 200 $ par année pour les femmes, qui forment l'immense majorité du personnel, et de 1 200 $ à 2 500 $ pour les hommes.

Pour briser définitivement le syndicat qui l'a forcée à accéder à certaines revendications, la CECM expédie, à la fin de l'année scolaire, des avis de non-réengagement à soixante-huit dirigeants et militants syndicaux. L'Association disparaît peu après et toute la place est désormais occupée par l'Alliance des professeurs catholiques, qui collabore avec l'employeur. L'Alliance transmet néanmoins à la Commission, à chaque année, de nombreuses requêtes en vue d'améliorer les conditions de travail et de salaires de ses membres.

Pendant ce temps, à l'extérieur de Montréal, certaines institutrices rurales se regroupent, à partir de 1926, dans une première association professionnelle dotée d'un aumônier et qui publie un bulletin mensuel, «La petite école». L'Association transmet aux autorités scolaires plusieurs requêtes en vue de hausser les salaires particulièrement misérables des institutrices rurales, qui forment les deux tiers du personnel enseignant laïc francophone.

Ce n'est que vers le milieu des années trente, après avoir subi de fortes coupures de salaires pendant la Crise, que les institutrices et les instituteurs s'engageront dans la voie du syndicalisme.

LE SYNDICALISME RÉVOLUTIONNAIRE

Pour compléter le portrait du mouvement syndical à cette époque, il faut également décrire un courant à peu près inexistant au Québec, mais qui a eu des répercussions au sein du mouvement ouvrier: le syndicalisme révolutionnaire.

C'est ainsi que nous appellerons ce courant, surtout actif dans l'Ouest du Canada, qui met l'accent sur un syndicalisme de type industriel et axé sur la lutte des classes, dans une perspective anticapitaliste. Le syndicalisme révolutionnaire s'incarne dans des groupes comme les *«Industrial Workers of the World» (IWW)*, d'origine américaine, et la *«One Big Union» (OBU)*, fondée au Canada anglais. Il se manifeste, entre autres, à l'occasion de la célèbre grève générale de Winnipeg au Manitoba, en 1919.

Les «Industrial Workers of the World» (IWW)

Dès la fin du 19e siècle, le syndicalisme radical avait pénétré en Colombie-Britannique où des groupes de mineurs s'étaient associés à leurs camarades américains, à partir de 1890, au sein de la «Western Federation of Miners» — l'ancêtre du syndicat militant «Mine-Mill» — et de l'«American Labor Union», une petite centrale syndicale combative.

En 1905, des militantes et militants américains favorables au syndicalisme industriel et opposés à l'AFL se réunissent à Chicago pour fonder les «Industrial Workers of the World». La nouvelle centrale, qui déclare 40 000 adhérentes et adhérents au départ, en comptera plus de 100 000 à son apogée en 1917. Au Canada, les IWW auront jusqu'à 10 000 membres, essentiellement dans l'Ouest. Au Québec, on ne trouve guère trace de leur présence, même si quelques délégués de Montréal sont présents au congrès de fondation.

Parmi les dirigeants des IWW aux États-Unis, on compte Eugène Debs, fondateur du premier grand syndicat industriel, l'«American Railway Union»; William «Bill» Haywood; Mary Jones, mieux connue sous le nom de Mama Jones, ainsi que le leader socialiste Daniel De Leon.

Les IWW mènent des grèves spectaculaires aux États-Unis. Ainsi, en 1912, 25 000 tisserands et tisserandes de l'American Woollen de Lawrence, au Massachussetts, paralysent toutes les filatures de laine pour protester contre des salaires de misère. Ce sont, pour la plupart, des immigrants de fraîche date appartenant à vingt-huit nationalités différentes, y compris des Franco-Américains. La grève leur permet d'améliorer leur sort.

L'anarcho-syndicalisme

Les IWW sont fortement imprégnés d'anarcho-syndicalisme, un courant syndical révolutionnaire florissant au début du 20e siècle en Europe, notamment au sein de la Confédération générale du travail (CGT) en France. Selon ce courant, le rôle majeur dans la transformation de la société appartient aux syndicats, qui doivent mener la lutte revendicative en vue de libérer la classe ouvrière des structures oppressives du système capitaliste. La prise du pouvoir par les travailleurs ne peut provenir que de l'action directe des syndicats, par la grève générale. En fait, on attribue au syndicalisme, exclusivement, le rôle que les marxistes attribuent à la fois aux syndicats et aux partis politiques ouvriers. L'anarcho-syndicalisme des IWW sera dénoncé par Lénine dans son livre «Le gauchisme, maladie infantile du communisme».

Victimes de dissensions internes qui amènent les militants socialistes à quitter le mouvement, les IWW subissent également une répression féroce. La Première Guerre leur porte un coup fatal, alors qu'ils sont proscrits à la fois aux États-Unis et au Canada et que leurs dirigeants sont emprisonnés, en même temps que ceux des groupes socialistes.

La «One Big Union» (OBU)

Immédiatement après la guerre, le syndicalisme révolutionnaire connaît une poussée sans précédent au Canada avec la fondation d'une nouvelle centrale exclusivement canadienne, la «One Big Union», axée elle aussi sur le syndicalisme industriel et la lutte des classes, dans une perspective socialiste.

C'est en mars 1919, à Calgary, que des militants syndicaux des quatre provinces de l'Ouest jettent les bases de la OBU, en opposition au Congrès des métiers et du travail du Canada dominé par le syndicalisme de métier des unions de l'AFL. Ces militants reprochent au CMTC la mollesse de ses dirigeants lors de la lutte contre la Conscription, puis son immobilisme devant les dures conditions économiques qui frappent les travailleurs après la guerre: chômage, inflation, difficultés nées de la démobilisation des soldats.

La croissance de la OBU est très rapide. À la fin de 1919, elle compte plus de 40 000 membres comparé à 175 000 pour le CMTC. Elle recrute presque exclusivement dans l'Ouest canadien. Au Québec, une petite section de la OBU est fondée à Montréal, en juin 1919, sous le nom de Conseil central ouvrier. Ce Conseil regroupe surtout des machinistes et des travailleurs du vêtement.

Le modèle des «soviets»

À son congrès de fondation en mars 1919, la One Big Union a adopté un programme révolutionnaire qui prône l'abolition du système capitaliste et son remplacement par un système socialiste, fondé sur le modèle des «soviets» de la nouvelle Russie communiste depuis la Révolution d'octobre 1917. À cette époque, les soviets sont les organes de démocratie de base que se sont donnés

1919. Scènes de la grève générale de Winnipeg.
Archives publiques du Canada.

les ouvriers, les paysans et les soldats russes. Les délégués au congrès adressent leurs félicitations au gouvernement soviétique dirigé par le Parti Bolchévique de Lénine.

Le congrès propose par ailleurs le déclenchement d'une grève générale au Canada, le 1er juin, autour de revendications comme la journée de 8 heures et la semaine de 5 jours, l'organisation des travailleurs en syndicats industriels et d'autres mesures «fondées sur les besoins des masses».

La stratégie de la OBU vise à exprimer le mécontentement et la combativité des travailleurs qui déclenchent, en 1919, le plus grand nombre de grèves survenues jusque-là dans l'histoire du mouvement ouvrier au Canada. Et même s'il n'y a pas de grève générale à l'échelle canadienne, l'année 1919 est marquée par l'un des plus puissants mouvements de lutte ouvrière qui ait ébranlé le Canada: la grève générale de Winnipeg.

La grève générale de Winnipeg

Pendant six semaines, du 15 mai au 26 juin 1919, plus de 35 000 travailleurs et travailleuses participent à une grève générale à Winnipeg, la capitale du Manitoba. La ville entière est paralysée, 48 heures après l'appel à la grève, en signe de solidarité avec les ouvriers de la métallurgie qui ont débrayé le 1er mai, suivis des ouvriers de la construction.

Winnipeg, la troisième ville en importance au Canada après Montréal et Toronto, est littéralement contrôlée par les travailleurs qui se sont donné un Comité central de grève et qui assurent eux-mêmes les services essentiels. Le mouvement est suivi autant par les membres de la One Big Union que par ceux des syndicats internationaux de métiers.

L'objectif principal de la grève n'est pas d'instaurer un «pouvoir révolutionnaire», comme veulent le faire croire les autorités paniquées, mais de gagner une lutte syndicale en faveur de meilleures conditions de travail et de salaires. Ainsi, les métallos qui ont déclenché le conflit revendiquent la reconnaissance de leur organisation industrielle, la journée de 8 heures et des salaires leur permettant de conserver un pouvoir d'achat rongé par l'inflation des années de guerre.

Une semaine après le début de la grève générale, le gouvernement Borden, à Ottawa, dépêche à Winnipeg des détachements de la milice, aidés par la RCMP, car la police locale sympathise avec les grévistes. Une douzaine de leaders du Comité central de grève sont par la suite arrêtés. Un mouvement d'appui aux grévistes s'amorce au Canada. Des grèves de solidarité sont déclenchées, surtout dans l'Ouest canadien, contre l'avis des dirigeants des syndicats internationaux et du CMTC.

Au Québec, le Conseil des métiers et du travail de Montréal refuse de participer au mouvement de grève mais proteste contre l'emprisonnement des dirigeants syndicaux de Winnipeg et crée un fonds de défense pour leur venir en aide. De son côté, le Conseil central ouvrier, affilié à la OBU, appuie quelques débrayages, particulièrement chez les machinistes. On signale diverses assemblées de solidarité.

Le 21 juin marque un tournant dans la grève générale à Winnipeg. La milice brise sauvagement une manifestation. Bilan: deux morts, des dizaines de blessés et plus d'une centaine d'arrestations. À la suite de ce «Bloody Saturday», les travailleurs mettent fin à leur débrayage.

Les suites de la grève

Une longue série noire de procès, d'emprisonnements et de déportations d'ouvriers immigrants commence. Le gouvernement fédéral inclut dans le Code criminel l'article 98 qui servira si souvent contre des militants syndicaux et progressistes. Cet article rend passible d'emprisonnement quiconque appartient à une association soupçonnée de prôner le renversement, par la violence, de l'ordre établi.

Victime d'une répression très vive, la One Big Union ne parvient pas à s'étendre au Canada ni à concurrencer le CMTC. Plusieurs de ses militants réintègrent les rangs des syndicats internationaux pour y continuer la lutte en faveur du syndicalisme industriel. Les autres se joindront en 1927 au nouveau Congrès pancanadien du travail.

Le gouvernement du Manitoba institue une commission royale d'enquête pour faire la lumière sur les causes de la grève. La commission conclut que la raison principale a été la hausse effrénée du coût de la vie qui a largement dépassé celle des salaires. Selon le rapport, «la classe ouvrière s'est rendue compte que les manufacturiers et les marchands avaient prospéré pendant la guerre tandis que les travailleurs, essentiels à cette prospérité, avaient vu leurs conditions s'aggraver au lieu de s'améliorer».

Si, sur le plan strictement syndical, la grève générale de Winnipeg a été un échec dans l'immédiat, elle a cependant illustré la combativité et la solidarité accrue du mouvement ouvrier à la fin de la guerre. Sur le plan politique, la grève aura des retombées positives. Lors des élections manitobaines de 1920, onze députés ouvriers — dont cinq des leaders de la grève — sont élus au Parlement. En 1921, à l'occasion des élections fédérales, un autre des leaders de la grève est élu à Ottawa, le pasteur James Woodsworth, qui deviendra l'une des grandes figures de la social-démocratie au Canada.

5. L'ACTION POLITIQUE OUVRIÈRE

C'est au début du 20e siècle que l'action politique ouvrière indépendante prend son essor au Québec.

Alors que les syndicats se donnent des «programmes législatifs» plus élaborés et multiplient les pressions sur les pouvoirs publics, plusieurs militantes et militants syndicaux participent à la fondation d'organisations politiques ouvrières. Ces organisations vont identifier et dénoncer les contradictions du système capitaliste et revendiquer le pouvoir politique pour les travailleuses et travailleurs.

Travaillisme et socialisme

L'organisation politique ouvrière, au Québec et au Canada, est marquée par deux courants principaux: le travaillisme d'une part, le socialisme et le communisme d'autre part.

- Le travaillisme est représenté par le *Parti Ouvrier*, qui est lié organiquement aux syndicats et mène une action de type réformiste. De nos jours, on identifierait ce courant à la social-démocratie. Les fondateurs du Parti Ouvrier sont influencés par le *Parti travailliste* britannique (le «Labour Party»), mis sur pied à la même époque. Le parti est la principale organisation politique ouvrière à Montréal et au Québec durant les trois premières décennies du 20e siècle.

- À gauche du Parti Ouvrier, on assiste à l'implantation — difficile au Québec — des premiers groupes socialistes, d'inspiration marxiste et révolutionnaire, qui mettent sur pied le *Parti Socialiste*. En 1921 est fondé le *Parti Communiste*, dans le sillage de la Révolution d'octobre 1917 en Russie.

LE PARTI OUVRIER

Au Québec et au Canada, les premières expériences de partis ouvriers sont lancées à l'initiative de la plus importante centrale syndicale, le Congrès des métiers et du travail du Canada (CMTC), et de ses conseils du travail locaux, comme celui de Montréal.

Le CMTC modèle ainsi son action sur les «trade-unions» britanniques qui fondent à cette époque un puissant parti ouvrier, le Labour Party, avec des groupes socialistes de Grande-Bretagne. Toutefois, la direction du CMTC et de ses conseils affiliés oscillera continuellement entre le travaillisme d'origine britannique et les positions de l'American Federation of Labor (AFL), hostile à la formation d'un parti politique ouvrier.

Le mot d'ordre de l'AFL en matière politique est le suivant: «Votez pour vos amis et contre vos ennemis mais en tant que syndiqués, méfiez-vous de tout parti politique». C'est la doctrine du «gompérisme», du nom du président de la centrale, Samuel Gompers. Il s'agit de travailler à faire battre des «ennemis» particuliers des syndicats et d'appuyer des «amis», quel que soit leur parti, pourvu qu'ils s'engagent à défendre certaines revendications syndicales.

Le CMTC, de plus en plus influencé par l'AFL en cette matière, ne mettra pas beaucoup d'efforts à bâtir une organisation politique autonome des travailleuses et travailleurs.

Le Parti Ouvrier à Montréal

C'est en 1899, sous la pression des premiers militants syndicaux travaillistes et socialistes, que le Congrès des métiers et du travail du Canada recommande à ses conseils du travail affiliés, dans les grandes villes, de favoriser la mise sur pied de partis ouvriers, indépendants des partis traditionnels. De tels partis sont organisés à Montréal, Toronto, Vancouver et Winnipeg en vue de présenter des candidats lors des élections fédérales, provinciales et municipales et pour défendre le programme législatif des syndicats.

À Montréal, le Parti Ouvrier est fondé en octobre 1899 à l'initiative de militants des unions internationales regroupés au sein du Conseil des métiers et du travail. L'organisateur en chef du parti est un typographe de 47 ans, Joseph-Alphonse Rodier, ancien responsable des Chevaliers du travail et représentant de l'Union typographique Jacques-Cartier au CMTM. Il est également chroniqueur ouvrier au quotidien La Presse dont le tirage dépasse 100 000 exemplaires.

Le Parti Ouvrier rassemble surtout des syndiqués mais aussi des non-syndiqués, regroupés dans des clubs ouvriers qui forment les cellules de base du parti. Certains de ces clubs existaient déjà dans certains quartiers de Montréal; les plus actifs sont ceux de Sainte-Marie, Saint-Jacques et Montréal Centre. Les syndicats pourront s'affilier au parti en 1906.

Le programme

Le Parti Ouvrier reprend à son compte le programme législatif des syndicats. S'il ne condamne pas le capitalisme comme tel mais ses abus, ses objectifs se situent en opposition avec les intérêts de la bourgeoisie et du clergé.

Il revendique une série de réformes fort progressistes pour l'époque: la nationalisation ou la municipalisation des banques et des services publics (transports, gaz, électricité, téléphone); l'éducation obligatoire et gratuite et la création d'un ministère de l'Instruction publique; un régime d'assurance-chômage et de pensions de vieillesse; l'impôt progressif sur le revenu; la suppression des intérêts usuraires et l'interdiction de saisir les salaires et les meubles; la création d'une «cour des petites créances» où il serait possible de se présenter sans avocat; l'abolition du système de bail à date fixe. Le parti réclame aussi des lois ouvrières élémentaires comme la journée de 8 heures, l'abolition du travail des enfants de moins de 16 ans, la responsabilité collective des patrons en matière d'accidents du travail. À cela s'ajoutent le suffrage universel, la tenue de référendums sur les questions importantes, l'élection des juges par le peuple, la liberté absolue de parole et de presse, etc.

Les liens syndicats-parti

Les liens entre le parti, les unions internationales et le Conseil des métiers et du travail de Montréal sont étroits, ce qui en éloigne les syndicats nationaux qui sont d'ailleurs plus proches du Parti Libéral. Il y a quasi-alternance à la direction du Parti Ouvrier et à celle du Conseil des métiers entre les principaux leaders des unions internationales à Montréal: le plombier Alphonse Verville, le charpentier Joseph Ainey et le typographe Gustave Francq. En 1906, le Conseil inclut dans sa constitution l'appui au Parti Ouvrier et incite ses syndicats à s'y affilier. Les non-syndiqués peuvent adhérer au parti s'ils sont admis par un vote des deux tiers des membres d'un club ouvrier. C'est ainsi que des avocats, des médecins et des conseillers municipaux sortants pourront recevoir l'appui du parti lors de certaines élections.

L'élection de Verville (1906)

Sur la scène électorale, après plusieurs tentatives, le Parti Ouvrier remporte sa première victoire en 1906. Alphonse Verville, président du CMTC depuis 1904, est élu au Parlement d'Ottawa où il siégera 15 ans. Verville bat le candidat libéral Édouard Grothé, patron d'une manufacture de cigares (Peg Top), lors d'une élection partielle dans le comté ouvrier de Maisonneuve le 23 février 1906.

Il s'agit là de la première «élection syndicale»: Verville a l'appui actif du CMTM et de l'Union des cigariers, qui a pris l'initiative de la bataille contre Grothé, patron anti-syndical. Verville est traité de «socialiste» par les libéraux. Ironie du sort, le député ouvrier se rapprochera peu à peu de ces mêmes libéraux et finira par porter l'étiquette libéral-ouvrier lors d'une de ses réélections, en 1917. Il avait pourtant proclamé en 1906: «Ni pour Laurier, ni pour Borden. Je serai un député du Parti Ouvrier».

Il en sera de même pour Joseph-Alphonse Langlois, un ouvrier de la chaussure élu député ouvrier de Saint-Sauveur au Parlement de Québec, en 1909, avec l'appui des syndicats. Il sera réélu en 1912 avec l'appui du Parti Libéral.

L'exclusion des socialistes

Le Parti Ouvrier condamne le socialisme de type marxiste, ce qui n'empêche pas certains militants socialistes d'y militer activement. En 1907, à la suite de la manifestation du 1er mai organisée par les socialistes et qui tourne à la violence, le parti interdit à ses membres de militer dans les organisations qui ont un programme différent du sien. C'est ainsi que l'un des organisateurs de la manifestation, Albert Saint-Martin, leader des socialistes canadiens-français, est exclu du parti.

Albert St-Martin, dirigeant de la section francophone du Parti socialiste du Canada.
Les Éditions coopératives Albert St-Martin, Montréal.

Le Parti Ouvrier se donne une orientation plus résolument travailliste. En 1908, il organise la visite à Montréal du leader du «Labour Party» britannique, Keir Hardie. En 1910, l'un des dirigeants du parti, Joseph Ainey, est élu à l'hôtel de ville de Montréal.

En 1911, des éléments proches du Parti Libéral quittent le parti pour fonder la Fédération des clubs ouvriers municipaux. Ils n'acceptent pas la directive qui les empêche de militer dans un vieux parti, à Québec et à Ottawa, tout en suivant le Parti Ouvrier au niveau municipal. Cette scission affaiblit considérablement le Parti Ouvrier.

La relance du Parti (1917)

À son congrès de septembre 1917, le Congrès des métiers et du travail du Canada abandonne son projet de grève générale contre la Conscription et choisit de relancer le Parti Ouvrier pour mener la lutte électorale contre le gouvernement conscriptionniste de Borden.

Le 3 novembre, à Montréal, 208 délégués de 104 organisations ouvrières participent au congrès de fondation de la section québécoise du Parti Ouvrier du Canada, au Temple du Travail, rue Saint-Laurent. Ils viennent de syndicats, de clubs ouvriers, de sociétés coopératives et même de groupes socialistes. Les militantes et militants des unions internationales sont les chevilles ouvrières du parti qui compte des sections non seulement à Montréal et à Québec mais aussi à Hull, Trois-Rivières, Sorel, Chicoutimi, Valleyfield et Thetford, soit dans toutes les grandes villes industrielles.

Joseph Ainey, leader de la Fraternité des charpentiers-menuisiers, est élu président du parti. Le secrétaire est un ancien organisateur de la Fraternité internationale des électriciens, Alcée Bastien, qui est l'organisateur permanent de l'AFL au Québec. Le trésorier est un dirigeant de l'Union des travailleurs amalgamés du vêtement d'Amérique, Joseph Schubert, qui est également un militant socialiste.

Le programme du parti apparaît plus à gauche que celui du premier Parti Ouvrier de Montréal. Il reconnaît que «la lutte des classes est à la base de l'organisation des travailleurs, sur le terrain politique et industriel, en vue de remettre à la classe ouvrière les ressources naturelles et les moyens de production». Le parti entend «organiser et consolider le vote ouvrier au Québec et coopérer avec les autres provinces en vue d'une unité d'action politique dans tout le Canada».

Le Parti Ouvrier ne parvient toutefois pas à faire élire de candidat au Québec, lors des élections fédérales de décembre 1917, par suite d'un balayage libéral sans précédent dans la province. Pour protester contre la Conscription imposée par le gouvernement Borden, les Québécois votent en bloc (72%) pour le Parti Libéral de Laurier, identifié aux Canadiens français. Même le premier député du Parti Ouvrier, Alphonse Verville, se fait réélire sous l'étiquette libéral-ouvrier. Par suite de ce scrutin, les libéraux resserrent leur emprise sur l'électorat ouvrier au Québec.

Le déclin du Parti Ouvrier

Le Parti Ouvrier continue néanmoins son action à Montréal où il remporte quelques succès électoraux modestes.

En avril 1918, lors des élections à la mairie, Joseph Ainey est battu, après une chaude lutte, par l'ancien cigarier Médéric Martin, qui a l'appui des libéraux. En juin 1919, lors des élections au Parlement de Québec, trois candidats ouvriers sont sur les rangs à Montréal. Adélard Laurendeau, wagonnier aux usines Angus du CPR, candidat du Parti Ouvrier, est élu dans Maisonneuve. Son camarade Alfred Mathieu, peintre, est battu dans Sainte-Marie. Dans Dorion, Aurèle Lacombe, président de l'Union des employés de tramways, est élu sous l'étiquette libéral-ouvrier. En 1921, Joseph Gauthier, président de l'Union typographique Jacques-Cartier, est élu dans Sainte-Marie comme libéral-ouvrier.

À ces défections au profit des libéraux s'ajoutent des luttes intestines entre militants travaillistes et socialistes. En 1919, l'un des chefs de file du Parti Ouvrier, Gustave Francq, publie une brochure retentissante («Bolchévisme ou syndicalisme?») où il affirme que les changements viendront par des réformes sociales, non par une révolution comme en Russie. En 1925, le Parti Ouvrier exclut de ses rangs les adhérents du nouveau Parti Communiste.

En 1929, le Conseil des métiers et du travail de Montréal rompt ses liens avec le parti qu'il juge trop à gauche, ce qui lui coupe pratiquement les fonds. Le Conseil s'oppose désormais à toute action politique partisane, à l'instar des syndicats catholiques de la CTCC qui dénonçaient régulièrement son appui au Parti Ouvrier.

Après cette rupture, le parti vivotera jusque dans les années trente grâce à une poignée de militants de gauche, essentiellement des travailleurs anglophones et des membres de la communauté juive (travailleurs du vêtement, machinistes, employés des chemins de fer). L'un d'eux, le syndicaliste Joseph Schubert, sera élu conseiller municipal dans Saint-Louis à Montréal pendant plusieurs années.

LE MOUVEMENT SOCIALISTE

Les premiers noyaux socialistes, d'inspiration marxiste et révolutionnaire, étaient apparus au Canada et au Québec au tournant du 20e siècle, dans la mouvance du «Socialist Labor Party» (SLP) des États-Unis. Peu après 1900, des militants du SLP réussissent à jeter les bases du Parti Socialiste américain, en liaison avec des syndicalistes de gauche comme Eugène Debs qui sera l'un des grands leaders du parti.

Le Parti Socialiste

Au Canada, c'est à Vancouver qu'est fondé, en 1904, le *Parti Socialiste du Canada*, qui forme ensuite des sections au Manitoba, en Ontario et au Québec.

À Montréal, le parti recrute surtout ses membres parmi les travailleurs immigrants venus d'Europe Centrale et de l'Est, qui ont souvent acquis une expérience de militantisme ouvrier dans leur pays. Chez les Canadiens français, le leader du mouvement socialiste montréalais est le sténographe et traducteur

Albert Saint-Martin, qui dirige la petite section francophone du Parti Socialiste. Saint-Martin est un esprit d'avant-garde qui fait figure de phénomène dans son propre milieu.

À partir de 1906, les socialistes organisent la manifestation annuelle du Premier Mai à Montréal, drapeau rouge en tête. Après que cette manifestation eut tourné à la violence en 1907, ils sont exclus du Parti Ouvrier au sein duquel ils militaient. Ils sont la cible de dures attaques de la part des autorités en place et, en particulier, du clergé catholique.

Montréal, 1er mai 1907: la police du poste 4 disperse les manifestantes et manifestants socialistes sur la rue Sainte-Catherine, mais les socialistes se regroupent au Champ-de-Mars où l'armée intervient à son tour.

Gravures de J. Latour, «La Patrie».

Le Parti s'oriente alors, partout au Canada, vers la critique facile du syndicalisme et du réformisme. Il s'abstient de tout soutien aux luttes syndicales «immédiates» et refuse de participer aux élections municipales. Il rejette même tout lien avec les autres formations socialistes et la Deuxième Internationale ouvrière qui les regroupe à l'échelle mondiale depuis 1889.

Le Parti Social-Démocrate

Une telle intransigeance mécontente une bonne partie des membres qui finissent par le quitter pour fonder le *Parti Social-Démocrate du Canada*, en décembre 1911. Le nouveau parti juge importante la participation au mouvement syndical et aux luttes municipales et se rapproche de la Deuxième Internationale. Dès 1913, une plus grande ouverture permet au PSD de doubler son rival avec 3 500 membres et 133 sections locales au Canada (8 au Québec).

En 1917, quand le CMTC décide de relancer le Parti Ouvrier, les militants du PSD travaillent à sa formation. Au Québec, l'un des leaders du Parti Social-Démocrate, Joseph Schubert, est élu à l'exécutif du Parti Ouvrier.

La Révolution d'octobre 1917 en Russie vient donner de la vigueur au mouvement socialiste, tout en alarmant les autorités inquiètes face au «péril rouge». En 1918, la Loi des mesures de guerre, dirigée contre toutes les oppositions à la Conscription, proscrit les organisations socialistes et entraîne l'arrestation de plusieurs de leurs leaders.

Au sein du mouvement ouvrier international, la Première Guerre consacre par ailleurs la rupture entre la tendance plus modérée et la tendance plus radicale chez les socialistes. Au Canada, des militants de gauche du Parti Social-Démocrate et d'autres groupes socialistes interdits cherchent désormais à former un nouveau «parti révolutionnaire d'avant-garde» sur le modèle du Parti Bolchévique de Lénine.

Le Parti Communiste

Après diverses tentatives — et plusieurs arrestations — le Parti Communiste du Canada est fondé dans la clandestinité, en mai 1921, à Guelph en Ontario. Il s'affilie à la Troisième Internationale ouvrière formée à l'initiative de Lénine et dont le siège est à Moscou.

Au Québec, les militants du PC participent aux activités du Parti Ouvrier jusqu'à leur exclusion en 1925. Parmi les exclus, on compte des dirigeants syndicaux comme Michael Buhay et Sydney Sarkin, de l'Union des travailleurs du vêtement d'Amérique, et Alex Gauld, de la section 144 de l'Union internationale des plombiers.

Ce n'est qu'en 1927 que le parti forme une section canadienne-française. Les premiers militants francophones viennent surtout de l'Université ouvrière fondée par Albert Saint-Martin. Ce dernier avait tenté, en 1923, de créer une section française du Parti Communiste mais il avait essuyé un refus dans sa demande d'affiliation à la Troisième Internationale. Saint-Martin est accusé de «nationalisme chauvin» par le PC. En 1929, le parti publie un premier journal en langue française à Montréal, «L'Ouvrier canadien». Bien que peu influent parmi les travailleurs canadiens-français, le PC est dénoncé avec virulence par le clergé et les syndicats catholiques, ainsi que par les syndicats internationaux.

Tim Buck, membre influent du Parti communiste du Canada dans les années vingt.

Pour faire de la propagande au sein du mouvement syndical, le parti a créé, en 1922, la Ligue d'éducation syndicale («Trade Union Educational League»). Le secrétaire de la Ligue, Tim Buck, un machiniste de Toronto, est candidat à la présidence du CMTC où il recueille près du quart des voix en 1924. Il deviendra par la suite secrétaire général du parti.

La Ligue d'éducation syndicale est formée à une époque où les communistes construisent dans plusieurs pays des syndicats «rouges», affiliés à une Internationale syndicale communiste. À la fin de 1929, le PC transforme la Ligue en une organisation syndicale, la Ligue d'unité ouvrière («Worker's Unity League»).

Le parti se signale aussi par ses campagnes de solidarité internationale, notamment en faveur de Sacco et Vanzetti, deux militants ouvriers d'origine italienne qui sont exécutés aux États-Unis, en 1927, sous la fausse accusation de meurtre d'un contremaître. Ils seront réhabilités 50 ans plus tard.

En 1930, le Parti Communiste est encore une organisation marginale au Québec où il compte environ 300 membres dont une cinquantaine de francophones.

CHAPITRE 3

De la crise à la fin de la deuxième guerre (1930-1945)

1. L'ÉCONOMIE

Les années trente sont restées gravées dans l'histoire comme celles de la Grande Crise, de la Dépression.

Cette crise économique, sans précédent dans les pays capitalistes, a duré en fait dix longues années, avec un sommet de la fin de 1929 à 1933. Le Canada a été, avec les États-Unis, le plus touché de tous les pays industrialisés.

Les causes de la Crise

La deuxième moitié des années vingt, jusqu'à l'automne 1929, était apparue comme l'apogée du capitalisme sauvage en Amérique du Nord. Mais en cette époque de relative prospérité, l'accumulation rapide du capital par la bourgeoisie avait limité le pouvoir d'achat des travailleuses et travailleurs. Ainsi donc, la crise économique allait découler, comme toutes les autres, de la nature même du système capitaliste.

À l'origine immédiate de la Grande Crise, on trouve diverses causes dont les principales sont la surproduction, c'est-à-dire une capacité de production trop grande pour la capacité de consommation, et une politique de crédit aux entreprises qui favorise un courant extraordinaire de spéculation boursière.

L'événement qui fait prendre conscience de l'ampleur du phénomène est l'effondrement des cours de la Bourse de New York, centre financier du capitalisme international depuis la fin de la Première Guerre. Le krach boursier atteint son point culminant le 29 octobre, le fameux «Black Friday» (Vendredi noir).

Les effets de la Crise

C'est la débâcle. Les faillites et les fermetures d'entreprises se multiplient, la production croule, les épargnes fondent et le chômage atteint des sommets vertigineux.

Au Québec, en l'espace de quatre ans (1929-1933), les investissements chutent de 16% et la valeur de la production de 45%. La main-d'oeuvre dans les industries manufacturières baisse de 24% et les salaires de plus de 40%. Le chômage atteint un sommet en 1933 avec un taux de 30%, et jusqu'à 40% à Montréal.

Les effets de la crise seront terribles pour les travailleuses et les travailleurs (voir page 127).

Pour la classe dominante, ce sera une époque de réajustement profond. La crise sert notamment à renforcer la bourgeoisie monopoliste: la production se concentre entre les mains d'un nombre toujours plus restreint de grandes entreprises (ou monopoles) qui avalent ou font disparaître les plus petites. C'est le cas, par exemple, dans l'industrie des pâtes et papiers où la crise de surproduction entraîne la disparition de plusieurs «moulins» et la formation de grands empires comme la Canadian International Paper (CIP) et la Consolidated-Bathurst.

Le capitalisme d'État

Devant l'ampleur de la crise, l'État intervient pour régulariser et relancer l'économie. Après le règne débridé de l'entreprise privée et du «laisser-faire», les gouvernements sont obligés de s'impliquer davantage. Loin de détruire le capitalisme, cette intervention économique et sociale apparaît comme la première grande manifestation de ce qu'on appelle le capitalisme d'État.

Les États-Unis sont parmi les premiers à s'engager dans cette voie avec le «New Deal» (le «Nouveau Contrat social») qui reste associé à son promoteur, le président démocrate Franklin Delano Roosevelt, au pouvoir de 1933 à 1945. Roosevelt accède à la présidence en mars 1933, au plus fort de la crise: 18 millions de chômeuses et chômeurs aux U.S.A., soit près de 30% de la main-d'oeuvre. Il met aussitôt en branle un vaste programme de réformes économiques et sociales, en collaboration avec le patronat et aussi les syndicats.

Le dollar est dévalué, les banques reçoivent des prêts gouvernementaux et peuvent rouvrir leurs guichets, mais elles doivent subir désormais le contrôle du gouvernement qui crée une banque centrale. Le «National Recovery Act» aide les entreprises à relancer la production industrielle.

Tout en aidant le capitalisme à se renflouer, le «New Deal» aide également à réduire la misère de la classe ouvrière. Il faut contrôler l'«armée de réserve» des sans-emploi, dont l'ampleur devient dangereuse, par des programmes de grands travaux publics et d'aide sociale (les «secours directs»).

En 1935, le «Federal Social Security Act» établit un premier régime d'assurance-chômage. En même temps, l'État met en oeuvre une politique de soutien des salaires et de réglementation des heures de travail.

Le «New Deal» américain sert d'exemple pour les gouvernements au Canada et au Québec. Ainsi, en 1934, le gouvernement fédéral crée une banque centrale, la Banque du Canada. Il adopte diverses mesures pour relancer le capitalisme en crise comme les travaux publics et les secours directs.

Au Québec, la reprise économique s'amorce en 1935, mais de façon très lente. En 1937, on compte encore 15% de sans-emploi et le pourcentage remonte même à près de 20% en 1939.

L'industrie de guerre

C'est alors qu'éclate la Deuxième Guerre Mondiale. La reprise qu'elle entraîne, de 1940 à 1945, va permettre de retrouver, pour la première fois, les niveaux de production d'avant la Grande Crise. Le produit national brut s'accroît de plus de 100% en cinq ans. C'est une période de plein emploi: on estime à 0,6% le taux de chômage au Québec en 1944.

Le Canada devient l'un des premiers fournisseurs militaires des Alliés et c'est le Québec qui occupe le premier rang dans la production canadienne d'armements. On le surnomme «l'Arsenal du Canada» et pour cause. En 1942, on y trouve cinq des principaux chantiers maritimes et trois des plus grandes avionneries, les deux usines de chars d'assaut du pays, deux des quatre plus importantes manufactures de canons, presque toutes les manufactures de projectiles de petit calibre, dix fabriques d'obus et deux de cartouches d'obus, la seule usine de bombes aériennes, près de la moitié de toutes les entreprises d'explosifs et de produits chimiques pour fins de guerre et cinq des huit usines de remplissage d'obus et de bombes.

La plupart de ces usines d'armements sont des entreprises privées totalement ou partiellement reconverties à la production de guerre grâce aux contrats et aux subventions de l'État fédéral. Le gouvernement d'Ottawa bâtit aussi de nouvelles usines dont il assume la direction. C'est le cas, dans la région de

Montréal, des fabriques de munitions Cherrier, à Saint-Paul-l'Ermite, et Bouchard, à Sainte-Thérèse, qui sont de véritables cités industrielles. La plus importante, l'usine Cherrier, s'étend sur un territoire de 15 kilomètres et comprend plus de 450 bâtiments.

L'industrie de guerre fait tourner à plein rendement des entreprises géantes comme les avionneries Canadair et Pratt & Whitney, les chantiers navals de Montréal, Sorel et Lauzon, les usines Angus, celles de l'Alcan, etc.

Nouveau portrait industriel

Alors que dans les années trente, le bois, le textile et le vêtement restaient les plus gros employeurs au Québec, c'est le fer et ses dérivés qui arrivent en tête, en 1943, pour la première fois depuis les débuts de l'industrialisation, avec plus de 100 000 personnes salariées.

L'essor du capitalisme se fait de plus en plus par les grands monopoles. C'est le cas notamment dans les pâtes et papiers, l'aluminium, les mines, la métallurgie, les produits chimiques, les appareils électriques, le caoutchouc, l'aéronautique, les activités pétrolières et pétrochimiques concentrées à Montréal-Est.

Toutefois, l'industrie lourde continue de se développer surtout en Ontario alors que le Québec domine toujours dans les industries légères traditionnelles comme le textile, le vêtement, la chaussure, le tabac, le meuble. Montréal demeure encore la métropole du Canada mais elle est à la veille d'être supplantée par Toronto.

Vers la fin de la guerre, en 1944, le gouvernement du Québec effectue sa première nationalisation: il met sur pied Hydro-Québec qui assume le contrôle de la Montreal Light Heat and Power et de la Beauharnois Power, responsables de la production et de la distribution d'électricité dans la région de Montréal.

De son côté, le gouvernement fédéral a créé deux sociétés d'État dans de nouveaux secteurs: Radio-Canada (1932) et Air Canada (1937).

Le capital américain

Lors de la Deuxième Guerre Mondiale, l'emprise du capital américain se resserre sur le Canada et le Québec. En 1945, les trois quarts des investissements étrangers viennent désormais des États-Unis. Le capital américain domine des industries entières comme le pétrole, l'automobile, le caoutchouc, les appareils électriques, tout en étant fortement implanté dans des secteurs comme les mines, la métallurgie, les pâtes et papiers, etc. Le capital anglo-canadien (et britannique) est cependant majoritaire au total, alors que le capital canadien-français occupe une place infime.

2. LA SCÈNE POLITIQUE

Durant la Crise des années trente et surtout lors de la Deuxième Guerre Mondiale (1939-1945), c'est le gouvernement fédéral qui occupe la place prépondérante sur la scène politique, en centralisant l'essentiel des pouvoirs à Ottawa. Après un intermède conservateur, le Parti libéral s'installe solidement au pouvoir.

Au Québec, un long règne libéral est interrompu en 1936 par l'entrée en scène d'un nouveau parti, l'Union nationale, mais les libéraux reviennent au pouvoir pour presque toute la durée de la guerre.

À Ottawa

Au début de la Crise, en 1930, le gouvernement libéral de Mackenzie King est défait par le Parti Conservateur de Richard Bennett, un milliardaire qui possède entre autres les usines E.B. Eddy à Hull. Le gouvernement Bennett échoue dans sa tentative de lancer un «New Deal» canadien, à cause notamment des conflits de juridiction entre Ottawa et les provinces. En 1935, le pouvoir revient aux libéraux de King qui le garderont pour plus de 20 ans, en s'appuyant notamment sur le vote massif du Québec.

En 1939, le Canada entre en guerre aux côtés de l'Angleterre, en tant que membre de l'Empire britannique. Le gouvernement fédéral s'octroie des pouvoirs exceptionnels en votant la Loi des mesures de guerre. De plus, il adopte diverses mesures de centralisation politique et économique afin de maximiser l'«effort de guerre». C'est ainsi qu'il s'assure l'exclusivité de la perception de l'impôt sur le revenu des particuliers et des compagnies, avec l'accord des provinces qui reçoivent une compensation financière d'Ottawa.

Dans le sillage du «New Deal» américain, les libéraux réalisent plusieurs réformes sociales d'importance sous la pression du mouvement ouvrier en général et, en particulier, d'un nouveau parti politique social-démocrate fondé en 1932, la *Cooperative Commonwealth Federation (CCF)*, qui compte 28 députés au Parlement fédéral en 1945. On assiste également à la montée du Parti Communiste qui fait élire son premier député fédéral, en 1943, dans une circonscription de Montréal.

À Québec

Au Québec, le gouvernement libéral en place depuis près de 40 ans est renversé lors des élections de 1936, victime de la Crise et de sa propre corruption. Un nouveau parti accède au pouvoir, l'Union nationale dirigée par Maurice Duplessis.

L'Union Nationale est un phénomène politique très particulier. Il s'agit, au départ, d'une coalition de deux partis: l'Action libérale nationale, créée par des libéraux dissidents à l'initiative de Paul Gouin, et le vieux Parti Conservateur du Québec dirigé par un jeune avocat de Trois-Rivières, Maurice Duplessis, dont la personnalité imposante et autoritaire marquera l'histoire du Québec.

«La Restauration sociale»

Dès sa formation en 1935, l'Union Nationale reprend à son compte le programme dit de «Restauration sociale» qui s'appuie sur le nationalisme canadien-français et une certaine forme de corporatisme présentée comme la troisième voie entre le capitalisme et le socialisme. Ce programme a été mis au point en pleine Crise, en 1933, par des membres du clergé (dont des évêques) puis repris par un groupe de laïcs qui occupent des postes-clefs dans divers mouvements: syndicats catholiques, associations professionnelles,

Symbole du pouvoir de l'époque: Maurice Duplessis, Mgr Charbonneau et un représentant de la PP à l'occasion d'une cérémonie officielle.

coopératives, groupes patriotiques comme la Société Saint-Jean-Baptiste, milieux universitaires.

Le programme de «Restauration sociale», inspiré de la doctrine sociale de l'Église, ne remet pas en question le capitalisme comme tel mais s'oppose à ce qu'il appelle la dictature économique, c'est-à-dire aux «trusts» étrangers qui étouffent les petites et moyennes entreprises canadiennes-françaises. Il propose la mise sur pied de coopératives, l'encouragement des PME et le contrôle par l'État de certains services publics comme l'électricité et le gaz. Il souhaite une redistribution plus juste des richesses par des lois sociales, ainsi que l'harmonisation des rapports entre patrons et ouvriers.

L'Union Nationale fait donc campagne sur ce programme avec le slogan «À bas les trusts!» Elle dénonce le gouvernement libéral de Taschereau en l'accusant de se laisser soudoyer par les compagnies étrangères venues exploiter les richesses naturelles du Québec. Le chef de l'UN, Maurice Duplessis, se présente comme «l'ami des ouvriers» et le défenseur des gagne-petit, des chômeurs, des cultivateurs, de la petite entreprise privée francophone.

La «trahison» de Duplessis

Or, une fois élu, Duplessis, devenu premier ministre, se débarrasse vite des éléments réformistes, voire antimonopolistes de son programme, et de la plupart de ses anciens alliés libéraux. Il n'est plus question de nationaliser l'électricité ou de porter atteinte à la domination étrangère sur l'économie. Les seules réformes d'importance s'adressent aux milieux ruraux (crédit agricole, électrification rurale). Quant au nationalisme, il s'exprime par des revendications d'autonomie provinciale vis-à-vis Ottawa. L'Union Nationale est en fait le parti de la petite bourgeoisie canadienne-française traditionnelle, cléricale et nationaliste, ainsi que de certaines couches rurales favorisées par Duplessis.

Le retour des libéraux

Le Parti Libéral revient au pouvoir en 1939 sous la direction d'Adélard Godbout. Il réalise plusieurs réformes d'importance comme la création d'Hydro-Québec, l'école obligatoire jusqu'à 14 ans, le droit de vote des femmes au niveau provincial (Québec est la dernière province à légiférer en ce sens, en 1940). Le gouvernement Godbout apparaît cependant moins autonomiste vis-à-vis d'Ottawa.

C'est en s'appuyant sur le nationalisme québécois, symbolisé par le slogan de «l'autonomie provinciale», que l'Union Nationale conservatrice de Duplessis revient au pouvoir en 1944, pour seize ans. Elle recueille alors les fruits du mouvement de fond des Québécois contre la Conscription.

La Conscription

Durant la Deuxième Guerre Mondiale, comme lors de la première, les Québécois francophones, bien qu'ils participent à l'«effort de guerre» au pays, sont farouchement opposés à la Conscription. Lors du plébiscite d'avril 1942 sur le service militaire obligatoire outre-mer, ils votent «non» à 72%. Au Canada (sans le Québec), le «oui» l'emporte à 80%. Il s'agit là d'un vote nation contre nation, Canada français contre Canada anglais. Seule une conscription très limitée sera mise en oeuvre vers la fin de la guerre, en 1945, et le Québec restera fidèle aux libéraux fédéraux.

Pour s'opposer à la Conscription, un nouveau parti nationaliste est fondé en 1942 au Québec, le Bloc populaire. Le Bloc, qui veut défendre l'autonomie provinciale et les droits des Canadiens français, adopte la devise: «Le Canada aux Canadiens, le Québec aux Québécois». Il est dirigé à Ottawa par un député libéral dissident, Maxime Raymond, et à Québec par un jeune journaliste qui deviendra rédacteur en chef du Devoir, André Laurendeau. Lors des élections québécoises de 1944, le Bloc recueille 16% des voix mais seulement 4 députés. Il se désagrège peu après.

Militants du Bloc populaire, dont Michel Chartrand et André Laurendeau (à gauche).

3. LA CONDITION OUVRIÈRE

Les années trente, celles de la Grande Crise, sont des années de pauvreté et de misère pour la masse des travailleuses et des travailleurs, gravement frappés par le chômage et les coupures de salaires qui entraînent une baisse radicale du niveau de vie.

Ce n'est qu'à l'occasion de la Deuxième Guerre Mondiale — et de la prospérité artificielle qu'elle engendre — que la classe ouvrière retrouve les revenus et le niveau de vie qu'elle avait avant la Crise. À la fin de la guerre, une majorité de salariés a réussi à hausser substantiellement son niveau de vie. C'est là une des conséquences de l'action des syndicats qui réalisent des gains majeurs, non seulement au plan des salaires et des conditions de travail mais aussi en matière de lois sociales (salaire minimum, assurance-chômage, allocations familiales, congés payés, etc.)

La classe ouvrière

Les années trente et surtout celles de la guerre sont marquées par une augmentation phénoménale des travailleuses et des travailleurs employés dans la grande industrie, dont le nombre est largement supérieur aux travailleurs qualifiés de métiers qui dominaient jusque-là le mouvement syndical. Cette situation a des répercussions marquantes sur l'évolution du syndicalisme.

Autre phénomène majeur et qui ira s'accentuant: la croissance du nombre de travailleurs et de travailleuses dans les bureaux, le commerce, les transports et les services en général (le secteur tertiaire). En 1945, ils forment plus de 40% de l'ensemble des salariés, dépassant ceux de l'industrie manufacturière et de la construction (secteur secondaire) dont le pourcentage est de 35%.

Les travailleuses

Les années de la guerre provoquent un autre changement considérable: l'afflux des femmes sur le marché du travail, où elles forment le quart de la main-d'oeuvre salariée, comparé à 20% en 1930.

L'industrie de guerre et le service militaire résorbent le chômage chez les hommes, qui se trouvent des emplois stables pour la première fois depuis la Crise. Comme les travailleurs masculins ne sont pas assez nombreux pour soutenir l'«effort de guerre» dans les grandes industries, on fait appel aux femmes à partir de 1941. Elles représentent près du tiers des quelque 100 000 nouveaux travailleurs engagés dans la production de guerre.

Les travailleuses accèdent à des emplois d'où elles étaient auparavant exclues et où les salaires sont plus élevés, quoique toujours largement inférieurs à ceux des hommes qui gagnent en moyenne presque deux fois plus. Par ailleurs, le nombre des travailleuses mariées double, passant à 20% de la main-d'oeuvre féminine en 1945 — contre 35% au Canada.

LES ANNÉES DE LA CRISE

Il est difficile, pour qui n'a pas vécu la Grande Crise, de saisir l'ampleur de la détresse durant ces années noires. Des milliers de familles vivent avec le souci quotidien de manger, de se vêtir, de s'assurer un toit et d'avoir un peu de chauffage pendant les longs mois d'hiver.

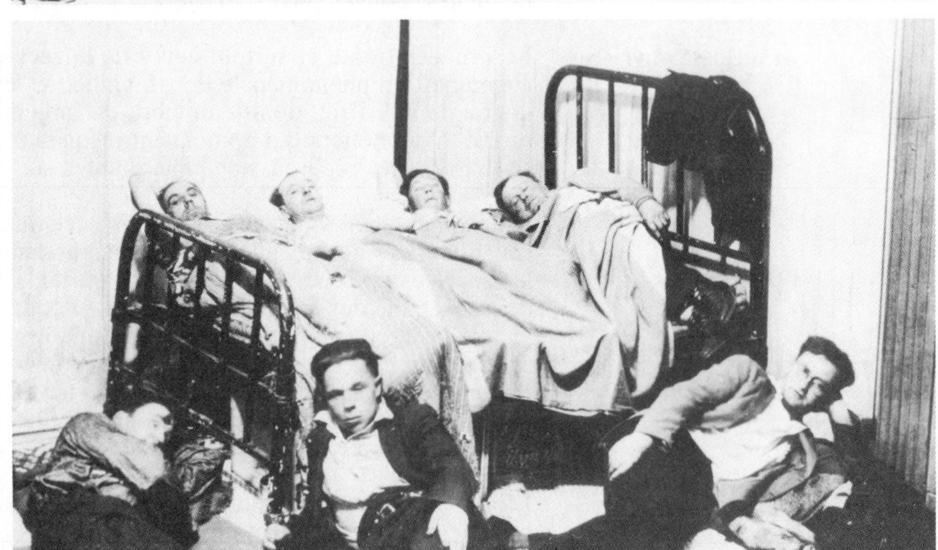

Archives publiques du Canada.

30% de chômage en 1933

Les chiffres ont quelque chose d'hallucinant. De 1929 à 1930, le taux de chômage au Québec passe de 7,5% à 15% de la main-d'oeuvre. À la fin de 1931, il dépasse 20%, soit plus de 100 000 sans-emploi. Au début de 1933, il atteint 30%, touchant au-delà de 230 000 travailleuses et travailleurs. Dans certains quartiers de Montréal, il est de 40%. Le taux de chômage grimpe même jusqu'à 60% dans certaines villes industrielles de province où les usines ferment comme à Chicoutimi et Port-Alfred, au Saguenay, qui subissent la crise de l'industrie papetière.

Chute de 40% des revenus

En même temps, les revenus dégringolent, non seulement à cause du manque d'emploi mais en raison des coupures de salaires systématiques. En 1933, le revenu ouvrier a baissé en moyenne de 40% par rapport à 1929, et jusqu'à 50% dans bien des cas. À Montréal, le salaire moyen dans l'industrie manufacturière est tombé de 1 042 $ à 777 $ par année, soit d'environ 20 $ à 15 $ par semaine.

Les revenus baissent plus rapidement que le coût de la vie qui diminue également. Ainsi, un panier de provisions qui coûtait autour de 4 $ en 1929 en coûte 3 $ en 1933. La miche de pain se vend alors 5 cents, le boeuf haché 10 cents la livre, la douzaine d'oeufs 15 cents, la livre de beurre 25 cents, le sac de pommes de terre 60 cents. Le budget hebdomadaire d'une famille de 5 personnes à Montréal diminue de 18,66 $ (1929) à 15,70 $ (1933). Un loyer ouvrier qui coûtait entre 16 $ et 25 $ en 1929 se situe entre 14 $ et 18 $ en 1934.

Les «secours directs»

Au début de la Crise, seules des oeuvres de charité comme la Société Saint-Vincent-de-Paul fournissent aux plus mal pris de la nourriture et des vêtements. Elles aident également à reloger les nombreuses familles évincées parce qu'elles ne peuvent plus payer leur loyer. Les «soupes populaires» distribuent un bol de soupe et un morceau de pain aux plus démunis qui forment de longues files d'attente.

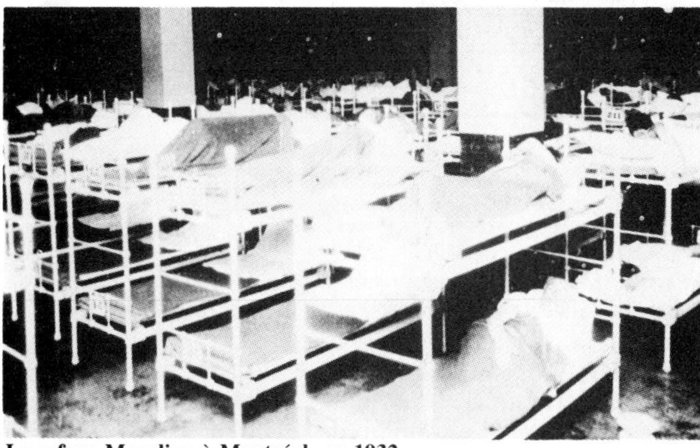

Le refuge Meurling à Montréal, en 1932.

L'aide sociale n'existe pas encore, pas plus que l'assurance-chômage qui n'entrera en vigueur qu'en 1941.

Devant l'ampleur de la misère et sous la pression du mouvement ouvrier et des manifestations qui commencent à éclater ici et là, l'État est obligé d'intervenir. Les gouvernements d'Ottawa et de Québec se concertent pour verser, à la fin de 1930, les premières prestations d'aide sociale qu'on appelle alors les «secours directs».

Ces secours, distribués par l'entremise des municipalités, sont destinés aux personnes sans emploi qui sont des soutiens de famille. Ils sont versés sous la forme humiliante de coupons, d'une valeur de 4 $ à 5 $ par semaine, qu'il faut échanger chez les marchands et qui servent à payer les dépenses de nourriture, d'habillement, de combustible et de loyer. Ces allocations permettant à peine aux familles de subsister, plusieurs tentent d'obtenir un crédit plus généreux à l'épicerie du coin, ou encore se résignent à emprunter à des taux usuraires.

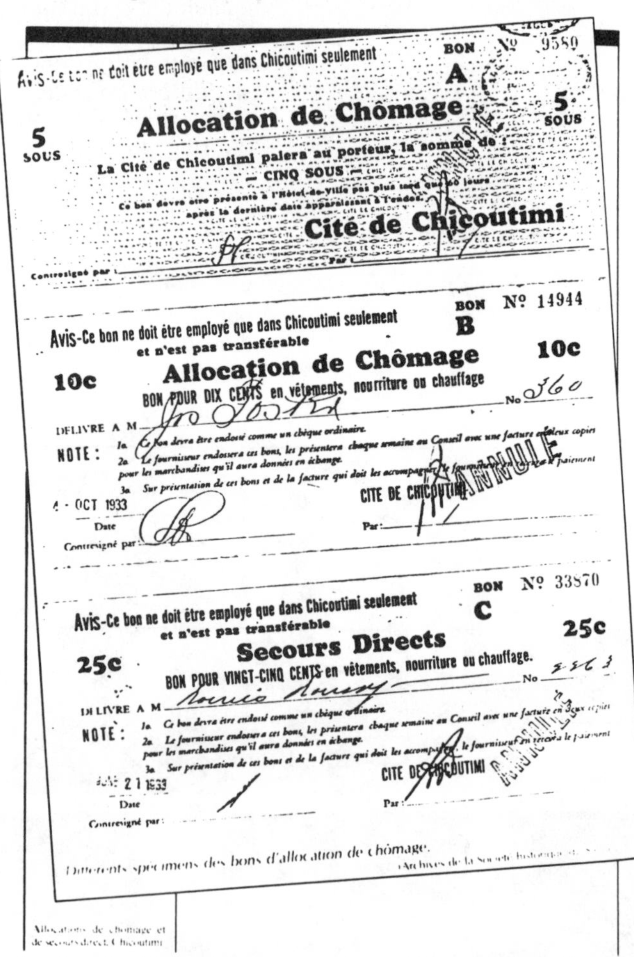

BON Nº 9580
A
Avis-Ce bon ne doit être employé que dans Chicoutimi seulement
5 SOUS
Allocation de Chômage
5 SOUS
La Cité de Chicoutimi paiera au porteur, la somme de :
— CINQ SOUS —
Ce bon devra être présenté à l'Hôtel-de-Ville pas plus tard que 60 jours après la dernière date apparaissant à l'endos.
Cité de Chicoutimi
Contresigné par : Par :

BON Nº 14944
B
Avis-Ce bon ne doit être employé que dans Chicoutimi seulement et n'est pas transférable
10c
Allocation de Chômage
10c
BON POUR DIX CENTS en vêtements, nourriture ou chauffage No 360
DELIVRE A M
NOTE :
1a. Ce bon devra être endossé comme un chèque ordinaire.
2a. Le fournisseur endossera ces bons, les présentera chaque semaine au Conseil avec une facture en deux copies pour les marchandises qu'il aura données en échange.
3a. Sur présentation de ces bons et de la facture qui doit les accompagner, le fournisseur en recevra le paiement
4 - OCT 1933
Date
CITE DE CHICOUTIMI
ANNULÉ
Contresigné par : Par :

BON Nº 33870
C
Avis-Ce bon ne doit être employé que dans Chicoutimi seulement et n'est pas transférable
25c
Secours Directs
25c
BON POUR VINGT-CINQ CENTS en vêtements, nourriture ou chauffage. No
DELIVRE A M
NOTE :
1a. Ce bon devra être endossé comme un chèque ordinaire.
2a. Le fournisseur endossera ces bons, les présentera chaque semaine au Conseil avec une facture en deux copies pour les marchandises qu'il aura données en échange.
3a. Sur présentation de ces bons et de la facture qui doit les accompagner, le fournisseur en recevra le paiement
21 1933
Date
CITE DE CHICOUTIMI
Contresigné par : Par :

Différents spécimens des bons d'allocation de chômage.

Allocations de chômage et de secours direct, Chicoutimi Saguenayensia.

En février 1934, un grand total de 240 000 personnes sont forcées de vivre «sur le secours direct» dans la seule ville de Montréal, l'une des plus touchées par le chômage au Canada. Pendant la décennie 1930-1940, plus d'un million de Montréalais et Montréalaises devront être secourus à un moment ou à un autre. Jusqu'en octobre 1940, on dépensera ainsi 51,3 $ millions en secours directs dans la métropole et 130 $ millions dans l'ensemble du Québec.

En quête de «jobs»

Beaucoup ne peuvent se résigner à l'humiliation de recevoir des secours directs mais ils n'ont le plus souvent pas le choix, à cause de l'extrême rareté des emplois.

Dès qu'une «job» est annoncée, des centaines de sans-travail forment de longues files d'attente aux abords des usines et des chantiers. Ils attendent parfois avec l'espoir qu'un ouvrier sera congédié pour prendre sa place. Dans le bâtiment, des travailleurs doivent remettre une fraction de leur paie au patron pour conserver leur «job». Dans certaines usines, des ouvriers «offrent» leur femme aux contremaîtres. Dans les ateliers de vêtement, des contremaîtres obligent des travailleuses à céder à leurs avances pour obtenir ou conserver un emploi, une pratique qui n'est pas nouvelle mais qui devient plus fréquente.

Les travailleurs protestent contre le favoritisme dans la répartition des travaux de chômage.

Pendant la crise, c'est dans un hangar que les gens devaient aller chercher leur secours direct. Pour avoir du secours, il fallait arriver là à pied...

Des manifestations de sans-emploi ont lieu dans les grandes villes comme Montréal pour revendiquer du travail ou une forme d'assurance-chômage. Dès mars 1930, quelques milliers de sans-travail défilent dans les rues de la métropole où d'autres manifestations auront lieu régulièrement. Des «marches de la faim» s'organisent. L'une d'entre elles, à l'été 1932, se termine à Ottawa par un affrontement violent avec la police fédérale.

Les gouvernements et les municipalités réagissent en organisant à la hâte des travaux publics. À la fin de 1931, environ 25 000 ouvriers québécois effectuent des travaux du genre. Jusqu'en 1939, le gouvernement du Québec dépensera plus de 60 $ millions en travaux publics.

Les camps de travail

De son côté, le gouvernement fédéral met sur pied en 1932, sous la direction de l'armée, des camps de travail qui ressemblent à de petits «camps de

Régina, le 1er juillet 1935: la RCMP a pour mission d'empêcher, par tous les moyens, les chômeurs partis de Vancouver de se rendre à Ottawa; l'affrontement a lieu lors d'une assemblée populaire sur la place du marché.

Archives de la Saskatchewan.

Archives publiques du Canada.

En juin 1935, les chômeurs parqués dans les camps de travail dont la grève et entreprennent une «marche» sur Ottawa, en prenant d'assaut les trains de marchandises.
Archives publiques du Canada.

concentration». On y parque les hommes célibataires qui, comme des «hobos», cherchent du travail en bandes, de ville en ville, en voyageant clandestinement à bord des trains de marchandises. Ils reçoivent 20 cents par jour pour leur travail dans les camps, logés et nourris dans des conditions misérables. On en compte notamment plus de 2 000 affectés à la construction du camp militaire de Valcartier, près de Québec. À l'été 1935, quelque milliers d'ouvriers des camps de travail de l'Ouest Canadien participent à la célèbre marche de protestation sur le Parlement d'Ottawa («On to Ottawa Trek»). Cette marche est stoppée dans le sang par la RCMP à Regina.

La politique répressive d'Ottawa se traduit également par la déportation vers leur pays d'origine de travailleurs immigrants en chômage et de leur famille.

La colonisation

Pour diminuer l'«armée de réserve» des chômeuses et chômeurs dans les villes, le gouvernement du Québec tente d'organiser un «retour à la terre» par un programme de colonisation. Le plan Vautrin (1935), du nom du ministre de l'Agriculture, ne permet l'installation en Abitibi et dans le Bas-du-Fleuve, sur des terres de roches bien souvent, que de 3 000 colons avec leur famille.

C'est aussi dans les années trente que des centaines de familles ouvrières doivent quitter les grandes villes, chassées de leur logement parce qu'elles ne peuvent plus en payer le loyer. Plusieurs d'entre elles s'installent dans des bidonvilles comme à Ville Jacques-Cartier, sur la rive sud de Montréal, où surgissent des taudis sous forme de baraques construites en planches et en tôle ondulée.

Les pensions de vieillesse

En plus des secours directs, la seule autre mesure sociale d'importance durant la Crise au Québec est le versement à partir de 1936, des premiers chèques de pensions de vieillesse. Toutes les provinces avaient déjà signé une entente à ce sujet avec le gouvernement fédéral depuis 1929. L'État verse aux personnes âgées les plus démunies, qui ont plus de 70 ans, un montant minimum de 20 $ par mois.

C'est aussi en 1936 que le Québec se dote d'un premier ministère de la Santé, qui deviendra en 1944 le ministère de la Santé et du Bien-être social. Le gouvernement fédéral crée lui aussi un ministère des Pensions et de la Santé.

LES CONDITIONS DE TRAVAIL

Pendant les années de la Crise, les conditions de travail et de salaires sont extrêmement dures au Québec, particulièrement durant la période de 1929 à 1933, mais les travailleuses et travailleurs syndiqués feront quand même des gains vers la fin des années trente.

La semaine de travail

Aux débuts de la Crise, la semaine de travail varie de 44 heures pour certaines catégories de syndiqués à plus de 70 heures pour les plus exploités, le tout réparti sur 6 jours.

Travailleurs de l'imprimerie, montage des matrices de plomb, 1939.
Archives nationales du Québec (Fonds Conrad Bernier).

Vers la fin des années trente, avec la reprise économique, la durée hebdomadaire est passée à une moyenne de 48 heures dans la plupart des industries manufacturières et à 44 heures pour plusieurs groupes de travailleuses et travailleurs syndiqués. Dans certains secteurs fortement syndiqués comme chez les ouvriers de l'imprimerie et d'autres travailleurs qualifiés, la semaine de 5 jours et de 40 heures est conquise à cette époque. Il s'agit là de la durée normale au-delà de laquelle les patrons doivent payer des heures supplémentaires au taux régulier majoré de moitié.

Par ailleurs, la deuxième semaine de vacances payées est gagnée par certaines catégories de travailleurs de métiers syndiqués.

En 1938, le gouvernement Duplessis adopte une première législation générale qui fixe à 48 heures la semaine normale de travail dans la plupart des industries. Dans les autres, elle est généralement de 54 heures. Dans les fonderies, scieries, boulangeries, travaux publics et industries saisonnières, la semaine est de 60 heures. Dans les établissements commerciaux, elle est de 54 heures. La loi prévoit le paiement des heures supplémentaires à taux et demi au-delà de 48, 54 et 60 heures selon le cas.

Par ailleurs, la durée maximale du travail pour les hommes est fixée — pour la première fois — à 72 heures par semaine. Cette norme peut être dépassée «en cas de force majeure». Pour les femmes et les garçons de moins de 18 ans, la durée maximale a été établie en 1934 par la Loi des établissements industriels et commerciaux votée sous le gouvernement Taschereau: 10 heures par jour et

55 heures par semaine en usine, 12 heures et 60 heures dans les commerces. La journée ne doit pas commencer avant 6 heures le matin et se terminer après 6 heures du soir. On doit accorder une heure pour le repas du midi «si l'inspecteur l'exige».

L'âge minimum pour travailler est toujours de 14 ans pour les garçons et les filles; il est de 16 ans pour ceux et celles qui ne savent pas lire et écrire «couramment et facilement». Le gouvernement peut prohiber, dans les établissements qu'il désigne, le travail des garçons et des filles de moins de 16 ans, et de moins de 18 ans en cas de «travaux dangereux».

Le Québec est en retard par rapport à l'Ontario et à d'autres pays industrialisés en matière de réglementation des heures de travail. À titre de comparaison, on peut souligner qu'aux États-Unis, le «Fair Labor Standards Act», adopté en 1938 sous Roosevelt et surnommé la «loi anti-dépression», fixe une semaine de travail qui varie de 40 à 44 heures. Les heures travaillées au-delà doivent être payées au taux régulier majoré de moitié. Le taux horaire minimum est établi à 40 cents (au Québec, il est de 15 à 25 cents). En France, avec l'avènement du régime de gauche du Front populaire et le mouvement de grèves qui l'accompagne, en 1936, les travailleurs ont conquis la semaine de 40 heures et deux semaines de vacances payées.

Les salaires

Au plus fort de la Crise, en 1933, le revenu ouvrier a dégringolé en moyenne de 40% et souvent jusqu'à 50% par rapport à 1929.

À Montréal, dans l'industrie manufacturière, le salaire moyen est tombé de 20 $ à 15 $ par semaine environ. Dans la construction, un menuisier qui gagnait de 80 à 85 cents l'heure en 1929 n'en gagne plus que de 30 à 60 en 1934. Un manoeuvre payé 35 cents l'heure peut n'en recevoir que 15. Les coupures de salaires sont généralisées, les périodes de chômage très fréquentes.

Avec la reprise économique des années 1935-36, le salaire industriel moyen remonte à 20 $ pour les hommes et 10,66 $ pour les femmes. Dans le textile, l'industrie manufacturière qui emploie le plus de main-d'oeuvre, les travailleurs et surtout les travailleuses du coton reçoivent les salaires suivants: 16 $ par semaine en moyenne pour les hommes, 11,60 $ pour les femmes, pour 55 à 60 heures de travail. Plus de la moitié des soutiens de famille à Montréal gagnent moins de 850 $ par année. Selon le ministère fédéral du Travail, le revenu minimum familial devrait se situer autour de 1 200 $.

En 1936, dans la métallurgie, le salaire de base chez Stelco à Montréal est de 35 cents l'heure. Chez Peck Rolling Mills (Dosco), il n'est que de 26,6 cents. À l'Alcan d'Arvida, il est de 30 cents. Dans le textile, la majorité de la main-d'oeuvre gagne environ 25 cents l'heure. Les plus bas salaires au Québec sont de l'ordre de 10 à 15 cents l'heure.

Ce n'est qu'au début de la guerre, en 1939, que le salaire industriel moyen remonte à son niveau de 1929, avant la Crise: il se situe alors à un peu plus de 21 $ par semaine — contre près de 25 $ en Ontario.

Le salaire minimum

À l'automne 1937, le premier salaire minimum fixé par le gouvernement du Québec varie entre 15 et 25 cents l'heure.

La «Loi des salaires raisonnables», votée par le nouveau gouvernement de l'Union nationale dirigé par Duplessis, fixe pour la première fois un salaire minimum pour les hommes, les femmes étant déjà «protégées» par une loi du genre dans certains secteurs depuis 1927. La loi permet au gouvernement de fixer par ordonnance les salaires et certaines conditions de travail dans toute industrie, commerce ou service. Elle est administrée par un Office des salaires raisonnables qui prendra le nom de Commission du salaire minimum en 1940.

Peu après son adoption, le gouvernement Duplessis amende la loi pour y soustraire tous les travaux publics faits pour le compte de l'État, soit un large secteur d'emploi (construction, voirie, etc.). Cette mesure est vivement dénoncée par l'ensemble du mouvement syndical. Les syndicats protestent également contre l'utilisation que font les employeurs de la loi du salaire minimum, avec l'appui du gouvernement duplessiste, pour faire fixer des conditions minimales de salaire au lieu de négocier des conventions collectives qui seraient plus avantageuses pour les travailleuses et travailleurs.

Travaux publics pendant la crise, Lachine 1938. Archives nationales du Québec (Fonds Conrad Bernier).

La loi du salaire minimum fait suite à une législation semblable votée en 1935 par le gouvernement fédéral, dans le sillage du New Deal américain, mais qui a été déclarée inconstitutionnelle parce qu'elle empiète sur la juridiction des provinces.

LES ANNÉES DE LA GUERRE

La condition ouvrière va s'améliorer de beaucoup grâce aux grandes luttes menées par le mouvement syndical durant la Deuxième Guerre Mondiale. En raison d'un rapport de forces qui leur donne un meilleur pouvoir de négociation, les travailleuses et les travailleuses font plusieurs gains en matière de conditions de vie, de travail et de salaires.

En vertu de l'état d'urgence, le gouvernement fédéral étend sa juridiction sur toutes les industries reliées à la production de guerre, soit environ 75% des entreprises. Les décisions d'Ottawa auront une portée quasi générale pour les salariés.

L'assurance-chômage

Une mesure revendiquée par le mouvement ouvrier depuis le début du siècle, l'assurance-chômage, est enfin adoptée en 1940 par le gouvernement King. Les premiers chèques sont versés en juillet 1941. Le nouveau régime s'applique aux salariés dont les revenus ne dépassent pas 2 000 $ par année. Il prévoit le versement de prestations allant de 4,08 $ à 14,40 $ par semaine. Plusieurs catégories de travailleuses et travailleurs en sont toutefois exclues, notamment parmi les employés de services (hôpitaux, enseignement, services publics).

Malgré ces limites — et le fait que le régime entre en vigueur dans une période de plein emploi — l'assurance-chômage est une conquête ouvrière d'envergure. Le système connaîtra de multiples améliorations au fil des années: il s'appliquera à un plus grand nombre de travailleuses et de travailleurs à qui il versera des prestations plus substantielles et pour une plus longue durée.

La semaine de travail

Les luttes menées par le mouvement syndical à l'occasion de la guerre permettent de réduire de 48 à 44 heures la semaine de travail dans la plupart des industries manufacturières. La semaine de 40 heures et de 5 jours commence à se répandre chez les travailleurs qualifiés et syndiqués. Les heures supplémentaires sont mieux payées.

En 1940, la semaine moyenne de travail pour certains métiers (avec les salaires correspondants) est la suivante:

- Manoeuvres: 44 à 50 heures (20 $)
- Charpentiers-menuisiers: 44 heures (34 $)
- Conducteurs de tramways: 55 heures (35 $)
- Cols bleus municipaux à Québec: 48 heures (17 $ à 19 $)
- Commis de détail à Québec: 49 à 54 heures (8 $ à 21 $ pour les hommes, 7,25 $ à 11,50 $ pour les femmes)
- Cuvistes de l'Alcan au Saguenay: 48 heures (25 $)

En 1945, la semaine moyenne de travail au Québec est la suivante: 44,1 heures dans les industries manufacturières, 43,9 dans les mines, 43,8 dans les services, 40,2 dans la construction.

En raison de l'état d'urgence, la semaine de travail dans les industries de guerre est souvent de 48 heures et parfois de 55 à 60 heures. Une équipe peut même travailler jusqu'à 12 heures d'affilée. La plupart des usines n'accordent qu'une demi-heure pour les repas. Par ailleurs, les syndicats exigent que les heures supplémentaires soient beaucoup mieux payées.

L'interdit qui pesait sur le travail de nuit des femmes a été levé par le gouvernement fédéral, en mars 1940, dans les industries de guerre. Les travailleuses disposent de garderies dans certaines grandes usines à Montréal.

Les vacances payées

C'est également au cours de la Deuxième Guerre, sous la pression des syndicats, que le régime des vacances annuelles payées s'est généralisé au Québec, après avoir été acquis dans les conventions collectives. En 1946, l'ordonnance n° 3 de la Commission du salaire minimum étend la semaine de vacances payées à toutes les travailleuses et tous travailleurs. Plusieurs groupes de syndiqués ont gagné deux semaines de vacances — ce qui est la règle générale en Saskatchewan grâce à un gouvernement social-démocrate de la CCF.

Le coût de la vie

Le niveau de vie des travailleurs et des travailleuses augmente durant la guerre, en dépit d'une inflation très forte et d'un contrôle sévère des salaires imposé par le gouvernement fédéral de décembre 1940 à novembre 1946. Les revenus s'accroissent particulièrement pour les syndiqués qui réussissent à décrocher l'octroi de primes («boni») de vie chère.

Les années de guerre sont marquées par une flambée des prix. Alors que les salariés ont enfin un emploi stable et que la plupart d'entre eux disposent d'un pouvoir d'achat accru, les biens de consommation se raréfient. L'armée en requiert des quantités toujours plus considérables et les industries engagées dans l'effort de guerre doivent réduire la fabrication d'articles à l'usage des civils. Ces articles prennent alors de la valeur et les prix montent.

En décembre 1941, le gouvernement d'Ottawa plafonne les prix. Il instaure aussi un contrôle de la distribution de certains produits alimentaires de base, sous la forme de coupons de rationnement qu'il faut présenter à l'épicerie.

Par ailleurs, les loyers montent en flèche (jusqu'à 45 $ par mois à la fin de la guerre, à Montréal) en raison d'une grave crise du logement provoquée par l'afflux de main-d'oeuvre venue travailler dans les industries de guerre. On est à court de logements partout où les usines de guerre sont implantées comme à Saint-Paul-L'Ermite, Valleyfield, Shawinigan, Lauzon, Arvida.

Les salaires

La hausse du coût de la vie entraîne une lutte exceptionnelle des syndicats contre les contrôles imposés par Ottawa et pour l'octroi de primes de vie chère. Ce vaste mouvement revendicatif se traduit par des gains majeurs: à la fin de 1945, le salaire industriel moyen au Québec atteint près de 30 $ par semaine, comparé à un peu plus de 21 $ en 1939.

Si les écarts restent considérables entre les hommes et les femmes, ils persistent également entre les travailleurs francophones et anglophones ainsi qu'entre ceux du Québec et du reste du Canada, particulièrement ceux de la province voisine de l'Ontario. Ainsi, en 1940, le salaire industriel moyen pour les hommes est de 22,62 $ par semaine au Québec contre 24,04 $ au Canada et 25,85 $ en Ontario. Pour les femmes, il est de 11,48 $ au Québec comparé à 12,05 $ au Canada et près de 14 $ en Ontario.

En 1941, le gouvernement fédéral se voit forcé de hausser le salaire minimum des employés sous sa juridiction dans les industries de guerre. Les taux passent de 30 à 35 cents l'heure pour les hommes, de 20 à 25 cents pour les femmes.

En 1945, le salaire industriel moyen annuel est de moins de 1 500 $ au Québec contre 1 750 $ en Ontario. Malgré ce décalage, les travailleuses et les travailleurs québécois connaissent un mieux-être relatif après les dures années de la Crise. C'est aussi le cas de l'ensemble de la population dont le revenu personnel disponible, en 1945, atteint 650 $ en moyenne, comparé à 336 $ en 1929, soit une hausse de près de 100%.

L'épargne

L'amélioration du niveau de vie des salariés se manifeste notamment par une épargne plus forte. Pendant la guerre, les caisses d'épargne et de crédit croissent à un rythme inégalé. Le nombre des caisses populaires passe d'environ 400 à plus de 800 de 1939 à 1945, essentiellement dans les milieux urbains. Les travailleurs investissent également dans les obligations d'épargne du gouvernement fédéral, les fameux «Bons de la Victoire»: avec un taux d'intérêt de 3%, ces obligations constituent le meilleur placement à l'époque pour les salariés.

Les allocations familiales

Les familles ouvrières, qui sont des familles nombreuses, bénéficient également vers la fin de la guerre d'une mesure sociale extrêmement populaire: les allocations familiales. Les premiers chèques sont versés aux Québécoises le premier juillet 1945. Le régime des allocations familiales, mis en place par le gouvernement fédéral, était réclamé depuis longtemps par les syndicats et les partis ouvriers.

La formation professionnelle

Autre intervention fédérale à l'occasion de la guerre: la mise en place de programmes de formation professionnelle et technique de la main-d'oeuvre, à partir de 1942. Le Québec adopte à son tour, en 1945, la Loi de l'aide à l'apprentissage, aujourd'hui la Loi sur la formation et la qualification de la main-d'oeuvre.

4. LE MOUVEMENT SYNDICAL

Le mouvement syndical, très affaibli par la Crise au début des années trente, connaît une relance à partir des années 1935-1936 et une expansion spectaculaire à l'occasion de la Deuxième Guerre Mondiale. C'est d'ailleurs au début des années quarante que les syndicats s'affirment, pour la première fois avec autant d'ampleur, comme une grande force sociale, obligeant les patrons et les gouvernements à les reconnaître davantage et réalisant des gains importants.

Le nombre de syndiqués

Estimé à environ 75 000 en 1930, le nombre des syndiqués augmente à près de 200 000 à la fin de la guerre, en 1945. C'est là une hausse de 10,5% à 20% de la main-d'oeuvre salariée.

Le chômage provoqué par la Crise avait entraîné une chute dramatique des effectifs. Au début de 1933, on estime à environ 8,5% le pourcentage des syndiqués au Québec. Avec les débuts de la reprise économique, le mouvement syndical redémarre, surtout durant les années 1936 et 1937 qui sont marquées par une vague d'adhésions. Le phénomène suit de peu le mouvement sans précédent de syndicalisation amorcé aux États-Unis pendant le «New Deal» et qui a des retombées importantes au Canada et au Québec.

Pendant la guerre, la croissance des effectifs est exceptionnelle: près de 100,000 nouveaux membres au Québec, dont des milliers de femmes embauchées dans les industries de guerre. Aux travailleurs de métiers s'ajoutent, en grand nombre, les ouvrières et ouvriers de la grande industrie comme la métallurgie, les pâtes et papiers, l'aluminium, l'aéronautique, les chantiers navals, les appareils électriques, les produits chimiques et pétroliers. Les syndicats s'implantent également de façon plus durable dans les industries traditionnelles comme le textile, le vêtement, le tabac. On note aussi une percée dans certains services comme l'enseignement, les hôpitaux, les transports en commun.

Les organisation syndicales

De 1930 à 1945, les unions internationales continuent de représenter environ les deux tiers des syndiqués au Québec.

Au cours des années trente, le mouvement syndical nord-américain est traversé par un conflit de fond déjà ancien mais qui prend une ampleur exceptionnelle. Il s'agit du conflit qui oppose deux formes d'organisation: les syndicats qui ne regroupent que les travailleuses et travailleurs d'un même métier, et ceux qui rassemblent tous les salariés d'une entreprise ou d'un secteur industriel, sans égard aux métiers qu'ils exercent. Ce conflit aboutit à une scission qui va durer vingt ans avec, d'un côté, l'*American Federation of Labor (AFL)* et, de l'autre, le nouveau *Congress of Industrial Organizations (CIO)*.

Cette scission a évidemment des répercussions au Canada et au Québec. Aux côtés du *Congrès des métiers et du travail du Canada (CMTC)*, qui regroupe les unions de l'AFL, apparaît en 1940 une nouvelle centrale, le *Congrès canadien du travail (CCT)*, qui regroupe les unions du CIO et certains syndicats nationaux canadiens.

Par ailleurs, la *Confédération des travailleurs catholiques du Canada (CTCC)* continue d'être un phénomène particulier au Québec où elle représente environ 25% des syndiqués. De plus, dans le même courant confessionnel que la CTCC apparaissent, en 1936, les premiers syndicats d'enseignantes et d'enseignants. En 1945, ils fondent la *Corporation des instituteurs et institutrices catholiques du Québec (CIC)*, aujourd'hui la Centrale de l'enseignement du Québec (CEQ).

LES ANNÉES DE LA CRISE

Pendant la crise, le chômage record affaiblit considérablement les syndicats et leur pouvoir de négociation auprès du patronat. Il faut attendre 1937 pour assister aux premières grandes luttes victorieuses de cette période, dans le sillage du mouvement revendicatif extraordinaire qui accompagne le «New Deal» aux États-Unis. C'est d'ailleurs en 1937 que survient le plus grand nombre de débrayages de la décennie au Québec, soit une cinquantaine.

LES UNIONS INTERNATIONALES

Malgré la perte de milliers de membres, les unions internationales réussissent, tant bien que mal, à maintenir leurs positions au Québec où elles regroupent les deux tiers des syndiqués. Elles continuent de prédominer dans des secteurs organisés depuis longtemps comme les métiers du bâtiment, de l'imprimerie, des chemins de fer, des transports, du vêtement, et chez les ouvrières et ouvriers qualifiés de l'industrie manufacturière en général.

Dans d'autres secteurs plus récemment syndiqués, comme les pâtes et papiers, des unions disparaissent, notamment à la Canadian International Paper où elles sont supplantées par des syndicats de boutique. Elles réussiront à se rétablir vers la fin de la Crise.

Dans les années trente, les unions affiliées au Congrès des métiers et du travail du Canada (CMTC) continuent de privilégier le syndicalisme de métier, à l'exemple de l'American Federation of Labor des États-Unis. Elles comptent les trois quarts de leurs membres dans la région montréalaise et leur principal porte-parole est le Conseil des métiers et du travail de Montréal.

La FPTQ

En 1937, les unions internationales regroupent environ 70 000 adhérents au Québec. C'est alors qu'est créée la première organisation québécoise visant à les représenter: la *Fédération provinciale du travail du Québec (FPTQ)*.

La FPTQ est fondée en tant que section provinciale du Congrès des métiers et du travail du Canada. Avant sa fondation, c'est un «comité exécutif provincial» désigné par le CMTC qui, depuis 1892, avait pour tâche de représenter les affiliés auprès du gouvernement du Québec.

La FPTQ est, en droit et dans les faits, un organisme subordonné au CMTC qui lui octroie sa charte. Et à l'exemple du CMTC, le véritable pouvoir y est exercé par les unions internationales de métiers. De plus, l'adhésion est facultative, de telle sorte que la Fédération rallie peu de membres à ses débuts. Elle a moins d'importance que le Conseil des métiers et du travail de Montréal.

Le président de ce Conseil, Raoul Trépanier, leader de l'Union des employés de tramways de Montréal, est élu comme premier président de la Fédération provinciale. Quant au premier secrétaire général, c'est un militant de longue date de l'Union des typographes et des unions internationales au Québec, Gustave Francq, alors âgé de 67 ans, qui vient de quitter la présidence de la Commission du salaire minimum. En 1942, Elphège Beaudoin, de l'Union des employés de tramways, est élu à la présidence pour succéder à Trépanier, nommé conciliateur au ministère fédéral du Travail.

Les grèves

Les unions internationales affiliées à l'AFL sont à l'origine de la plupart des grèves déclenchées au Québec dans les années trente. À cause de la Crise, les arrêts de travail sont peu nombreux et souvent peu fructueux, mais certaines luttes permettent de faire des gains plus substantiels, notamment avec les débuts de la reprise économique.

En 1935, plus de 4 000 membres du Syndicat des travailleurs amalgamés du vêtement d'Amérique font une grève de dix jours dans l'industrie du vêtement pour hommes à Montréal. Les ouvriers qualifiés comme les tailleurs obtiennent la semaine de 44 heures. En 1936, deux autres syndicats internationaux de la confection, les chapeliers («Hats and Caps») et les travailleurs de la fourrure, font également des gains importants.

Les midinettes

L'une des grèves les plus célèbres de cette période est déclenchée en 1937 par plus de 5 000 travailleuses et travailleurs de l'industrie de la robe à Montréal, membres de l'Union internationale des ouvriers du vêtement pour dames (UIOVD). La «grève de la guenille», ainsi qu'on l'a appelée, marque une date dans l'histoire syndicale des midinettes, en majorité canadiennes-françaises, qui sont parmi les travailleuses les plus exploitées.

Alors que les tailleurs ont déjà gagné, par la grève, la semaine de 40 heures et un salaire moyen de 30 $, les couturières travaillent à la pièce plus de 50 heures par semaine de 6 jours, pour un salaire minimum variant de 7 $ à 12,50 $. Plusieurs doivent travailler à domicile, le soir, pour joindre les deux bouts.

Le 15 avril 1937, en pleine saison de production, les grévistes dressent leurs lignes de piquetage aux abords des ateliers. La grève va durer 25 jours. L'Union a les moyens de verser à ses membres des secours financiers de 5 $ à 8 $ par semaine, presque autant que ce que les midinettes gagnent parfois en travaillant. Finalement, les midinettes gagnent la majorité de leurs revendications: la semaine de 44 heures et de cinq jours et demi, les heures supplémentaires payées à taux et demi, un salaire moyen de 16 $ par semaine, le droit de fixer les taux du travail à la pièce, une procédure de griefs et, surtout, la reconnaissance du syndicat.

Le conflit à donné l'occasion au premier ministre Maurice Duplessis, fraîchement arrivé au pouvoir, de montrer son vrai visage. Il menace de faire émettre des mandats d'arrestation pour «conspiration séditieuse» contre les leaders de la grève: Rose Pesotta, Bernard Shane et Claude Jodoin de l'UIOVD, ainsi que Raoul Trépanier, président du Conseil des métiers et du travail de Montréal auquel l'Union est affiliée. De leur côté, les dirigeants du syndicat catholique du vêtement invitent les grévistes, «manipulés par les communistes» selon eux, à rentrer au travail.

Le contrat signé par l'UIOVD n'est pas respecté partout par les patrons. L'Union devra mener une autre grève de ses 5 000 membres dans la robe, en 1940, pour consolider ses acquis, notamment l'atelier syndical fermé.

LE SYNDICALISME INDUSTRIEL (CIO)

Alors que l'UIOVD est un syndicat industriel réunissant différents métiers de la confection, la plupart des syndicats affiliés à l'AFL continuent, dans les années trente, à être axés sur la pratique du syndicalisme de métier. Cet état de fait correspond de moins en moins à l'évolution de l'économie vers de grandes entreprises industrielles où travaille une abondante main-d'oeuvre non qualifiée. L'incapacité des unions de métiers de l'AFL de s'adapter à cette évolution va provoquer de profonds bouleversements au sein du mouvement syndical nord-américain. Et peu à peu, à l'occasion de la guerre, les syndicats de l'AFL devront se tourner davantage vers le syndicalisme industriel.

Une fois de plus, c'est des États-Unis que provient la vague de fond qui va changer le portrait du syndicalisme au Canada et au Québec.

À l'occasion de la reprise économique et du «New Deal» de Roosevelt, les syndicats américains connaissent une poussée de militantisme qui leur permet de conquérir de nouvelles lois ouvrières favorisant la syndicalisation. Ce mouvement provoque un afflux vers les syndicats qui dépasse le cadre des métiers où la plupart des unions de l'AFL étaient jusque-là demeurées enfermées. Le vieux syndicalisme de métier et le nouveau syndicalisme industriel ne peuvent plus coexister au sein de l'AFL, d'où la création d'une nouvelle centrale syndicale, le *Congress of Industrial Organizations (CIO).*

Le «Wagner Act»

C'est en 1935 que les syndicats américains réussissent à conquérir une loi célèbre, le «Wagner Act», du nom d'un sénateur démocrate de l'État de New York. Cette loi, qui fait suite à des luttes nombreuses, confirme le droit pour les salariés de s'organiser librement, par vote, au sein du syndicat majoritaire de leur choix — qui devient alors le représentant exclusif de tous les employés —, de négocier une convention collective et de faire la grève à l'expiration du contrat de travail. La loi crée un organisme gouvernemental pour faire respecter ces droits, le «National Labor Relations Board». (Le «Wagner Act» servira de modèle à une loi semblable adoptée au Canada et au Québec en 1944.)

En cinq ans, de 1935 à 1940, le nombre de syndiqués va presque doubler aux États-Unis, pasant de 3,5 millions (13% des salariés) à 8 millions (25%). En 1945, il atteindra un sommet de 35%.

Une vague de luttes

Au sein de l'AFL, les promoteurs du syndicalisme industriel se regroupent, en 1935, au sein d'un «Committee of Industrial Organizations» (CIO) dirigé par le vice-président de la centrale, John Lewis, président du Syndicat des mineurs. Le comité rallie une douzaine d'unions comptant un million de membres et lance de grandes campagnes de syndicalisation dans les industries de masse comme l'automobile, les appareils électriques, le caoutchouc, l'aluminium, la chimie, le pétrole, le vêtement, le textile. En 1936, le CIO fait une percée victorieuse dans la métallurgie grâce au «Steelworkers Organizing Committee» (SWOC), aujourd'hui le Syndicat des Métallos unis d'Amérique.

John L. Lewis, président de l'International Union United Mine Workers of America, promoteur de l'organisation de syndicats industriels.

Les grèves se multiplient et les vieux cadres de l'AFL sont débordés par de nouvelles militantes et militants plus combatifs. De nouvelles formes de lutte apparaissent. Ainsi, le 29 janvier 1936, éclate la première grève avec occupation («sit-down strike») en Amérique du Nord, à l'usine de pneus Firestone d'Akron en Ohio. La victoire des syndiqués marque le début d'une vague d'occupations d'usines dans le caoutchouc, l'automobile, l'acier. (Durant la même année, en France, on assiste aussi à un grand mouvement d'occupations d'usines.)

C'est alors que survient la réaction. La direction de l'AFL suspend puis expulse les unions membres du CIO parce qu'elles favorisent la syndicalisation par entreprise et par secteur industriel, sans distinction de métiers, empiétant ainsi sur la juridiction des syndicats plus anciens regroupant uniquement les ouvriers qualifiés de métiers. En 1938, le CIO se transforme en une nouvelle centrale syndicale, le «Congress of Industrial Organizations», sous la direction de John Lewis.

Le Congrès canadien du travail

Au Canada, des syndicats liés au CIO s'implantent à partir de 1936 dans la confection, le textile, la métallurgie, l'automobile. Le véritable coup d'envoi est donné en avril 1937: à la suite d'une grève de 15 jours, 4 000 membres du Syndicat des travailleurs unis de l'automobile à la General Motors d'Oshawa, en Ontario, gagnent la reconnaissance de leur syndicat, des hausses de salaires et la semaine de 44 heures. C'est le début des grandes campagnes d'organisation syndicale du CIO, particulièrement chez les métallos.

En septembre 1938 est fondé le *Comité canadien du CIO*. Peu après, sous la pression de l'AFL, le Congrès des métiers et du travail du Canada expulse de ses rangs les syndicats liés au CIO, consacrant ainsi la grande scission du mouvement ouvrier, comme aux États-Unis. En septembre 1940, les syndicats du CIO participent à la fondation d'une nouvelle centrale, le *Congrès canadien du travail*.

La nouvelle organisation est issue de la jonction du Comité canadien du CIO et du Congrès pancanadien du travail formé, en 1927, par des syndicats nationaux dont la puissante Fraternité des employés de chemins de fer et des transports (25 000 membres). Le leader de la Fraternité, Aaron Mosher, devient le premier président de la centrale qui déclare 100 000 membres au départ et affirme son autonomie vis-à-vis du CIO américain. Le Congrès canadien du travail accepte dans ses rangs, à cette époque, des syndicats internationaux dirigés par des militants communistes comme les Ouvriers unis de l'électricité (mieux connus sous les initiales «U.E.» — United Electrical Workers), les Travailleurs des mines et fonderies («Mine-Mill»), les Ouvriers du cuir et de la fourrure.

Le CIO au Québec

Au Québec, les premiers syndicats industriels liés au CIO sont apparus à Montréal, en 1936, dans le vêtement, le cuir et la fourrure. Le Comité d'organisation des métallos (SWOC) tente en vain d'implanter un premier syndicat chez Stelco. En 1938, le SWOC mène sa première grève chez Cuthbert, un fabricant d'accessoires de plomberie à Montréal.

C'est durant la guerre que les syndicats du CIO prendront leur élan dans la métallurgie, les mines, les appareils électriques, le vêtement et le textile, le caoutchouc, la chimie, etc. En 1940, ils fondent le Conseil du travail de Montréal dont les principaux leaders seront Romuald Lamoureux, des Métallos unis d'Amérique, et Paul-Émile Marquette, des employés de tramways de Montréal. Ce ne sera toutefois qu'en 1952 que les affiliés du Congrès canadien du travail fonderont une organisation québécoise, la *Fédération des unions industrielles du Québec (FUIQ)*.

LA LIGUE D'UNITÉ OUVRIÈRE

Le CIO a pu faire ses premières percées au Canada et au Québec grâce, entre autres, à d'anciens militants de la *Ligue d'unité ouvrière («Workers Unity League»)*, une organisation syndicale fondée par le Parti Communiste.

La Ligue avait été formée par le PC, à la fin de 1929, en vue de construire des syndicats de type industriel. En 1935, le parti décide de dissoudre l'organisation en vue de favoriser l'unité du mouvement syndical, à la suite des orientations adoptées lors du congrès de la Troisième Internationale. Ses affiliés rejoignent alors les unions internationales.

Durant sa courte existence de cinq ans, la Ligue a réussi à regrouper plusieurs milliers de membres au Canada, recrutés pendant la Crise dans des conditions difficiles. Elle contribue à bâtir les premières sections locales de syndicats du CIO comme les Métallos et les Travailleurs unis de l'auto, ainsi qu'un syndicat canadien très combatif, celui des marins. Elle dirige plusieurs luttes ouvrières, surtout en Ontario.

La Ligue au Québec

Au Québec, la Ligue d'unité ouvrière s'est surtout fait connaître par deux grandes luttes, en 1934.

En Abitibi, la Ligue anime la grève très âpre menée par 1 000 travailleurs des mines de cuivre de la Noranda. On l'a surnommée la grève des «fros» («foreigners», c'est-à-dire étrangers) en raison du grand nombre de travailleurs immigrants impliqués: Yougoslaves, Tchécoslovaques, Polonais, Ukrainiens, Russes, Finlandais, Suédois, etc. La lutte se termine par l'emprisonnement d'une vingtaine de militants syndicaux d'origine européenne, condamnés pour «émeute» et passibles de déportation par la suite. Quelques centaines de mineurs d'origine étrangère sont congédiés et remplacés par des scabs, en majorité des Canadiens français désireux d'avoir du travail en pleine Crise. Une des organisatrices de la grève, Jeanne Corbin, une institutrice d'origine française et militante du PC, est condamnée à trois ans de prison pour «sédition». Les travailleurs des mines de cuivre de l'Abitibi réussiront, durant la guerre, à se donner enfin un syndicat, affilié au CIO (les «Mine-Mill»).

La Ligue d'unité ouvrière dirige également, en 1934, une grève de près de 4 000 ouvrières et ouvriers de l'industrie de la robe à Montréal, membres du Syndicat industriel de l'aiguille. L'embauche de briseurs de grève provoque des actes de violence. Des batailles éclatent en pleine rue Sainte-Catherine. Au bout d'un mois de conflit, des ententes sont signées avec certains employeurs mais aucune ne prévoit la reconnaissance du syndicat. L'année suivante, par suite de la dissolution de la Ligue, les militantes et militants communistes rejoignent l'Union internationale des ouvriers du vêtement pour dames; ils participent activement à la grève de 1937 dans l'industrie de la robe. À la suite de luttes internes, ils sont finalement exclus de l'UIOVD.

La «Loi du cadenas»

L'exclusion des militantes et militants communistes de l'UIOVD coïncide avec l'offensive anticommuniste menée par le gouvernement Duplessis à partir de 1937, année de la promulgation de la «Loi du cadenas». Cette loi, qui interdit toute propagande communiste sous peine d'emprisonnement, permet à la police de cadenasser les locaux où elle soupçonne que l'on tient des réunions «communistes» ou «bolchéviques» et où l'on peut distribuer des documents de même nature. Or, le sens des mots «communiste» et «bolchévique» n'est défini nulle part dans la loi, ce qui permet l'arbitraire le plus complet.

Sur les ordres de Duplessis, la Police provinciale (la «PP») effectue des dizaines de descentes qui frappent non seulement des militantes et militants du Parti Communiste mais aussi de la CCF social-démocrate, des syndicats et des organisations progressistes. En fait, c'est tout le mouvement syndical qui est visé par la Loi du cadenas comme en témoigne la saisie du «Monde Ouvrier», l'organe officiel des unions internationales au Québec — qui organisent diverses assemblées de protestation. La Loi du cadenas sera jugée inconstitutionnelle vingt ans plus tard, en 1957, par la Cour suprême du Canada.

Le gouvernement Duplessis adopte également à cette époque une série de lois anti-ouvrières, vivement combattues par l'ensemble du mouvement syndical. Par exemple, une loi permet en certains cas d'annuler un acquis inclus dans plusieurs conventions collectives, l'atelier syndical fermé, c'est-à-dire l'obligation d'adhérer au syndicat pour travailler. De lourdes ammendes sont prévues pour quiconque porte atteinte à la «liberté du travail». Cette loi sera abrogée par le gouvernement libéral de Godbout en 1940.

LES SYNDICATS NATIONAUX ET CATHOLIQUES

Alors que les unions internationales dominent la scène syndicale dans les années trente, les syndicats nationaux et catholiques parviennent à maintenir leurs positions.

La Confédération des travailleurs catholiques du Canada (CTCC) subit d'abord très durement les effets de la Crise: en 1931, elle ne compte plus que 15 000 membres, soit 20% des syndiqués québécois. Elle perd notamment des membres dans ses bastions comme le Saguenay, berceau du syndicalisme catholique, où le moulin à papier de Dubuc à Chicoutimi a fermé définitivement ses portes en 1930.

À partir de 1934 et jusqu'à la guerre, la CTCC va toutefois accroître ses effectifs et représenter le quart des syndiqués québécois, comme dans les années vingt. Elle affirme sa prépondérance à l'extérieur de la région de Montréal où elle recrute la majorité de ses membres. Comme elle n'est pas réfractaire au syndicalisme industriel, la centrale gagne des adhérents dans la grande industrie comme le textile et le vêtement, la métallurgie, l'aluminium (à l'Alcan d'Arvida en 1936) les mines d'amiante, les pâtes et papiers, le meuble. Elle maintient ses positions dans la chaussure, l'imprimerie et surtout le bâtiment qui vient en tête pour les effectifs (10 000 membres en 1940). Elle commence à syndiquer des employés d'hôpitaux, de municipalités et de commissions scolaires.

Alfred Charpentier, président de la CTCC de 1935 à 1946.

La centrale admet un plus grand nombre de membres non catholiques mais ce n'est qu'en 1943 qu'elle amende ses statuts pour mettre fin à toute discrimination.

L'un des chefs de file du syndicalisme catholique, l'ancien briqueteur Alfred Charpentier, leader du Conseil central de Montréal, devient président de la CTCC en 1935. Il demeure à ce poste jusqu'en 1946. Le secrétaire général est un ancien journaliste du quotidien L'Action catholique de Québec, Gérard Picard, qui devient le premier permanent payé à même les fonds de la centrale. Plusieurs militantes et militants proviennent du mouvement de l'action catholique, notamment de la Jeunesse ouvrière chrétienne (JOC) fondée en 1931.

Le corporatisme

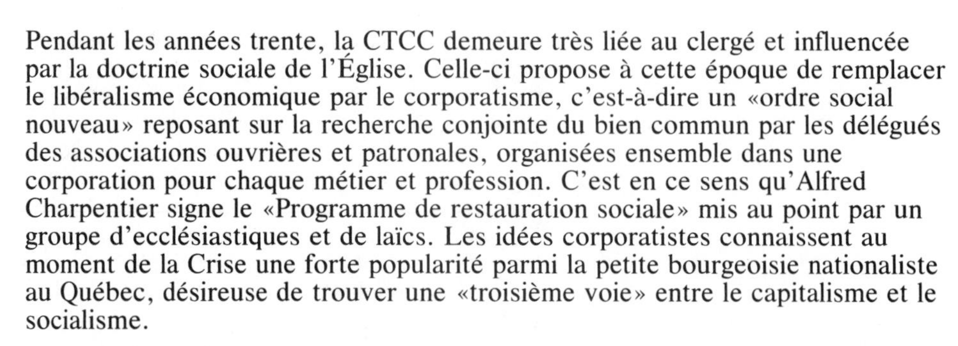

Pendant les années trente, la CTCC demeure très liée au clergé et influencée par la doctrine sociale de l'Église. Celle-ci propose à cette époque de remplacer le libéralisme économique par le corporatisme, c'est-à-dire un «ordre social nouveau» reposant sur la recherche conjointe du bien commun par les délégués des associations ouvrières et patronales, organisées ensemble dans une corporation pour chaque métier et profession. C'est en ce sens qu'Alfred Charpentier signe le «Programme de restauration sociale» mis au point par un groupe d'ecclésiastiques et de laïcs. Les idées corporatistes connaissent au moment de la Crise une forte popularité parmi la petite bourgeoisie nationaliste au Québec, désireuse de trouver une «troisième voie» entre le capitalisme et le socialisme.

Ce modèle a évidemment des conséquences sur les pratiques syndicales de la CTCC, particulièrement en ce qui concerne la grève qui demeure le dernier recours contre les abus criants. Peu à peu, cependant, la CTCC prend ses distances par rapport au corporatisme et à son modèle utopique de relations de travail, qui ne correspond pas aux luttes menées par ses membres. La CTCC s'oriente alors vers un syndicalisme plus proche de celui pratiqué par les unions internationales.

La loi des décrets

La CTCC a été à l'origine, en 1934, d'une loi votée par le gouvernement libéral de Taschereau et qui s'inscrit dans le contexte de la Crise, alors que le pouvoir des syndicats est faible. Il s'agit de la Loi de l'extension juridique des conventions collectives, appelée aussi Loi des décrets. En gros, cette loi permet aux travailleuses et aux travailleurs non syndiqués, dans certains secteurs industriels et certaines régions, de bénéficier des gains minimaux négociés dans les entreprises où les syndicats ont pu signer une convention collective.

La Loi des décrets — encore en vigueur pour l'essentiel aujourd'hui — est unique en son genre en Amérique du Nord. Inspirée de législations semblables en France et en Belgique, elle permet au gouvernement d'étendre à tout un secteur industriel, dans un territoire déterminé, les termes d'une convention conclue entre un nombre représentatif de syndicats et de patrons. En fait, le décret fixe des conditions minimales de travail et de salaires pour les non-syndiqués. Il ne contient pas toutes les clauses négociées dans des conventions particulières entre syndicats et employeurs. L'application d'un décret relève non pas de l'État mais d'un comité paritaire composé de représentants syndicaux et patronaux.

En 1939, environ 100 000 salariés auront leurs conditions régies par des décrets dans le bâtiment (50 000 ouvriers), la chaussure, l'imprimerie, le vêtement, le tabac, le meuble, etc.

Pour certains, la loi a favorisé le syndicalisme en permettant une amélioration des conditions des non-syndiqués et, par le fait même, en protégeant les syndiqués contre la concurrence des non-syndiqués. Pour d'autres, au contraire, la loi n'a pas contribué à la syndicalisation car elle accorde aux non-syndiqués des avantages sans qu'ils aient à négocier un contrat de travail.

La loi fut adoptée malgré l'opposition d'une partie des associations patronales et des syndicats internationaux. Ces derniers craignaient que le gouvernement ne prenne prétexte des décrets pour limiter le droit à la négociation collective. À mesure que les décrets furent promulgués dans les années suivantes, ils consentirent finalement à participer à leur application.

Les grèves de la CTCC

Dans les années trente, les syndicats catholiques ont déclenché très peu de grèves: 21 entre 1930 et 1940, soit moins de 10% des conflits survenus durant cette période au Québec. Certaines de ces luttes ont eu néanmoins un grand retentissement, en particulier les grèves de Sorel et la grève du textile, en 1937.

Philippe Girard, employé de tramways, président du Conseil central des syndicats nationaux et catholiques de Montréal de 1935 à 1943 et l'un des organisateurs des grèves de textile et de Sorel en 1937. Organisateur du Bloc populaire pendant la Deuxième guerre.

À Sorel, les travailleurs des chantiers navals sont à la pointe du mouvement de débrayages contre le plus gros employeur du coin, la famille Simard, fleuron de la bourgeoisie canadienne-française. Ils sont appuyés par les ouvriers des usines métallurgiques, également propriété de la «clique» comme on dit à l'époque. Une grève générale de solidarité se transforme quasiment en insurrection populaire. Une centaine d'agents de la police provinciale sont dépêchés sur les lieux et logés dans un navire amarré au port. Des briseurs de grève sont embauchés et Duplessis défend la «liberté du travail». Tout ce que les grévistes réclament, c'est la reconnaissance de leur syndicat, le réengagement des leaders congédiés et une hausse de salaire. Le curé de Saint-Pierre-de-Sorel, l'abbé Philippe Desranleau, les soutient; il déclare même en chaire que «le capitalisme est irréformable».

Au bout de plusieurs mois de lutte et malgré l'appui du Conseil central de Montréal et de son président Philippe Girard, les ouvriers sont perdants faute d'une organisation syndicale solide et du soutien réel de la CTCC. Cet échec marque le déclin du syndicalisme à Sorel jusqu'en 1942. Les travailleurs réussissent néanmoins à élire un nouveau conseil municipal pro-ouvrier.

La CTCC a plus de succès la même année à Asbestos où 1 200 travailleurs de l'amiante mènent une grève victorieuse. Après une semaine de débrayage, les mineurs obtiennent la reconnaissance de leur syndicat aux dépens d'une union internationale et gagnent une hausse de leur salaire de base de 25 cents à 35 cents et demi l'heure.

Scènes de la grève de Sorel en 1937.

La grève à la Dominion Textile

C'est contre le petit empire de la Dominion Textile, soutenu par le gouvernement Duplessis, que la CTCC mène sa plus grande lutte depuis sa fondation quinze ans plus tôt. Plus de 10 000 travailleuses et travailleurs du coton abandonnent leurs machines pendant près d'un mois, en août 1937, dans huit filatures à Montréal, Valleyfield, Sherbrooke, Magog, Drummondville et Saint-Grégoire-de-Montmorency.

Saint-Jérôme, 1939: les travailleuses et travailleurs de la Regent Knitting Mills débraient à leur tour, pour trois semaines.

Valleyfield, août 1937: les ouvrières et les ouvriers de la Dominion Textile, en grève.

La Dominion Textile contrôle alors les deux tiers de l'industrie du coton au Canada. C'est le plus gros employeur manufacturier au Québec et l'un de ceux qui verse les plus bas salaires. Les grévistes — dont la moitié sont des femmes — gagnent en moyenne 12 \$ à 16 \$ pour une semaine de 55 à 60 heures de travail, en regard de 48 heures dans la plupart des autres industries. Ils travaillent surtout à la pièce, un système qui favorise la sur-exploitation. De plus, le manque d'aération dans les filatures rend l'air insalubre à cause des poussières et de l'excès d'humidité. Les principales revendications sont une augmentation générale des salaires, la réduction de la semaine de travail à 48 heures, une meilleure rémunératoin des heures supplémentaires et l'atelier syndical. Les syndiqués, membres de la Fédération catholique du textile, ont voté la grève à 95%.

La compagnie, qui refuse absolument de reconnaître le syndicat, essaie de continuer sa production à Montréal avec l'aide de briseurs de grève, ce qui provoque de la violence sur les piquets et la répression policière. Par suite d'un appel du cardinal Villeneuve, qui déclare que «la grève est une extrémité lamentable», le premier ministre Duplessis intervient dans le conflit. Le syndicat est reconnu «en principe» et les dirigeants de la CTCC ordonnent le retour au travail, après 30 jours de débrayage sans aucun fonds de grève. Une première convention est finalement signée accordant aux grévistes la semaine de 50 heures, des hausses de salaire de 4 à 7% et une prime pour le travail de nuit.

Mais à l'expiration du contrat, en 1938, la Dominion Textile refuse de négocier son renouvellement. Entre-temps, elle a contribué à mettre sur pied des syndicats de boutique dans ses filatures. Elle demande au gouvernement Duplessis — qui acquiesce — de fixer les conditions de travail et de salaires par une ordonnance de la Commission du salaire minimum, au détriment d'une convention négociée. La CTCC ne peut empêcher cette opération anti-syndicale, en dépit d'une véritable révolte ouvrière à la filature de Montmorency à l'été 1938. Une grève spontanée et violente éclate, contre l'avis de la direction du syndicat. Le gérant général de la Dominion Textile, Blair Gordon, est malmené par les grévistes excédés. On l'enferme dans son bureau et on l'oblige à signer un document d'entente, non sans lui avoir d'abord lancé un encrier entre les deux yeux!

Le premier affrontement entre le géant du textile et Duplessis, d'un côté, et la CTCC, de l'autre, se conclut donc par des résultats désastreux pour la centrale: en une seule année, elle perd la majorité de ses 10 000 membres à la Dominion Textile. Ceux de Montréal et de Valleyfield adhèrent aux Ouvriers unis du textile d'Amérique durant la guerre.

La CTCC subit un autre échec à la grande filature de la Celanese, à Drummondville, à l'occasion d'une grève de 2 000 tisserands et tisserandes qui dure un mois et demi, en 1940. La présence de scabs provoque beaucoup de violence et des actes de sabotage contre l'usine. La compagnie accepte de négocier avec un «comité d'employés» mais refuse de reconnaître le syndicat catholique.

La CTCC tirera les leçons de ces défaites et en 1947, elle mènera une grande grève victorieuse dans le textile.

Premiers syndicats dans les hôpitaux

La CTCC s'est aussi signalée, dans les années trente, en aidant à la syndicalisation d'une catégorie de travailleuses et de travailleurs parmi les plus exploités, ceux des hôpitaux. Les établissements de santé sont alors des institutions privées généralement dirigées par des communautés religieuses, qui projettent sur leur personnel leur mystique de charité et d'obéissance. Les employés ont des salaires de famine et des conditions pénibles comme la semaine de 60 à 70 heures.

C'est en 1935 que les premiers syndicats catholiques sont fondés dans des hôpitaux francophones de Montréal, quasi-clandestinement. Le premier d'entre eux, à l'hôpital Notre-Dame, se forme sous le couvert d'une association récréative. En même temps, d'autres syndicats, affiliés au CMTC, s'implantent dans des hôpitaux anglophones de Montréal.

L'Association des employés d'hôpitaux de Montréal, affiliée à la CTCC, entreprend de négocier une première convention. Ses huit cent membres prennent même un vote de grève en 1937. Un règlement intervient sous la forme d'une ordonnance de la Commission du salaire minimum qui améliore quelque peu la situation. Mais devant la montée de l'action syndicale dans ce secteur, le gouvernement Duplessis décide tout simplement d'interdire le recours à la grève. La «Loi relative à l'arbitrage des différends entre certaines institutions de charité et leurs employés» (1939) touche les hôpitaux et les autres institutions reconnues «d'assistance publique». Elle prohibe toute grève et impose le règlement des conflits par voie d'arbitrage exécutoire. C'est la première fois qu'un groupe de travailleuses et de travailleurs est privé du droit de grève au Québec.

En 1940, la semaine de travail varie de 54 heures (dans les hôpitaux syndiqués de Montréal) à 65 heures. Les salaires restent misérables. Par rapport aux autres travailleuses et travailleurs, ceux des hôpitaux accusent un retard considérable qui persistera jusqu'aux années soixante.

LES ANNÉES DE LA GUERRE

La période de la Deuxième Guerre mondiale a une influence capitale sur l'évolution du mouvement syndical et sur les lois du travail.

L'«effort de guerre» entraîne une expansion de la production et le plein emploi. En raison de la rareté de la main-d'oeuvre disponible, le rapport de forces est plus favorable aux syndicats. On observe une montée spectaculaire du nombre de syndiqués, des organisations syndicales et des luttes ouvrières victorieuses. Les compagnies et les gouvernements doivent faire des concessions. Une des plus importantes conquêtes ouvrières de cette époque est la législation qui fixe enfin, en 1944, un cadre légal pour la reconnaissance syndicale et la négociation collective.

Ces changements n'ont pas été acquis sans des luttes de grande ampleur. Plusieurs grèves éclatent malgré les appels à l'effort de guerre. Les grévistes veulent profiter de la prospérité relative pour faire reculer l'exploitation qu'ils ont subie pendant la Crise. Dans un contexte d'inflation, ils doivent vaincre la résistance des patrons qui s'opposent, en particulier, à verser une indemnité appropriée de vie chère.

De 1941 à 1944, au Québec, le nombre annuel des débrayages est presque quatre fois plus élevé que pendant les années trente. Le record est établi en 1942 avec 133 arrêts de travail.

Les syndicats internationaux affiliés à l'AFL et au CIO lancent de grandes campagnes d'organisation syndicale dans les industries de guerre et sont à la pointe du mouvement de grèves. Les syndicats nationaux et catholiques mènent également des luttes d'importance.

Les décrets d'Ottawa

En vertu de l'état de guerre, le gouvernement fédéral multiplie les interventions dans l'économie et dans les relations de travail sous forme de décrets. Après avoir créé un super-ministère des Approvisionnements et des Munitions, il étend sa juridiction sur toutes les industries reliées à la production militaire, soit environ 75% des entreprises au Canada.

Un des premiers décrets étend à toutes les industries de guerre les dispositions de la loi fédérale sur les différends industriels (Loi Lemieux): toute grève est interdite avant la fin d'une période obligatoire de conciliation et d'arbitrage sous l'autorité du ministère fédéral du Travail. Ottawa tente ainsi de prévenir les grèves spontanées qui seraient dommageables à l'effort de guerre.

En juin 1940, à la suite d'une rencontre au sommet avec les dirigeants syndicaux, le gouvernement de Mackenzie King émet une déclaration de principes portant sur la collaboration ouvrière-patronale en vue d'accroître la productivité. Concession aux syndicats: Ottawa enjoint les entreprises qui veulent obtenir des contrats de guerre de ne pas nuire à l'organisation syndicale de leurs employés et de conclure de bonne foi des conventions collectives. On ne prévoit toutefois aucune sanction légale contre les employeurs récalcitrants.

Le «gel» des salaires

En décembre 1940, Ottawa frappe un grand coup avec le décret CP 7440. Les salaires sont «gelés», sauf s'ils sont inférieurs à leur niveau des années 1926-1929, soit avant la Grande Crise qui a entraîné un effondrement des revenus, ou encore sauf «circonstances particulières au plan industriel et régional». Si les hausses se conforment à ces critères, elles ne devront cependant pas dépasser 5%.

D'autre part, pour contrer la montée en flèche du coût de la vie, le décret permet le versement d'une prime («boni») de vie chère, sorte d'indexation qui s'ajoute au salaire mais qui ne doit pas dépasser 1,25 $ par semaine. Cette mesure était réclamée par les syndicats et déjà négociée dans certaines entreprises.

Au Québec, plusieurs groupes de syndiqués vont contester le contrôle fédéral des salaires, notamment au nom du droit au rattrapage des ouvriers québécois par rapport à leurs camarades de l'Ontario. C'est le cas des membres du Syndicat des Métallos (CIO) qui déclenchent une grève marquante, en avril 1941, au laminoir de la Peck Rolling Mills (Dosco) à Montréal. Plus de la moitié des grévistes gagnent un salaire de base de 30,7 cents l'heure, comme en 1929, un taux très bas dans la métallurgie. La semaine de travail est de 54 heures. La grève dure deux mois et se termine quand le gouvernement fédéral annonce un relèvement du salaire minimum dans les industries de guerre, à 35 cents l'heure pour les hommes et 25 cents pour les femmes. Les métallos obtiendront par la suite la semaine de 48 heures.

Grève des ouvriers de l'Alcan.

Une autre grève d'envergure se produit à l'été 1941 à Arvida au Saguenay, celle des travailleurs des cuves de l'Aluminium Company of Canada (ALCAN), membres de la CTCC. Cette grève spontanée, qui s'étend aux 10 000 ouvriers de l'aluminerie, constitue l'une des plus importantes interruptions de la production de guerre au Canada. À tel point que le gouvernement fédéral croit à du «sabotage» et envoie l'armée pour mettre fin à l'occupation de l'usine par les grévistes qui ont éteint les hauts-fourneaux, laissant le métal «geler» dans les cuves. Au bout de cinq jours de grève, un règlement intervient avec les cuvistes qui protestaient contre le gel de leur salaire à environ 25 $ pour une semaine de 48 heures. Ils obtiennent un salaire de base de 51 cents l'heure et une prime hebdomadaire de vie chère de 1,25 $. Un autre point en litige, l'unilinguisme anglais de la gérance, reçoit certains correctifs. Malgré des maraudages de syndicats AFL et CIO pendant la guerre, les travailleurs de l'Alcan vont rester fidèles à la CTCC.

Les luttes syndicales contre la hausse du coût de la vie se poursuivent et à l'automne 1941, un nouveau décret d'Ottawa (CP 8253) impose un véritable contrôle des prix. Le décret rend obligatoire le versement d'une prime de vie chère. Le gouvernement maintient toutefois le gel des salaires à moins d'une autorisation du «Conseil national du travail en temps de guerre», un nouvel organisme chargé de superviser les relations de travail.

En même temps, le gouvernement fédéral introduit graduellement dans les relations ouvrières des dispositions favorables aux syndicats et inspirées des lois américaines comme le «Wagner Act». Ainsi, il confirme le droit pour les travailleuses et travailleurs de s'organiser librement au sein du syndicat majoritaire de leur choix dans une entreprise, au moyen d'un vote tenu sous la supervision du ministère du Travail. En retour, il oblige les syndicats à tenir un scrutin secret avant de déclencher une grève. De leur côté, la plupart des dirigeants syndicaux s'engagent à éviter, dans la mesure du possible, les arrêts de travail dans les industries de guerre.

Vague de grèves en 1942-1943

Malgré les appels à la modération, une vague de grèves sans précédent déferle sur le Québec en 1942 et 1943. Le mouvement vise non seulement à lutter contre la hausse du coût de la vie mais aussi à réduire l'écart des salaires entre le Québec et la province voisine de l'Ontario, où commence à se fixer le modèle («pattern») pour la négociation des contrats de travail dans la grande industrie.

Le Syndicat international des machinistes (AFL), qui mène de grandes campagnes d'organisation dans les industries de guerre, dirige plusieurs débrayages à Montréal dans les usines d'armements et les avionneries où il obtient des salaires supérieurs à la moyenne. Le Syndicat des métallos (CIO) gagne la reconnaissance syndicale aux chantiers navals de la Vickers et dans d'autres industries engagées dans la production militaire. Le Syndicat international du tabac (AFL) mène des grèves victorieuses à l'Imperial Tobacco et à la Macdonald Tobacco dans la métropole. L'Union des distilleries (AFL) s'implante chez Seagrams, à La Salle, à la suite d'une grève qui permet de gagner la semaine de 44 heures. À Québec, 3 000 ouvrières et ouvriers de la chaussure, membres de la CTCC, gagnent la semaine de 48 heures et une prime de vie chère. À Sorel, les syndicats catholiques reprennent la lutte dans les chantiers navals et la métallurgie. On signale même une première grève chez des commis de banques à Montréal.

L'année 1943 est marquée par une série de débrayages spectaculaires impliquant près de 80 000 grévistes. Le plus massif est déclenché dans la région de Montréal par plus de 20 000 travailleuses et travailleurs de l'immense avionnerie Canadair et d'autres entreprises de l'industrie aéronautique. Il s'agit de l'arrêt de travail le plus important, numériquement, depuis la grève générale de Winnipeg en 1919. Le mouvement est animé par le Syndicat international des machinistes. À la suite d'une intervention au plus haut niveau à Ottawa, la grève prend fin au bout de douze jours par la reconnaissance de l'atelier syndical, l'obtention de la semaine de 44 heures et des gains monétaires.

Le Syndicat des machinistes dirige une autre grande grève aux usines Angus du Canadien Pacifique. Des syndicats internationaux (AFL et CIO) et catholiques participent à divers débrayages dans les chantiers navals à Montréal, Lauzon, Lévis et Sorel. Une union internationale affiliée à l'AFL est impliquée dans un débrayage de douze jours à l'Alcan à Shawinigan. L'armée est dépêchée sur les lieux. Des organisateurs syndicaux (dont Phil Cutler) sont arrêtés pour avoir dirigé une grève dite illégale.

Par ailleurs, une vague de débrayages touche l'ensemble des services municipaux à Montréal: cols bleus, pompiers et policiers, affiliés au Congrès canadien du travail (CCT), cols blancs membres de la CTCC. Les autorités municipales font appel à l'armée. Les transports en commun de la Montréal Tramways sont paralysés à trois reprises par des grèves de 3 000 employés des «p'tits chars», à l'appel de la Fraternité canadienne des employés de chemins de fer et des transports (CCT). Une loi spéciale d'Ottawa met fin à onze jours de grève des tramways.

Grève générale des employés municipaux à Montréal, en 1944. Ici, un gréviste des tramways s'adresse à la foule. Archives de La Presse.

Montréal, 19 février 1944. R.-J. Lamoureux, leader de la FTQ, s'adresse à une assemblée de 9 000 personnes au Forum en protestation contre le projet de loi sur les relations ouvrières du gouvernement Godbout.

Piqueteurs des employés du tramway, Montréal 1944. Archives La Presse.

Défilé de conducteurs de tramways en 1944. Archives publiques du Canada. Collection E.B. Edwards.

Concessions d'Ottawa

L'ampleur de tout ce mouvement de lutte force le gouvernement fédéral à adopter un autre décret qui accorde au Conseil du travail en temps de guerre le droit d'autoriser le versement d'une prime de vie chère si le syndicat démontre qu'il s'agit de corriger de «graves injustices». À l'opposé, le Conseil peut refuser si l'employeur parvient à démontrer son «incapacité de payer».

En même temps, Ottawa promulgue un «Règlement des relations de travail en temps de guerre» qui exige que les employeurs négocient de bonne foi des conventions collectives avec les syndicats «reconnus», c'est-à-dire avec ceux qui ont prouvé qu'ils avaient l'appui majoritaire des employés à la suite d'un vote tenu sous la surveillance du ministère du Travail. Du même coup, le décret CP 9384 prévoit de lourdes sanctions contre les grèves déclenchées avant la fin de la période obligatoire de conciliation et d'arbitrage.

Le gouvernement fédéral alterne ainsi les concessions et les réglementations plus sévères à l'égard des syndicats. Mais sa politique de contrôle des salaires est toujours contestée par de nombreux mouvements de grève.

L'affaire Price

La période de la guerre est par ailleurs marquée d'âpres luttes intersyndicales, notamment entre les unions internationales et les syndicats catholiques. C'est ce qu'illustre la grève survenue en 1943 au Saguenay et qui prendra le nom d'«affaire Price». Les membres de la CTCC débraient, pendant dix jours, pour obtenir la reconnaissance de leurs syndicats au usines de pâtes et papiers de la Price Brothers à Jonquière, Kénogami et Riverbend (Alma).

La Price a conclu, depuis 1939, des contrats d'atelier fermé avec les syndicats internationaux du papier, affiliés à l'AFL. Elle refuse de négocier avec les syndicats catholiques bien que ceux-ci aient recruté entretemps la majorité des ouvriers des trois usines. Les syndiqués de la CTCC déclenchent donc la grève, qui prend fin avec la formation d'une commission d'enquête instituée par le gouvernement du Québec. Le rapport de la commission invite le gouvernement Godbout à adopter une loi générale garantissant la liberté syndicale et, dans l'immédiat, recommande la tenue d'un vote au scrutin secret parmi les employés de la Price. Les ouvriers de la production choisissent la CTCC alors que les papetiers, ouvriers qualifiés peu nombreux dans chaque usine, adhèrent aux «internationales», au sein d'unités de négociation distinctes.

L'affaire Price permet au gouvernement du Québec de s'impliquer plus activement dans les relations de travail, un domaine jusque-là occupé par le gouvernement fédéral en vertu des pouvoirs spéciaux qu'il s'est octroyés à l'occasion de la guerre. Alors même qu'Ottawa s'apprête à promulguer un décret général sur les relations de travail dans les industries de guerre, le Parlement québécois vote hâtivement, au début de 1944, la Loi des relations ouvrières.

LA LOI DES RELATIONS OUVRIÈRES

Aboutissement des luttes du mouvement syndical pendant la période de la guerre, la Loi des relations ouvrières est adoptée à Québec le 3 février 1944. Cette pièce maîtresse de la législation du travail — souvent appelée le premier «Code du travail» québécois — fixe un cadre légal pour la reconnaissance syndicale, la négociation collective et la grève.

En même temps, le 17 février 1944, le gouvernement d'Ottawa promulgue une législation semblable dans les secteurs de juridiction fédérale, qui incluent alors les industries de guerre, soit la grande majorité des entreprises. Il s'agit du décret CP 1003 qui deviendra, après la guerre, la «Loi sur les relations industrielles et les enquêtes relatives aux différends de travail» et qui s'appliquera alors à environ 10% des travailleuses et travailleurs québécois, oeuvrant dans des entreprises sous juridiction fédérale.

La Loi des relations ouvrières, adoptée par le gouvernement Godbout, et le décret CP 1003, promulgué par le gouvernement King, reprennent, avec près de dix ans de retard, l'essentiel de la célèbre «Loi Wagner» votée aux États-Unis en 1935 lors du New Deal de Roosevelt, sous la pression du mouvement syndical américain en plein essor.

Les principales dispositions de la Loi des relations ouvrières, qui s'appliquera à 90% des salariés québécois après la guerre, sont les suivantes:

- droit pour les salariés de s'organiser librement au sein du syndicat majoritaire de leur choix, par vote secret. Le syndicat ainsi choisi devient alors le représentant exclusif de tous les employés.

- accréditation (en anglais «certification») du syndicat par un nouvel organisme gouvernemental, la Commission des relations ouvrières (CRO), qui a supervisé le vote pour le choix du syndicat.

- obligation pour l'employeur de négocier de bonne foi avec le syndicat accrédité en vue de la signature d'une convention collective.

- en cas d'échec des négociations, recours obligatoire à une procédure de conciliation et d'arbitrage, avec suspension entretemps du droit de grève et de lock-out qui ne sont légaux qu'à l'expiration de cette procédure.

- interdiction de la grève pendant la durée de la convention collective (de une à trois années) à moins que les parties n'en décident autrement. Jusque-là, la grève était légale en tout temps pendant le contrat.

- mise en place d'une procédure de règlement des griefs par voie d'arbitrage pour solutionner les différends qui peuvent survenir au sujet de l'application de la convention.

Le monopole syndical

La loi consacre un principe important, inspiré de la législation américaine: le monopole syndical. Un syndicat est accrédité par la CRO s'il fait la preuve, par vote secret, qu'il représente la majorité des employés englobés dans une unité de négociation. Il devient alors le représentant exclusif de tous les employés. Il peut toutefois exister plusieurs unités de négociation regroupant des catégories différentes de travailleurs au sein d'une même entreprise et, par conséquent, plusieurs syndicats. La liberté syndicale est garantie par le fait qu'avant l'expiration d'un contrat collectif, la loi permet aux travailleuses et travailleurs de changer d'allégeance syndicale si la majorité le désire, d'où la pratique de la concurrence intersyndicale et des maraudages.

Des restrictions

La Loi des relations ouvrières contient des restrictions importantes. La principale est qu'en cas d'impasse dans les négociations, il y a non seulement une période obligatoire de conciliation mais — contrairement au «Wagner Act» — une deuxième étape: le conseil d'arbitrage. Toute grève est interdite tant que les parties n'ont pas reçu le rapport de ce conseil composé de trois personnes représentant le syndicat, le patron et un président choisi par les parties ou, en cas de mésentente, par le ministre du Travail. Or, la loi ne prévoit aucun délai pour la formation du conseil par le ministre en cas de désaccord des parties, de sorte que le droit de grève se trouve suspendu pour une période indéfinie. Sans compter qu'un gouvernement anti-ouvrier peut nommer des présidents de conseils d'arbitrage pro-patronaux, ce qui sera fréquent.

En somme, si la Loi des relations ouvrières consacre des gains majeurs pour les syndiqués, elle a aussi pour effet d'encadrer par des règles contraignantes tout le processus des relations de travail. C'est pourquoi certains aspects de cette loi ont été contestés par les syndicats même si, dans l'ensemble, ils l'ont accueillie comme une grande conquête. Les années 1944-1945 sont d'ailleurs marquées par un progrès de la syndicalisation et de nouvelles luttes fructueuses malgré un contrôle des salaires de plus en plus rigoureux et des sanctions sévères contre les grèves dites illégales.

LA LOI SUR LES SERVICES PUBLICS

En même temps que la Loi des relations ouvrières, le gouvernement du Québec fait adopter, en février 1944, la «Loi des différends entre les services publics et leurs salariés».

À la suite d'une série de débrayages dans les services municipaux, en particulier à Montréal, la loi interdit dorénavant toute grève dans les services publics — dont la définition est très large. Les travailleurs ont le droit de se syndiquer et de négocier (sauf les fonctionnaires) mais les conflits sont soumis à l'arbitrage avec sentence exécutoire. Auparavant, seuls les personnels des hôpitaux et des établissements d'«assistance publique» étaient privés du droit de grève, en vertu d'une loi votée sous Duplessis en 1939.

La nouvelle loi touche les fonctionnaires (cols blancs et cols bleus) et tout le personnel des établissements d'enseignement, des services de santé, des municipalités et des autres corps publics ainsi que les travailleurs des transports publics (y inclus le camionnage), de l'électricité, du gaz, des communications, de même que les pompiers et les policiers.

Jusqu'aux années soixante, les travailleuses et les travailleurs des services publics seront donc assujettis au régime de l'arbitrage exécutoire, ce qui leur permettra néanmoins de réaliser certains gains grâce à des sentences arbitrales favorables à l'occasion.

LES SYNDICATS DE L'ENSEIGNEMENT

C'est à l'occasion de la Deuxième Guerre que le syndicalisme s'étend comme une traînée de poudre parmi les enseignantes et enseignants, dont les conditions de travail et de salaires sont particulièrement pénibles. Ce mouvement conduit, en 1945, à la fondation de la *Corporation des instituteurs et institutrices catholiques du Québec (CIC)*, aujourd'hui la *Centrale de l'enseignement du Québec (CEQ).*

Le système scolaire francophone est sous la mainmise de l'Église catholique et le demeurera jusqu'aux années soixante. Les religieuses et les religieux forment la moitié du personnel et resteront à l'écart du mouvement de syndicalisation. Dans un tel contexte, nul ne s'étonne que le syndicalisme enseignant s'inscrive dans le même courant confessionnel que la CTCC.

Les institutrices forment plus de 80% du personnel laïque et gagnent la moitié du salaire des instituteurs. Pour boucler leur budget annuel, elles doivent souvent faire des travaux de couture, du travail de bureau, être vendeuses de magasin ou monitrices de terrain de jeu. Elles sont obligées de démissionner lorsqu'elles se marient et ce, jusqu'aux années soixante.

Aux disparités entre les femmes et les hommes s'ajoute le retard énorme des enseignants catholiques francophones par rapport à leurs collègues protestants de langue anglaise, qui reçoivent près du double. Les écarts sont également très grands entre le personnel enseignant des régions rurales — qui comprennent les villes de moins de 10 000 personnes — et celui des grands centres urbains.

Les institutrices et les instituteurs sont regroupés dans des associations professionnelles catholiques mais les premières tentatives de syndicalisation ont échoué, à Montréal, en 1919.

Les années de la Crise

Les coupures généralisées de salaires pendant les années de la Crise suscitent des mouvements de protestation un peu partout au Québec. Par exemple, en 1933, dix des douze institutrices d'Alma ferment les portes de leurs classes, pendant dix jours, pour protester contre la retenue de leur salaire. À Montréal, les enseignantes et enseignants luttent contre une réduction de leur salaire, en 1934, mais doivent finalement accepter une coupure de 10%. En 1936, les neuf institutrices de Cap-aux-Meules, aux Îles-de-la-Madeleine, quittent leur poste pour faire pression sur les commissaires et les obliger à leur verser leur salaire.

En 1936, le Département de l'instruction publique — qui tient lieu de ministère de l'Éducation — hausse à 300 $ le salaire minimum annuel des institutrices rurales. Or, le nouveau gouvernement Duplessis, sous la pression des commissions scolaires, réduit ce salaire déjà misérable à 250 $ par année.

Les institutrices rurales

Laure Gaudreault, fondatrice, en 1936, du syndicalisme enseignant.
Archives Le Soleil.

C'est parmi les institutrices des milieux ruraux, qui forment les deux tiers du personnel enseignant laïque francophone, que le mouvement de syndicalisation s'amorce en 1936.

Le 2 novembre, trente institutrices se réunissent à la Malbaie, dans le comté de Charlevoix, à l'initiative de Laure Gaudreault, pour fonder un premier syndicat. Le mouvement s'étend rapidement au Saguenay-Lac Saint-Jean, à Québec, en Estrie et dans la région de Montréal. En juillet 1937, 300 institutrices venues de 40 comtés fondent la *Fédération catholique des institutrices rurales* dont Laure Gaudreault devient la présidente. En 1939, les instituteurs ruraux forment à leur tour une Fédération.

Tout comme ceux de la CTCC, ces syndicats ont l'appui du clergé et se donnent des structures confessionnelles basées sur la doctrine sociale de l'Église et la présence d'aumôniers. Ils s'incorporent en vertu de la Loi des syndicats professionnels de 1924, qui n'oblige toutefois pas les employeurs à négocier des contrats de travail.

Il en va de même pour les institutrices et les instituteurs des centres urbains qui se tournent eux aussi vers le syndicalisme à la fin de 1936. À Montréal, l'Alliance des professeurs cesse d'être une association de boutique; elle obtient le rétablissement des salaires coupés pendant la Crise. D'autres syndicats sont fondés à Québec, Trois-Rivières, Hull, Verdun et conduisent à la fondation, en 1942, de la *Fédération des instituteurs et institutrices des cités et villes*, sous la présidence de Léo Guindon, leader de l'Alliance.

Les premières conventions

C'est en 1940 qu'est signée la première convention collective dans l'enseignement par le syndicat des institutrices rurales de la région de Jonquière et Kénogami, au Saguenay. Le salaire minimum est porté à 400 $ par année et ce gain s'étend à d'autres commissions scolaires.

Ce n'est toutefois qu'en 1944, avec l'adoption de la nouvelle Loi des relations ouvrières, que les syndicats d'enseignantes et d'enseignants sont enfin accrédités et peuvent négocier leurs premières véritables conventions. Ils n'ont cependant pas le droit de grève et sont soumis à l'arbitrage exécutoire. Les conditions de travail et de salaires sont à un niveau tellement bas que même l'arbitrage entraîne des rattrapages importants.

La première sentence arbitrale est rendue à Hull à l'automne 1944 et sert de modèle pour le personnel enseignant des villes à l'extérieur de Montréal. Le salaire minimum des institutrices passe de 550 $ à 800 $ par année et le maximum de 1 100 $ à 1 600 $. Chez les instituteurs, le minimum est porté de 900 $ à 1 150 $ et le maximum de 1 500 $ à 2 150 $. Les augmentations statutaires sont de 100 $ par année. Le maximum de l'échelle peut être atteint après 11 ans d'ancienneté au lieu de 25. Les syndiqués obtiennent la préférence dans l'embauche.

Chez les institutrices rurales, l'arbitrage permet d'obtenir en plusieurs endroits le minimum de 600 $ par année. Partout, les institutrices et les instituteurs réclament la révision complète des échelles de traitements qui ne permettent plus de contrer la hausse du coût de la vie pendant la guerre.

L'emploi reste par ailleurs précaire. En vertu de l'article 232 du Code scolaire, l'employeur peut procéder à des congédiements annuels sans possibilité de recours pour les enseignantes et enseignants ainsi privés de leur gagne-pain.

La fondation de la CIC

En 1945, 96% du personnel enseignant laïque est syndiqué dans les commissions scolaires catholiques et francophones. C'est alors qu'est fondée la *Corporation des instituteurs et institutrices catholiques du Québec (CIC)*, aujourd'hui la CEQ. Le premier président élu est Léo Guindon, leader de l'Alliance des professeurs de Montréal, et la première vice-présidente Laure Gaudreault, dirigeante de la Fédération des institutrices rurales.

La CIC est, en fait, une confédération regroupant la Fédération des institutrices rurales (les deux tiers des effectifs), la Fédération des instituteurs ruraux et celle des institutrices et instituteurs des cités et villes. Comme la CTCC, c'est un organisme qui entend oeuvrer dans le cadre de la doctrine sociale de l'Église et du corporatisme.

La CIC se dote d'une structure ambiguë, à la fois syndicale et corporative. Bien qu'il ne s'agisse pas d'une corporation professionnelle, elle regroupe aussi des directeurs d'école et des cadres scolaires et se donne des objectifs d'éthique professionnelle et de perfectionnement de la profession. De plus, elle est officiellement créée par une loi du Parlement québécois, ce qui tisse un fort lien de dépendance entre l'État et le syndicalisme enseignant. C'est ce qui explique que la CIC restera longtemps en marge du mouvement syndical.

En 1945, on estime à quelque 10 000 le nombre de membres de la corporation. Le personnel enseignant augmente à cette époque en raison d'une hausse de la fréquentation scolaire, devenue obligatoire jusqu'à 14 ans.

1945, Congrès de fondation de la CIC.

LES SYNDICATS DANS LES HÔPITAUX

Dans un autre secteur dominé par les communautés religieuses, celui des hôpitaux, — où le personnel est privé du droit de grève depuis 1939 —, la Loi des relations ouvrières de 1944 permet d'améliorer quelque peu la situation. Les dirigeants des syndicats catholiques accueillent favorablement une législation qui favorise la reconnaissance syndicale et impose l'arbitrage obligatoire à des employeurs qui refusaient de négocier.

Les travailleuses et les travailleurs des hôpitaux de la région de Montréal sont alors régis par une ordonnance de la Commission du salaire minimum, promulguée en 1943. La semaine de travail est de 54 heures et les salaires hebdomadaires varient de 10,00 $ à 13,00 $ pour le personnel des services généraux, de 20,00 $ à 24,00 $ pour les ouvriers de métiers et de 20,00 $ à 23,00 $ pour les infirmières. Or, cette ordonnance, qui introduisait des hausses substantielles par rapport aux maigres salaires antérieurs, n'est généralement pas respectée par les autorités hospitalières qui plaident l'incapacité de payer. De plus, les employés ne peuvent bénéficier de la prime de vie chère allouée pendant la guerre dans la grande majorité des entreprises qui sont sous la juridiction du gouvernement fédéral.

Une première convention collective est signée en 1945 par l'Association des employés d'hôpitaux de Montréal affiliée à la CTCC, à la suite d'un arbitrage qui accorde un peu plus que l'ordonnance de la Commission du salaire minimum. Pour une semaine minimale de 54 heures, par exemple, les aide-infirmiers gagnent 14,00 $ (femmes) et 18,00 $ (hommes), le personnel de la buanderie 14,00 $ et 17,00 $ et les préposés au nettoyage 20,00 $ et 21,00 $. La convention prévoit aussi une semaine de vacances payées et un comité de règlement des griefs.

Ces conditions restent très en-deçà de celles des travailleuses et des travailleurs syndiqués en général. La seule façon de changer radicalement la situation, ce serait un plus grand contrôle de l'État sur ce secteur et une augmentation des fonds publics dans les services de santé, comme le revendiquent les syndicats. Il faudra attendre longtemps avant l'entrée en vigueur au Québec de l'assurance-hospitalisation (1961) et de l'assurance-maladie (1970), deux mesures sociales adoptées en 1944 en Saskatchewan sous un gouvernement social-démocrate de la CCF.

CONCLUSION

Pendant les années de la Deuxième Guerre mondiale, les syndiqués ont obtenu des gains majeurs au Québec mais les retards restent énormes, notamment dans les services publics. Les organisations syndicales se sont renforcées et comptent près de 200 000 membres, soit 20% des salariés. Les unions internationales affiliées à l'AFL et au CIO restent largement majoritaires, mais les syndicats catholiques maintiennent leurs positions, soit le quart des syndiqués, et les syndicats nationaux canadiens sont en progression.

L'élan de syndicalisation et de revendications va prendre de l'ampleur immédiatement après la guerre, en 1946-47. En deux ans, le taux de syndicalisation passera de 20 à 25% de la main-d'oeuvre et l'on verra une vague de grèves victorieuses liées à la croissance économique de l'après-guerre.

5. L'ACTION POLITIQUE OUVRIÈRE

L'action politique ouvrière indépendante se développe au Québec et au Canada durant la Grande Crise des années trente et surtout à l'occasion de la Deuxième Guerre mondiale. Pendant que les syndicats exercent des pressions de plus en plus fortes auprès des pouvoirs publics pour obtenir des législations favorables à la classe ouvrière, plusieurs militantes et militants syndicaux s'impliquent activement dans des organisations politiques de gauche.

Le courant social-démocrate et travailliste est représenté par la Cooperative Commonwealth Federation (CCF), fondée en 1932, qui prend en quelque sorte la relève du Parti Ouvrier. La CCF, qui défend une forme de socialisme démocratique, est l'ancêtre du Nouveau Parti Démocratique (NPD).

Le courant socialiste révolutionnaire est représenté par le *Parti Communiste (PC)*, d'inspiration marxiste, fondé en 1921.

L'ACTION POLITIQUE DES SYNDICATS

Tout en réclamant des législations favorables à la classe ouvrière, les organisations syndicales ne remettent pas en cause, de façon générale, les fondements du système capitaliste. Une tendance anticapitaliste, voire socialiste, se développe néanmoins au sein du mouvement syndical.

Le CMTC

La principale centrale syndicale, le Congrès des métiers et du travail du Canada (CMTC), de même que son aile québécoise, la Fédération provinciale du travail du Québec (FPTQ), s'inspirent surtout de la tradition de l'American Federation of Labor (AFL) en matière d'action politique. Selon la doctrine mise au point par Samuel Gompers (le «gompérisme»), il s'agit de travailler à faire battre des «ennemis» particuliers des syndicats et d'appuyer des «amis», quel que soit leur parti, pourvu qu'ils s'engagent à défendre certaines revendications syndicales. Il n'est plus question de bâtir ou d'appuyer un parti ouvrier comme on le faisait au début du siècle. C'est ainsi qu'à son congrès de 1943, le CMTC rejette formellement tout appui à un parti ouvrier, quel qu'il soit.

Cette position est aussi le résultat des luttes de tendances, à l'intérieur du mouvement, entre les partisans du Parti Libéral, de la CCF et du Parti Communiste. La direction de la centrale est plutôt proche de l'aile dite réformiste du Parti Libéral, alors qu'une forte minorité est sympathique à la CCF ou au PC.

En 1945, exceptionnellement, la direction du CMTC donne son appui à la réélection du gouvernement libéral de Mackenzie King à Ottawa, à la suite des réformes qu'il a réalisées durant la guerre. Au Québec, la direction de la FPTQ est encore plus proche du Parti Libéral. Ainsi, le premier président de la Fédération, Raoul Trépanier, est candidat libéral-ouvrier lors d'une élection partielle en 1937 et fait campagne contre le régime Duplessis. L'un des leaders du Conseil des métiers et du travail de Montréal, Claude Jodoin — futur président du CMTC — est élu député libéral du comté ouvrier de Saint-Jacques, à Montréal, lors d'une élection partielle en 1942. Il est battu en 1944 lors du retour au pouvoir de l'Union Nationale.

Les militantes et militants de la CCF et du PC sont également très actifs au sein du mouvement. En 1942, un militant du Parti Communiste, Pat Sullivan, leader du Syndicat canadien des marins, est élu vice-président du CMTC.

La centrale réclame diverses législations progressistes comme le vote des femmes, l'instruction obligatoire et gratuite, la nationalisation de l'électricité et d'autres services publics. Pendant la guerre d'Espagne, elle soutient les Républicains contre Franco. Tout en étant anticommuniste, elle dénonce la «Loi du cadenas» de Duplessis.

Le CCT

Le Congrès canadien du travail (CCT), fondé en 1940 par les syndicats du CIO et des syndicats nationaux canadiens, renoue avec la tradition travailliste de l'appui à un parti ouvrier, abandonnée par le CMTC. À son congrès de 1943, à Montréal, la centrale donne officiellement son appui à la CCF. Elle reconnaît le parti comme «le bras politique des syndicats» et forme des comités d'action politique pour le soutenir. Plusieurs syndicats s'affilient à la CCF, notamment chez les Métallos unis d'Amérique et la Fraternité des employés de chemins de fer et des transports.

Au Québec, où le parti a du mal à percer, le président de l'aile québécoise de la CCF pendant la guerre est le leader du Syndicat des Métallos, Romuald Lamoureux. En 1944, lors des élections provinciales, un syndicaliste du Congrès canadien du travail, David Côté, est élu député CCF dans le comté ouvrier de Rouyn-Noranda, en Abitibi. Côté est l'organisateur de l'Union internationale des travailleurs des mines et fonderies («Mine-Mill»), qui vient d'implanter un syndicat durable chez les mineurs du Nord-Ouest québécois.

Le Congrès canadien du travail défend des positions progressistes qui sont celles de la CCF (voir page 161).

La CTCC

Les syndicats catholiques, regroupés dans la CTCC, sont opposés à toute action politique partisane. Leur position est ainsi résumée par le président de la centrale, Alfred Charpentier: «Le but essentiel du syndicat, dit-il, est de négocier un contrat de travail. C'est exclusivement des intérêts économiques, sociaux et moraux de ses membres qu'il doit s'occuper. Il doit respecter les frontières du syndicalisme et de la politique et laisser ses membres prendre position, individuellement, sur le plan politique».

Manifestation de la CTCC, vers 1946.

Devant l'antisyndicalisme du régime Duplessis, Charpentier déclare néanmoins au congrès de 1937: «Le gouvernement se livre à un ensemble d'agissements dignes du pire attentat politique contre la vie même du syndicalisme ouvrier».

Soutenue par le clergé et la petite bourgeoisie francophone, la CTCC s'identifie au nationalisme canadien-français et à une certaine forme de corporatisme. Ses dirigeants sont proches de l'Action libérale nationale de Paul Gouin — qui fait une brève alliance avec Duplessis — puis du Bloc populaire qui lutte contre la Conscription. L'organisateur en chef du Bloc est Philippe Girard, ex-président du Conseil central des syndicats catholiques de Montréal. Le parti fait élire un député à Magog avec l'appui des syndiqués de la CTCC et effectue une percée dans les milieux ouvriers.

Par ailleurs, la CTCC est farouchement antisocialiste et anticommuniste. Elle appuie les initiatives du régime Duplessis à cet égard comme la «Loi du cadenas». Elle réclame la mise hors-la-loi du Parti communiste et condamne formellement le socialisme de la CCF.

LA CCF SOCIAL-DÉMOCRATE

La principale organisation politique ouvrière au Canada durant la période 1930-1945 est la *Cooperative Commonwealth Federation (CCF)*, qui représente le courant social-démocrate et travailliste.

La CCF est fondée pendant la Crise, en 1932, à Calgary en Alberta. C'est une «fédération» composée de partis ouvriers des provinces de l'Ouest canadien, de partis des Fermiers Unis, de certains syndicats et de groupes progressistes comme la Ligue pour la reconstruction sociale où militent quelques intellectuels anglophones de Montréal. Le leader du parti, le pasteur méthodiste James Woodsworth, est député ouvrier du Manitoba au Parlement fédéral depuis 1921; il a été l'un des chefs de file de la grève générale de Winnipeg en 1919.

Le «Manifeste de Régina»

En 1933, lors de son premier congrès canadien à Régina, la CCF adopte son programme historique connu sous le nom du «Manifeste de Régina». Le parti réclame «un nouvel ordre social qui abolira les relations fondées sur la domination d'une classe et l'exploitation d'une autre». Condamnant le capitalisme, la CCF s'engage à lui substituer «une économie planifiée et socialisée dans laquelle les ressources naturelles et les principaux moyens de production et de distribution seront possédés, contrôlés et dirigés par le peuple».

Dans son programme législatif, le parti propose la nationalisation de tous les services publics et diverses mesures sociales comme un Code canadien du travail et l'assurance-chômage — que le gouvernement libéral de Mackenzie King met finalement en oeuvre durant la guerre —, l'assurance contre la maladie et la vieillesse ainsi que la participation ouvrière à la direction des entreprises.

Lors des élections fédérales de 1935, la CCF remporte ses sept premiers sièges dans l'Ouest canadien. Dix ans plus tard, en 1945, elle est en pleine expansion avec 16% des voix et 28 députés à Ottawa. Le parti vient près de former le gouvernement en Ontario où il récolte 34 sièges en 1943. L'année suivante, la CCF prend le pouvoir en Saskatchewan, pour 20 ans, sous la direction de Tommy Douglas, formant ainsi le premier gouvernement social-démocrate en Amérique du Nord.

La CCF au Québec

Parti anglophone fondé dans l'Ouest canadien, la CCF ne parvient pas vraiment à s'enraciner au Québec et parmi les travailleurs francophones. Ce n'est d'ailleurs qu'en 1955 qu'elle se donnera un nom francophone, le *Parti social-démocratique (PSD)*.

D'une part, en proposant une plus grande centralisation des pouvoirs aux mains du gouvernement fédéral, la CCF se heurte au nationalisme canadien-français dont elle évalue mal l'importance. D'autre part, même si elle préconise une forme de «socialisme démocratique», elle est vivement combattue par le clergé, la petite bourgeoisie nationaliste et les syndicats catholiques, qui n'hésitent pas à confondre sociaux-démocrates et communistes. Ce n'est qu'en 1943, dix ans après la fondation du parti, que l'épiscopat québécois publie une déclaration admettant que les catholiques peuvent voter pour la CCF.

Les premiers leaders du parti au Québec sont des intellectuels anglophones de Montréal comme les professeurs Frank Scott et Eugène Forsey, de l'Université McGill, et l'avocat syndical David Lewis. La CCF recrute peu à peu des militantes et militants syndicaux, surtout anglophones, grâce à l'affiliation du Parti Ouvrier de Montréal qui se maintient jusqu'en 1938 et dont le dernier secrétaire est le typographe Kalman Kaplansky. La CCF recrute aussi un noyau de militants francophones.

Pendant la guerre, la CCF appuie la tendance dominante au Canada anglais en faveur d'une participation active au conflit, en dépit du pacifisme de son vieux chef Woodsworth. Elle va ainsi à contre-courant du nationalisme canadien-français. Malgré tout, comme ailleurs au Canada, le parti est en progression au Québec, à cause notamment de l'appui des militantes et militants syndicaux du Congrès canadien du travail.

Sous la direction de son premier leader francophone, Romuald Lamoureux, du Syndicat des Métallos, l'aile québécoise de la CCF recueille plus de 35 000 voix lors des élections provinciales de 1944. Le parti fait même élire le seul député de toute son histoire au Québec, le syndicaliste David Côté, dans le comté de Rouyn-Noranda.

LE PARTI COMMUNISTE

Fondé en 1921, le Parti Communiste (PC) s'implante plus solidement au Québec dans les années trente et surtout durant la Deuxième Guerre, essentiellement dans la région de Montréal, malgré une répression très forte. En 1945, le parti compte environ 2 500 membres québécois dont 500 francophones, ce qui est important pour l'époque, compte tenu du climat d'anti-communisme régnant. Au Canada, le PC déclare alors près de 25 000 membres.

Dans l'illégalité

Aux débuts de la Crise, en août 1931, le PC est déclaré illégal au Canada soi-disant pour avoir prôné le renversement du régime par la violence (article 98 du Code criminel). Ses principaux leaders sont emprisonnés, dont le secrétaire général Tim Buck de Toronto. La Ligue de défense ouvrière, fondée par des militants du parti, assure la défense judiciaire et le soutien des nombreux membres arrêtés et incarcérés. Le parti doit agir dans la clandestinité.

Malgré la répression, les communistes sont actifs pendant la Crise. Ils organisent un mouvement d'appui aux sans-travail, créent des clubs de chômeuses et chômeurs et une association pour les regrouper. Ils sont aussi présents parmi les sans-emploi envoyés dans les camps de travail organisés par le ministère de la Défense nationale. À l'été 1935, des militantes et militants du PC organisent la célèbre Marche sur Ottawa («On to Ottawa Trek») partie des camps de l'Ouest canadien et qui prend fin par une répression policière sauvage à Régina, le 1er juillet.

Par ailleurs, le parti dirige une organisation syndicale, la Ligue d'unité ouvrière, qui est influente à Montréal parmi les travailleuses et travailleurs du vêtement où elle dirige une grève en 1934. La même année, la Ligue soutient la première grève des mineurs de la Noranda en Abitibi. Le PC fonde également à Montréal la Solidarité féminine et anime la Ligue des jeunesses communistes. Le parti publie un journal en langue française, «la Vie ouvrière», qui prend par la suite le nom de «Clarté».

«Front populaire»

En 1935, le parti redevient légal grâce à l'abrogation de l'article 98 du Code criminel, qui fait suite aux pressions du mouvement ouvrier auprès du nouveau gouvernement King à Ottawa. Suivant en cela la nouvelle stratégie de l'Internationale communiste, le PC tente un rapprochement difficile avec les sociaux-démocrates de la CCF, qu'il dénonçait auparavant, dans le cadre d'une politique de «front populaire». En 1937, à l'occasion de la fête du Premier Mai, 4 000 personnes participent à un meeting commun du PC et de la CCF à Montréal.

Le PC anime une Ligue antifasciste et des groupes de soutien aux Républicains pendant la guerre civile en Espagne. Il contribue à organiser au Québec le célèbre bataillon Mackenzie-Papineau qui fera partie des Brigades internationales. Ce bataillon de volontaires est ainsi nommé en l'honneur des leaders de la Rébellion des Patriotes de 1837-38, Louis-Joseph Papineau et William-Lyon Mackenzie. L'un des membres du PC qui s'illustre en Espagne, le médecin montréalais Norman Bethune, ira aussi servir au front en Chine, aux côtés des communistes de Mao Tsé-Toung.

La répression frappe à nouveau les communistes québécois à la suite de la «Loi du cadenas» promulguée par le régime Duplessis (1937). Cette loi interdit toute propagande «communiste» ou «bolchévique» sous peine d'emprisonnement; elle permet de cadenasser les locaux où la police soupçonne des activités «communistes». En fait, elle touche l'ensemble du mouvement ouvrier (voir page 143).

Norman Bethune au travail dans le nord de la Chine.
Collection Hazen Sise, in Docteur Bethune, éditions L'étincelle.

Le PC et la guerre

En 1940, en vertu de la Loi des mesures de guerre, le parti est de nouveau déclaré illégal et forcé à l'action clandestine. Les communistes, opposés à la guerre et à la conscription, tentent un rapprochement avec les nationalistes anticonscriptionnistes au Québec.

En juin 1941, après l'attaque de Hitler contre l'URSS, la stratégie internationale des communistes change complètement: ils décident d'appuyer à fond l'effort de guerre. Bien qu'encore officiellement interdit, le PC soutient la politique de Mackenzie King et la «coalition des forces antifascistes». Cette stratégie permet au parti de reprendre légalement ses activités, en 1943, sous le nom de *Parti ouvrier progressiste (POP).*

Dans les syndicats, l'influence des communistes progresse au Québec au sein des unions internationales affiliées à l'AFL et au CIO (machinistes, ouvriers de l'électricité, du textile et du vêtement, du cuir et de la fourrure, du tabac, etc.), ainsi qu'au sein de syndicats canadiens comme celui des marins. Les militantes et militants du PC s'opposent aux grèves spontanées qui pourraient nuire à l'effort de guerre.

Le Parti Communiste remporte son premier succès électoral au Québec, le 9 août 1943, lors d'une élection fédérale partielle dans le comté ouvrier et cosmopolite de Montréal-Cartier. Le PC fait élire son leader québécois, Fred Rose, électricien de son métier, qui devient le premier député communiste à siéger au Parlement du Canada. Rose, qui l'a emporté par une marge d'environ 300 voix, est réélu avec une bonne majorité lors des élections générales de 1945. Le Parti communiste apparaît alors en pleine montée au Québec.

La direction du Parti Communiste en 1942. Première rangée: de gauche à droite: Henri Gagnon, organisateur au Québec; Fred Rose, qui sera élu député à Montréal en 1943; Tim Buck, secrétaire général; Emery Samuel, leader de la section canadienne-française et Sam Lipschitz. Deuxième rangée: Gus Sundqvist, William Kashtan, Évariste Dubé, co-président canadien du PC, Jim Litterick, Sam Carr, Willie Fortin, Stewart Smith et Stanley-Bréhaut Ryerson, secrétaire du parti au Québec.

CHAPITRE 4

Les années 1945-1960

1. L'ÉCONOMIE

Les années de l'après-guerre et la première moitié des années cinquante sont marquées, au Québec et en Amérique du Nord, par une phase d'expansion du système capitaliste qui se manifeste par une croissance économique exceptionnelle et un taux d'emploi élevé.

L'industrie nord-américaine profite de débouchés massifs pour ses produits, notamment dans le cadre du plan d'assistance pour la reconstruction de l'Europe (le «Plan Marshall»), initié par les États-Unis. La croissance se poursuit à l'occasion de la guerre de Corée, au début des années cinquante, et dure jusqu'en 1957. C'est alors que débute une sévère récession qui se prolonge jusqu'au commencement des années soixante. Le taux de chômage monte en flèche et atteint 10% au Québec en 1960.

La crise est durement ressentie dans les villes québécoises qui dépendent des industries légères comme le textile, le vêtement, la chaussure et le meuble, soumises à une vive concurrence étrangère. En fait, la structure industrielle du Québec est vieillie et les industries lourdes se concentrent de plus en plus en Ontario. Montréal perd peu à peu son rôle de métropole du Canada au profit de Toronto.

La domination américaine

La principale caractéristique de toute la période est la domination de plus en plus forte du capital américain sur l'économie du Québec et du Canada, domination qui atteint un taux inégalé dans le monde entier.

L'après-guerre marque le début d'une nouvelle vague d'investissements étrangers qui revêt une ampleur prodigieuse. De 1950 à 1960, ces investissements, dont la quasi-totalité sont d'origine américaine, augmentent de plus de 250%. Plus de la moitié des capitaux investis dans l'industrie manufacturière et les deux tiers dans les mines sont étrangers. En 1953, 60% de tous ces investissements sont contrôlés par 25 grandes compagnies, qu'on commence à appeler des multinationales. L'emprise américaine découle non seulement de la puissance de ces grandes firmes ou monopoles, mais aussi de la situation dominante des États-Unis dans le système impérialiste mondial.

Le cas du fer

Au Québec, les multinationales américaines bénéficient de conditions d'implantation extraordinairement avantageuses sous le gouvernement de Maurice Duplessis. Le cas des mines de fer est exemplaire à cet égard.

L'exploitation du minerai de fer de la Côte-Nord, au début des années cinquante, coïncide avec la publication aux États-Unis du fameux rapport Paley qui conclut à une pénurie, à plus ou moins long terme, des principales matières premières. Les grandes sidérurgies américaines décident de s'approvisionner au Québec et le gouvernement Duplessis leur concède pour une bouchée de pain l'exploitation du minerai, en signant un bail de 20 ans avec la puissante compagnie Iron Ore. Le Québec devient le principal producteur de fer du Canada, mais il ne possède pour ainsi dire pas d'industrie sidérurgique.

C'est notamment en vue d'acheminer le minerai de fer jusqu'aux usines sidérurgiques américaines qu'est ouverte, en 1959, la Voie Maritime du Saint-Laurent, une voie d'eau profonde entre le port de Montréal et le lac Érié. Cette réalisation conjointe Canada-USA sert d'abord les intérêts américains et ontariens.

Aux côtés du capital américain, la bourgeoisie anglo-canadienne conserve une position dominante dans l'économie québécoise. On assiste également à l'émergence d'une nouvelle bourgeoisie canadienne-française dans l'industrie (Simard, Bombardier, etc.) mais surtout dans le commerce, les banques et la finance, l'immobilier et les services. En 1960, on estime que les Québécois francophones contrôlent moins de 20% de leur économie, au total, et deux seuls secteurs industriels: les scieries et la chaussure.

Un Québec largement urbain

En 1960, le Québec compte plus de 5 millions d'habitants dont près de 80% résident dans les villes. L'abandon graduel des terres s'est poursuivi dans les régions éloignées en dépit d'un système protectionniste de subventions.

L'immigration connaît un essor inégalé. En 1960, on estime à 10% la proportion des allophones au Québec, c'est-à-dire des Québécoises et Québécois dont la langue maternelle n'est ni le français ni l'anglais. Les immigrantes et immigrants se concentrent toujours à Montréal qui reste le pôle de croissance économique du Québec.

2. LA SCÈNE POLITIQUE

Sur la scène internationale, les années 1945-1960 sont marquées par la montée de ce qu'on appelle la «guerre froide» qui oppose le bloc capitaliste, sous le leadership des États-Unis, et le bloc communiste, regroupé autour de l'Union soviétique.

Le Canada et le Québec s'engagent dans la lutte contre le communisme aux côtés des États-Unis. Ainsi, en 1949, le Canada participe à la fondation de l'Organisation du traité de l'Atlantique du Nord (OTAN), une alliance militaire anticommuniste.

Le «maccarthysme»

La lutte contre le communisme se transforme rapidement en «chasse aux sorcières» contre la plupart des éléments identifiés aux mouvements de gauche ou simplement progressistes. Le Canada et le Québec sont fortement influencés par la véritable hystérie anti-«rouge» qui sévit aux États-Unis: le «maccarthysme». Joseph McCarthy, sénateur républicain du Wisconsin, est parti en guerre contre les syndicats, de nombreuses personnalités politiques et des intellectuels progressistes soupçonnés de sympathies communistes ou socialistes. On assiste à une vague d'expulsions ou de refus de visas d'entrée qui touchent des personnalités aussi connues que Charlie Chaplin! C'est l'époque où les époux Rosenberg sont envoyés à la chaise électrique soi-disant pour espionnage au profit de l'URSS.

Au Canada, la vague d'anticommunisme se manifeste notamment par l'emprisonnement du seul député du Parti Communiste au Parlement fédéral, Fred Rose, ainsi que par une répression plus forte contre les mouvements de gauche.

La «Grande Noirceur»

À Ottawa, le pouvoir est aux mains du Parti Libéral dirigé par Mackenzie King puis, à compter de 1948, par Louis Saint-Laurent, jusqu'à la victoire du Parti Conservateur de John Diefenbaker au moment de la récession économique en 1957. Les Québécoises et Québécois continuent de voter massivement pour les libéraux fédéraux, sauf lors de la vague conservatrice de 1958.

À Québec, en revanche, on assiste à un long règne de 16 ans (1944-1960) de l'Union nationale dominée par la personnalité autoritaire du premier ministre Maurice Duplessis. C'est ce qu'on a appelé l'époque de la «Grande Noirceur». Le régime Duplessis est à la fois autonomiste dans ses rapports avec Ottawa — comme en témoigne la création de l'impôt provincial sur le revenu en 1954 — et profondément conservateur sur le plan social — ce qui se traduit, entre autres, par un antisyndicalisme virulent.

Lors des élections de 1948, l'Union nationale rafle 90% des sièges. L'opposition libérale semble impuissante, d'autant plus qu'elle est liée aux libéraux fédéraux qui s'opposent aux revendications autonomistes de Duplessis. Les unionistes sont réélus en 1952 et 1956 avec de fortes majorités.

L'opposition à Duplessis

Dans les années cinquante, l'opposition la plus tenace à Duplessis se retrouve au sein des syndicats. Elle englobe aussi de petits groupes d'intellectuels réformistes, parfois proches du Parti Social-Démocratique (CCF) comme le professeur Pierre Elliott Trudeau et le journaliste Gérard Pelletier qui fondent la revue «Cité Libre» en 1950. L'opposition rallie peu à peu une fraction plus progressiste du clergé, ainsi qu'en témoigne la dénonciation sévère du régime par les abbés Gérard Dion — proche des syndicats catholiques — et Louis

O'Neill dans un document-choc, intitulé «L'immoralité politique au Québec», qui fustige la corruption de l'Union nationale. Un autre ecclésiastique, le dominicain Georges-Henri Lévesque, anime un foyer d'opposition à la Faculté des sciences sociales de l'Université Laval.

Pourtant, toutes les tentatives d'alliance politique entre les différents courants opposés à Duplessis échouent. C'est le cas notamment du Rassemblement, mouvement mis sur pied à la fin de 1956 pour rassembler la «gauche démocratique».

Le retour des libéraux

Finalement, le déclin du duplessisme va surtout profiter au vieux Parti Libéral qui se donne un programme réformiste et un nouveau chef, l'ex-ministre fédéral Jean Lesage.

Après la mort de Duplessis, en septembre 1959, l'Union nationale se remet mal de la perte du «Chef». Son successeur, Paul Sauvé, qui tente une politique d'ouverture, meurt à son tour après ses «Cent jours» de réformes. Lors des élections du 22 juin 1960, les libéraux accèdent au pouvoir.

3. *LA CONDITION OUVRIÈRE*

De l'après-guerre jusqu'aux années soixante, les conditions de vie et de travail vont généralement s'améliorer de façon sensible au Québec à l'occasion d'une longue période de croissance économique et, aussi, grâce aux luttes du mouvement ouvrier.

La classe ouvrière

Le portrait de la main-d'oeuvre change profondément. Les travailleuses et travailleurs du secteur tertiaire (bureaux, commerce, transports et services en général) sont désormais largement en tête, passant d'un peu plus de 40% des salariés à la fin de la guerre à près de 60% en 1960.

Pendant ce temps, la main-d'oeuvre du secteur secondaire (manufactures et construction) se maintient autour de 30%. Près de la moitié des ouvrières et ouvriers d'usines travaillent dans les industries légères comme le textile et le vêtement, la chaussure, le meuble, le tabac, etc.

La main-d'oeuvre du secteur primaire (surtout dans l'agriculture) baisse de 25% à 10%.

Les travailleuses

Après un certain reflux des femmes du marché du travail après la guerre, la proportion des travailleuses augmente progressivement, passant à près de 30% de la main-d'oeuvre. Les femmes sont de plus en plus nombreuses dans les secteurs en expansion comme les bureaux, le commerce et les services. Une travailleuse sur quatre est mariée.

Le salaire moyen des femmes équivaut toujours à la moitié de celui des hommes. Une loi d'Ottawa sur l'égalité des salaires, promulguée en 1956, ne touche que les employées de juridiction fédérale et on ne peut pas dire qu'elle soit vraiment appliquée.

LES CONDITIONS DE VIE

Malgré une inflation très forte après la guerre — qui atteint un sommet de 12% en 1948 — le niveau de vie des travailleuses et travailleurs augmente rapidement, surtout grâce à l'action des syndicats. Le pouvoir d'achat plus grand favorise la consommation de masse sur le modèle américain. Les appareils électro-ménagers, les voitures, la télévision (à partir de 1952) et les maisons unifamiliales se répandent. Le crédit à la consommation se développe, entraînant avec lui des problèmes d'endettement pour les familles ouvrières.

Phénomène révélateur de ces années de croissance: le «baby boom» d'après-guerre, l'explosion des naissances, qui se prolonge jusque dans les années cinquante. Les familles ouvrières restent donc des familles nombreuses.

À Montréal et dans les grandes villes, la crise du logement, commencée durant la guerre, se résorbe peu à peu avec la construction accélérée de nouvelles habitations. Le gouvernement fédéral s'implique dans ce secteur en créant, en 1945, la Société centrale d'hypothèques et de logement (SCHL).

En dépit de cette relative prospérité, le Québec accumule des retards qui deviendront graves en matière d'éducation — malgré l'expansion du réseau des écoles techniques — et de services de santé et de sécurité sociale. Et à côté d'une plus grande abondance subsistent de vastes zones de pauvreté, en particulier à Montréal. Malgré la hausse du niveau de vie moyen, l'écart relatif reste constant entre les plus riches et les plus pauvres. De plus, par suite de la sévère récession qui débute en 1957, la croissance réelle des revenus est stoppée, à toutes fins utiles, pendant quatre ans.

LES CONDITIONS DE TRAVAIL

Au cours des années 1945-1960, les travailleuses et travailleurs, en particulier celles et ceux qui sont syndiqués, vont réaliser des gains considérables en matière de conditions de travail et de salaire, sur la lancée des améliorations déjà obtenues à l'occasion de la Deuxième Guerre.

La semaine de travail

Dès après la guerre, le mouvement syndical lance une grande campagne pour l'obtention de la semaine de cinq jours et de 40 heures, déjà acquise depuis quelques années par certains groupes de syndiqués. Il s'agit là de la semaine normale de travail au-delà de laquelle l'employeur doit payer des heures supplémentaires à taux et demi.

La généralisation des «40 heures» se réalise dans les années cinquante à la suite de la grève la plus importante (numériquement) survenue jusqu'alors dans l'histoire du mouvement ouvrier au Québec et au Canada, celle des 130 000 travailleurs non-itinérants des chemins de fer, à l'été 1950. Les grévistes obtiennent la réduction de leur semaine de travail de 48 à 44 puis à 40 heures.

En 1959, les heures normalement travaillées par les employés à plein temps au Québec sont les suivantes: 39,4 heures dans les services; 39,6 dans la construction; 40,7 dans les manufactures et 41,5 dans les mines. Pour les travailleuses et travailleurs payés au salaire minimum, la semaine de travail est généralement de 48 heures.

Les vacances payées passent en moyenne à deux semaines après 3 à 5 ans de service et plusieurs groupes de syndiqués obtiennent trois semaines de vacances. Les congés payés sont également plus nombreux.

Les salaires

À la fin de 1946, le gouvernement fédéral met un terme à son programme de contrôle des salaires et des prix. En dix ans, le salaire industriel moyen va doubler. Pour toute la période qui va de 1946 à 1960, au Québec, ce salaire passe d'environ 30 $ à plus de 70 $ par semaine.

Le salaire industriel québécois demeure toutefois inférieur à la moyenne canadienne et surtout ontarienne (de près de 10% en ce cas). À l'intérieur même du Québec, les disparités persistent entre travailleurs francophones et anglophones ainsi qu'entre les femmes et les hommes.

Les écarts sont également marqués entre les travailleurs qualifiés et non qualifiés. En 1950, les métallos syndiqués obtiennent le salaire de base de 1,05 $ l'heure dans la sidérurgie à Montréal, alors que les ouvriers de l'imprimerie gagnent 1,50 $. En 1960, alors que le salaire horaire moyen dans l'industrie manufacturière est d'environ 1,80 $, il n'est que de 1,36 $ dans le textile et de 1,33 $ dans le meuble. Dans la construction, le salaire moyen monte de 1 $ à 2 $ environ entre 1950 et 1960. Quant au salaire minimum, il n'est que de 60 cents l'heure en 1960.

Par ailleurs, après l'expérience des primes («boni») de vie chère pendant la guerre, les syndicats négocient des clauses d'indexation des salaires à la hausse du coût de la vie.

Si l'on tient compte de l'ensemble des Québécois et non seulement des travailleurs salariés, le revenu personnel disponible double de 1945 à 1960, passant d'environ 650 $ à plus de 1 300 $ par année. En Ontario, ce revenu est de 25% plus élevé. Au Québec même, les francophones ont des revenus inférieurs de 35% en moyenne à ceux des anglophones.

Autres protections

Pour augmenter leurs possibilités d'épargne, les syndiqués fondent durant cette période des caisses d'économie qui leur permettent de mettre un peu d'argent de côté par une retenue à la source sur leur chèque de paie.

À la fin des années cinquante, une bonne majorité des syndiqués bénéficient de protections sociales gagnées lors des négociations collectives: caisse de retraite (fonds de pension), assurance-salaire, assurance-vie, régimes de protection contre la maladie.

Les clauses d'ancienneté («séniorité») se généralisent dans les conventions, améliorant la sécurité d'emploi des travailleuses et travailleurs plus âgés. Les syndicats commencent également à négocier des clauses de protection contre les changements technologiques, en une période où l'automation s'implante rapidement.

À la suite de la convention collective signée en 1955 dans l'industrie américaine de l'automobile, certains syndicats négocient des régimes de sécurité du revenu en cas de mises à pied, sous la forme d'un supplément aux prestations d'assurance-chômage.

4. LE MOUVEMENT SYNDICAL

Ayant conquis à l'occasion de la Deuxième Guerre des lois qui favorisent la reconnaissance du droit d'association et de négociation, les syndicats vont connaître une expansion considérable dans les années 1945 à 1960.

Le nombre des syndiqués au Québec passe de quelque 200 000 à 375 000, soit de 20 à 30% des salariés. En deux ans, de 1945 à 1947, le taux de syndicalisation passe de 20% à 25%. Le mouvement est favorisé non seulement par la nouvelle Loi des relations ouvrières (1944) mais par une croissance économique exceptionnelle dont les travailleuses et les travailleurs veulent profiter en s'organisant. Les luttes sont nombreuses et on assiste à une véritable explosion de grèves au Québec en 1946 et 1947.

La formule Rand

L'expansion du mouvement syndical est également favorisée par un acquis majeur, la «formule Rand», qui assure aux syndicats une base financière plus stable. Cette formule (du nom du juge Ivan Rand) est une forme de sécurité syndicale qui se répand après la guerre par suite d'une grève historique, celle des 11 000 membres du Syndicat international des travailleurs unis de l'automobile (CIO) qui paralyse les usines Ford à Windsor en Ontario, pendant 99 jours, à la fin de 1945. Dans un rapport d'arbitrage qui fait suite à cette grève, le juge Rand rend en 1946 une décision qui servira de précédent: il oblige la compagnie Ford à percevoir à la source les cotisations de tous les salariés et à les remettre au syndicat, même si les employés restent libres d'adhérer à celui-ci.

La formule Rand impose la cotisation à la source parce qu'il est «absolument équitable», selon le juge Rand, que chacun des salariés paie pour les gains obtenus par le syndicat et pour les services qu'il rend dans l'application de la convention. Par ailleurs, le juge rejette l'atelier syndical fermé qui rend obligatoire l'appartenance au syndicat pour travailler.

Auparavant, le système le plus répandu était la déduction dite volontaire et révocable des cotisations, c'est-à-dire la perception par l'employeur uniquement à la demande formelle des salariés. Dans les années qui vont suivre, la formule Rand sera négociée dans la plupart des grandes industries, malgré la résistance farouche de quelques gros employeurs qui ne l'accorderont que beaucoup plus tard. (Elle deviendra obligatoire après la réforme du Code du Travail au Québec en 1977.)

LES ORGANISATIONS SYNDICALES

De 1945 à 1960, les unions internationales continuent de représenter la majorité des syndiqués au Québec, mais les syndicats nationaux canadiens sont en expansion. Quant aux syndicats catholiques, ils représentent toujours le quart des syndiqués.

La FPTQ (CMTC)

La majorité des syndicats internationaux, affiliés à l'AFL, sont regroupés au sein du *Congrès des métiers et du travail du Canada* (CMTC) dont l'aile québécoise est la *Fédération provinciale du travail du Québec* (FPTQ). On y retrouve des syndicats très différents, certains plus conservateurs comme les syndicats de métiers du bâtiment et ceux du vêtement, d'autres plus progressistes comme les syndicats industriels des machinistes, du textile et du tabac.

La plupart des membres sont rassemblés dans le *Conseil des métiers et du travail de Montréal* dont le président est Claude Jodoin, directeur de l'Union internationale du vêtement pour dames, et qui apparaît comme le principal porte-parole des unions de l'AFL. Jodoin est élu président du CMTC en 1954.

Quant à la FPTQ, elle commence à s'affirmer au début des années cinquante après l'élection à la présidence de Roger Provost, permanent de l'Union des chapeliers, qui succède à Marcel Francq, petit-fils de Gustave Francq et permanent de l'Union des employés de bureau. En 1952, Provost devient directeur des Ouvriers unis du textile d'Amérique à l'occasion d'une «purge» dirigée contre les communistes au sein de ce syndicat.

Les syndicats de l'AFL, généralement modérés sur le plan social, voire conservateurs, mènent des luttes économiques très dures, notamment dans la construction, le textile, le tabac, les pâtes et papiers et chez les machinistes.

La FUIQ (CCT)

Romuald Lamoureux, président de la Fédération des unions industrielles du Québec en compagnie de Roger Provost, premier président de la FTQ (1957-1964).

Les syndicats internationaux affiliés au CIO sont regroupés au sein du *Congrès canadien du travail* (CCT), fondé en 1940 en association avec des syndicats nationaux canadiens. En 1952, les syndicats du CCT se donnent une organisation québécoise, la *Fédération des unions industrielles du Québec* (FUIQ), dont l'orientation est social-démocrate.

Les principaux syndicats affiliés sont la Fraternité canadienne des employés de chemins de fer et des transports ainsi que les grands syndicats industriels comme les Métallos unis d'Amérique, les travailleurs des salaisons, de l'auto, du caoutchouc, des brasseries, du bois, de la chimie, des raffineries de pétrole. Les Ouvriers unis de l'électricité, dirigés par des militants communistes, sont exclus en 1950. Les Métallos lancent de grandes campagnes d'organisation qui leur permettent, entre autres, de syndiquer les travailleurs du fer de la Côte-Nord et les mineurs de l'Abitibi — en ce cas aux dépens d'un syndicat communiste, les «Mine-Mill». Le président de la FUIQ, Romuald Lamoureux, est l'un des leaders des Métallos. Le secrétaire général est Roméo Mathieu des Travailleurs des salaisons. Les syndicats affiliés à la fédération mènent quelques-unes des grandes grèves de l'époque.

La FTQ (1957)

L'année 1957 va marquer un tournant pour le mouvement syndical avec la fusion de la FPTQ et de la FUIQ pour fonder la nouvelle *Fédération des travailleurs du Québec* (FTQ).

George Meany à son bureau de Washington. Au mur, un médaillon de Samuel Gompers.

Le mouvement est parti des États-Unis où l'AFL et le CIO ont décidé de fusionner, vingt ans après la grande scission du mouvement syndical nord-américain. La fusion est facilitée par le déclin du vieux conflit entre le syndicalisme de métier et le syndicalisme industriel. Le congrès de réunification a lieu en décembre 1955. La nouvelle AFL-CIO devient la plus puissante organisation syndicale du monde occidental avec 16 millions de membres, dont 10 millions viennent de l'AFL. Le président en est George Meany, un ancien plombier plutôt conservateur, et le vice-président Walter Reuther, leader des Travailleurs unis de l'automobile, de tendance plus progressiste.

Au Canada, en avril 1956, le Congrès des métiers du travail du Canada et le Congrès canadien du travail décident à leur tour de fusionner. Le nouveau Congrès du travail du Canada (CTC) rassemble, du coup, plus d'un million des 1 350 000 syndiqués canadiens. Le premier président de la centrale est un Québécois, Claude Jodoin, ex-leader du CMTC et des unions de l'AFL au Québec. Une autre Québécoise, Huguette Plamondon, du Syndicat international des salaisons, est élue vice-présidente du CTC, devenant ainsi la première femme à occuper un poste aussi élevé dans le mouvement syndical au Canada.

Au Québec, la Fédération des travailleurs du Québec est fondée en février 1957 par la fusion de la FPTQ et de la FUIQ. La nouvelle centrale, qui compte au départ 65 000 membres, réunit moins de 30% des syndicats affiliés au CTC — qui ne sont pas tenus d'adhérer à la FTQ. Trois ans plus tard, en 1960, la fédération déclare 100 000 membres, soit 40% des 250 000 syndiqués des unions internationales et canadiennes au Québec. Le premier président de la FTQ est Roger Provost et le secrétaire exécutif Roméo Mathieu.

La fusion touche aussi les conseils du travail régionaux des anciennes organisations. À Montréal, le nouveau Conseil du travail est fondé en 1958. Son premier président est Louis Laberge, ancien mécanicien à l'avionnerie Canadair et représentant du Syndicat international des machinistes.

Les pourparlers de fusion

Les organisations appelées à fusionner au Québec, la FPTQ et la FUIQ, ont retardé l'échéance le plus longtemps possible. Dans chacun des deux groupes, en effet, se manifeste un courant plutôt réticent à la fusion, vue comme un «mariage de raison» entre la FPTQ plus modérée, voire conservatrice, et la FUIQ plus progressiste.

Par ailleurs, la possibilité que la Confédération des travailleurs catholiques du Canada (CTCC) puisse se joindre au mouvement ajoute une dimension spéciale, propre au Québec. À son congrès de 1956, la CTCC vote en faveur du principe de la fusion. En 1957, elle demande son affiliation en bloc au Congrès du Travail du Canada, la «maison-mère» de la nouvelle FTQ, à condition de conserver son autonomie. En fait, elle réclame le statut d'un syndicat national au sein du CTC.

En dépit de pourparlers qui durent jusqu'en 1960, la participation de la CTCC à la fusion échoue. Le principal problème est celui des juridictions syndicales: alors que la CTCC refuse que ses syndicats soient obligés de s'affilier aux unions de la FTQ, ces unions réclament l'exclusivité de juridiction dans leurs secteurs respectifs, comme le prévoient les statuts. Jamais, dans toute son histoire, le mouvement syndical québécois n'aura été aussi près de l'unité organique qu'à cette époque.

La CTCC

Toutes ces démarches en vue d'une fusion s'expliquent, en bonne partie, par l'évolution considérable de la *Confédération des travailleurs catholiques du Canada* (CTCC), qui se tenait auparavant en retrait du reste du mouvement syndical dominé par les unions internationales.

Après la guerre, la CTCC accentue nettement son virage en direction d'un syndicalisme plus militant et mène des grèves de plus en plus dures, particulièrement celle de l'amiante en 1949. La centrale renforce ses moyens de lutte en créant un fonds de grève (10 cents par membre par mois) dont les premières prestations sont versées à partir de 1951. En 1960, elle change son nom en celui de *Confédération des syndicats nationaux* (CSN), mettant ainsi fin à un long processus de déconfessionnalisation.

Les syndicats nationaux et catholiques, qui représentent environ le quart des syndiqués québécois, passent de 50 000 à près de 95 000 membres de 1945 à 1960. Ils multiplient les campagnes d'organisation dans le bâtiment (le gros des effectifs: 19 000 cotisants en 1960), la métallurgie (de 2 500 à 15 000 membres) et aussi les services publics (10 000 membres) où sont créées deux fédérations, celles des services hospitaliers et des employés municipaux et scolaires. La centrale est également active dans le textile (8 000 membres) et les pâtes et papiers (7 000), et s'implante plus solidement à Montréal, notamment dans les chantiers navals.

La direction de la CTCC commence à changer en 1946 lorsque Gérard Picard est élu à la présidence où il défait l'un des fondateurs du syndicalisme

Gérard Picard, nouveau président de la CTCC, s'adressant aux congressistes en 1946.

catholique, Alfred Charpentier. Le nouveau secrétaire général, Jean Marchand, est l'un des premiers diplômés de la Faculté des sciences sociales de l'Université Laval d'où viendront plusieurs responsables syndicaux. Autour d'eux se forme une équipe de permanents marquée par l'apport de catholiques progressistes.

En 1952, la CTCC crée un précédent dans le mouvement syndical en formant un comité permanent, composé exclusivement de femmes, en vue d'étudier les problèmes propres aux travailleuses — qui comptent pour le tiers des membres de la centrale. Le comité est chargé d'élaborer un programme d'éducation et de revendications et de favoriser la participation des femmes au syndicalisme. La même année, une femme est élue pour la première fois à l'exécutif de la CTCC comme vice-présidente: il s'agit de Yolande Valois, du Conseil central de Sorel. Jeanne Duval, du Syndicat des employés d'hôpitaux de Montréal, est élue au même poste en 1956. Longtemps réticente au travail salarié des femmes — tout comme le reste du mouvement syndical — la CTCC commence à évoluer à ce sujet par suite de l'accroissement du nombre des femmes sur le marché du travail.

LES LUTTES OUVRIÈRES

Immédiatement après la guerre, en 1946-1947, on assiste à une vague d'adhésions aux syndicats et à une série ininterrompue de grèves, généralement victorieuses, au Québec et au Canada. Cette poussée revendicative coincide avec un puissant mouvement de grèves aux États-Unis dans les grandes industries comme l'automobile, la métallurgie, les mines et les chemins de fer.

Après cinq ans d'«effort de guerre» et de contrôles gouvernementaux, les travailleuses et travailleurs veulent profiter de la prospérité économique d'après-guerre. La plupart des luttes visent à briser le contrôle des salaires imposé par le gouvernement fédéral en 1940 et qui sera finalement levé en novembre 1946.

On compte plus de 16 000 grévistes au Québec en 1946, en particulier dans le textile, le vêtement, la métallurgie, les brasseries, les mines de cuivre et d'or en Abitibi et les mines d'amiante à Thetford. En 1947, on dénombre au-delà de 20 000 syndiqués qui cessent le travail, notamment dans les salaisons, le cuir, le caoutchouc ainsi que chez les plombiers et d'autres travailleurs du bâtiment à Montréal. En province, de grandes grèves éclatent dans le textile et les pâtes et papiers.

Les syndicats internationaux continuent de mener la majorité des grèves alors que les syndicats catholiques en déclenchent plus souvent et que leurs luttes sont parfois très âpres. Plusieurs des débrayages sont ponctués d'une vive répression organisée par le régime Duplessis qui vise en priorité les syndicats les plus militants.

Les grèves du textile

À l'été 1946, plus de 6 000 tisserands et tisserandes débraient dans cinq filatures de la Dominion Textile à Montréal et Valleyfield. Ils sont membres des Ouvriers unis du textile d'Amérique (AFL), un syndicat dirigé par des militants du Parti communiste, Kent Rowley et Madeleine Parent. Le 13 août, à Valleyfield — où l'on compte 3 000 grévistes — les piqueteurs affrontent la police qui protège des scabs. Kent Rowley est arrêté et accusé d'avoir incité les grévistes à l'«émeute». La police provinciale arrête également Madeleine Parent et Trefflé Leduc, le président du syndicat local, qui travaille à la Dominion Textile depuis 48 ans.

Des militants du Syndicat international des travailleurs des salaisons (CIO) appuient les grévistes du textile (AFL).
Archives pubiques du Canada.

Les briseurs de grève à la Dominion Textile quittent l'usine sous la protection de la police.

Malgré ces manoeuvres d'intimidation, la lutte va se solder, au bout de cent jours, par une victoire des grévistes qui obtiennent notamment la reconnaissance de leur syndicat, une première convention collective, la semaine de 5 jours et de 40 heures et le paiement des heures supplémentaires à taux et demi.

Le premier ministre Duplessis, qui est aussi procureur général, refuse cependant de lever les poursuites contre Kent Rowley à propos de l'«émeute» du 13 août. À l'issue du procès à la fin de 1946, Rowley est trouvé coupable de «conspiration séditieuse» par un juge complaisant et condamné à six mois de prison qu'il purge à Bordeaux. Avant de prononcer sa sentence, le juge Wilfrid Lazure a demandé à Rowley s'il a quelque chose à ajouter. Ce dernier répond: «Votre Honneur, je suis ici à la suite d'une conspiration entre Duplessis et la Dominion Textile.»

La victoire des Ouvriers unis du textile va aider la CTCC à faire des gains majeurs, en 1947, lors d'une nouvelle grève de 6 000 autres syndiqués de la Dominion Textile dans les filatures de Sherbrooke, Magog, Drummondville et

Madeleine Parent s'adressant à des travailleurs lors d'une réunion de grève contre le speed-up.

La police surveille, près de l'usine Ayers, les pierres que les grévistes menaçaient de lancer aux policiers et aux briseurs de grève.
Archives publiques du Canada. (The Gazette).

Montmorency. Dix ans après leur défaite de 1937, les grévistes font plier la compagnie au bout de six jours. Ils gagnent la semaine de 40 heures, des augmentations moyennes de 20 cents l'heure, deux semaines de vacances payées après cinq ans de service et la formule Rand. Ils obtiennent également le droit à l'arbitrage lors des changements dans les tâches, une façon de mieux se protéger contre les cadences trop rapides de travail (le «speed-up»), un problème majeur dans le textile.

Une autre grève du textile en 1947 va cependant se terminer par un échec, à la Dominion Ayers de Lachute, malgré une résistance de cinq mois de 700 ouvriers et ouvrières de la laine, membres des Ouvriers unis du textile d'Amérique. La police provinciale occupe la petite ville et le syndicat se fait enlever son accréditation. Madeleine Parent et Azellus Beaucage, organisateur du syndicat local, sont traduits en justice pour «conspiration séditieuse». Défendus par les avocats Bernard Mergler et Jacques Perrault, ils sont trouvés coupables et condamnés à deux ans de prison. Ils s'en tirent de justesse à la suite du décès du sténographe judiciaire qui n'a pu terminer la transcription de ses notes! Parent et Beaucage sont acquittés en 1954, sept ans après le fait.

Mines, salaisons, meuble

La police provinciale (la «PP»), véritable bâton du pouvoir, intervient de façon rapide et brutale dans plusieurs autres grèves dirigées par des syndicats combatifs.

Ainsi, la «PP» utilise pour la première fois les gaz lacrymogènes, en 1946, contre les grévistes des mines de cuivre et d'or de la Noranda, en Abitibi. L'arrêt de travail des mineurs, qui dure 79 jours, est soutenu par l'un des syndicats les plus militants du CIO, celui des mines et fonderies («Mine-Mill»).

En 1947, la police réprime durement la première grève de 1 500 ouvrières et ouvriers des grandes salaisons de Montréal (Canada Packers, Swift, etc.). Environ 250 grévistes sont arrêtés dont le leader du syndicat international (CIO), Roméo Mathieu. Les grévistes montréalais participent alors au grand débrayage de 15 000 employés de cette industrie au Canada et qui se solde par une victoire. Le syndicat des salaisons mènera une autre grève réussie en 1949 à Montréal.

Les gaz lacrymogènes sont utilisés pour la première fois par la police contre les travailleurs lors du conflit à la Noranda Mines en 1946.
Archives publiques du Canada.

En 1948, nouvelle intervention de la police au cours d'une grève de la CTCC, celle des 1 200 ouvrières et ouvriers du meuble de Victoriaville et des environs qui débraient pendant 93 jours. Les travailleuses et travailleurs de ce secteur sont parmi les plus mal payés. Leur détermination leur permet d'obtenir des hausses de 20 cents l'heure et une formule d'indexation à la hausse du coût de la vie.

Un des syndicats les plus férocement attaqués par le régime Duplessis est celui des Ouvriers unis de l'électricité (CIO), dirigé par des militantes et militants du Parti communiste. La Commission des relations ouvrières refuse ou retire aux «U.E.», selon le cas, leur certificat d'accréditation dans des usines de la General Electric, de Westinghouse et de RCA Victor, même si le syndicat est majoritaire.

Le Règlement numéro un

Pour combattre les syndicats, le gouvernement Duplessis se sert du «Règlement numéro un» promulgué en 1946 par la Commission des relations ouvrières (CRO), formée pour veiller à l'application de la Loi des relations ouvrières. La Commission, créature fidèle du pouvoir, décrète qu'une association syndicale doit être «de bonne foi» pour être reconnue par l'employeur. Lorsqu'elle juge un syndicat représentatif, la CRO émet un certificat de reconnaissance ou d'accréditation qui demeure la propriété de la Commission et non du syndicat. La CRO peut ainsi retirer à un syndicat déjà reconnu son accréditation: il suffit qu'elle estime que ce syndicat n'est plus «de bonne foi». La Commission se sert de ce «Règlement numéro un» à plusieurs reprises contre des syndicats considérés trop militants. Elle les empêche ainsi pratiquement de négocier et de faire «légalement» une grève.

La CRO fait preuve d'une partialité constante à l'égard des patrons. Cette partialité est tellement évidente que l'une des revendications majeures de l'ensemble du mouvement syndical concerne la réforme de fond en comble de la Commission. En cinq ans, de 1947 à 1951, la CRO accrédite près de 200 syndicats de boutique, c'est-à-dire des syndicats «jaunes» dominés par les patrons. Ces faits sont établis dans une brochure percutante, «Unions en danger», publiée par Léo Roback, alors directeur de la recherche pour les Ouvriers unis du textile.

L'OFFENSIVE ANTISYNDICALE

La grande combativité du mouvement syndical après la guerre provoque donc une réaction d'une rare vigueur de la part de la classe dominante. Les syndiqués, alors même qu'ils mènent des grèves généralement réussies, doivent affronter une batterie de mesures anti-ouvrières, non seulement au Québec sous Duplessis mais dans presque toute l'Amérique du Nord. Il est en effet impossible de saisir l'évolution du mouvement ouvrier dans l'après-guerre sans décrire le climat de répression antisyndicale aux États-Unis et ses répercussions ici.

La loi Taft-Hartley (1947)

L'arrivée au pouvoir des Républicains, lors des élections américaines de novembre 1946, se traduit par un virage à droite considérable, la montée du «maccarthysme» ainsi que par une législation anti-ouvrière agressive, la loi Taft-Hartley.

Baptisée du nom de ses promoteurs, le sénateur Taft et le représentant Hartley, cette loi est promulguée en juin 1947. Elle fait suite à un vaste mouvement de grève dans les grandes industries et prive les syndicats d'un certain nombre de droits acquis lors du New Deal grâce à la loi Wagner (1935). Elle impose une forme de tutelle aux organisations syndicales en les obligeant, sous peine de n'être pas reconnues, à fournir une série de précisions sur leurs statuts, leur gestion financière, leurs cotisations, leurs rapports avec les membres, etc. — ce qui est bien plus que ce qu'on exige des compagnies. La loi rend les syndicats passibles de lourdes amendes et de dommages-intérêts s'ils violent l'une de ses innombrables clauses.

D'abord, la loi Taft-Hartley restreint le droit de grève. Il n'est plus permis de débrayer avant un préavis de 60 jours, sous peine de licenciement et d'emprisonnement. Les grèves de solidarité et les grèves spontanées sont mises hors la loi. Toute grève dont le Président des États-Unis juge qu'elle «met en danger la santé et la sécurité publiques» peut être retardée de 80 jours par ordre des tribunaux. Contre tout débrayage illégal, la Cour peut lancer des injonctions. La grève est proscrite chez les fonctionnaires. De plus, la loi interdit l'atelier syndical fermé («closed shop»), c'est-à-dire l'obligation de n'embaucher que des syndiqués.

Enfin, la loi Taft-Hartley contient certaines dispositions en vue de prévenir la «politisation» des syndicats et de restreindre la liberté d'opinion. Ainsi, aucun syndicat ne peut utiliser les services de la Commission nationale des relations ouvrières — par exemple, obtenir par vote le droit de représenter les travailleuses et travailleurs d'une entreprise — si ses dirigeants n'ont pas signé un affidavit certifiant qu'ils ne sont ni membres du Parti Communiste, ni «associés» à ce parti.

Dénoncée par le mouvement syndical américain et l'aile gauche du Parti Démocrate, la loi Taft-Hartley est encore en vigueur pour l'essentiel aujourd'hui. Plusieurs de ses dispositions, de même que son esprit, se retrouvent au Québec dans les lois anti-ouvrières du régime Duplessis.

Un projet de Code du travail (1949)

En janvier 1949, le gouvernement Duplessis présente au Parlement un projet de Code du travail, le «Bill 5», qui est une copie de la loi américaine Taft-Hartley.

Ce projet de loi, sous prétexte de refondre en un tout cohérent les législations antérieures, introduit des modifications fondamentales qui permettraient de démanteler tout syndicat quelque peu militant. Par exemple, si un syndicat a comme représentants des «communistes» (terme qui n'est pas défini, tout comme dans la Loi du Cadenas), il perd automatiquement son accréditation. Toutes les autres modifications proposées attaquent des droits syndicaux comme l'atelier fermé, le vote de grève, la régie interne, etc.

Avec cette attaque frontale, le régime Duplessis a voulu frapper trop fort. Il doit retirer son projet devant l'opposition unanime de tout le mouvement syndical et même de la Commission d'études sociales de l'épiscopat.

Si le gouvernement doit reculer devant cette opposition sans précédent, l'histoire des années qui suivent est malheureusement jalonnée d'amendements à différentes lois qui mettront en vigueur, morceau par morceau, l'essentiel du projet de Code du travail de 1949.

LA CONFÉRENCE CONJOINTE DES SYNDIQUÉS

L'offensive de Duplessis a néanmoins permis aux syndicats de faire front commun, malgré leurs différences, pour la première fois sur une aussi grande échelle. Ils ont formé un cartel intersyndical, la Conférence conjointe des syndiqués du Québec, qui rassemble les syndicats internationaux de l'AFL et du CIO, les syndicats nationaux canadiens, les syndicats catholiques, les syndicats de l'enseignement et même les associations de pompiers et de policiers de Montréal.

La Conférence conjointe poursuit ses activités en appuyant des groupes de travailleuses et travailleurs menacés par d'autres projets antisyndicaux du régime Duplessis. C'est le cas des employés municipaux, des enseignants, des pompiers et des policiers qui protestent contre le projet de loi 60, finalement adopté, et qui permet de réviser à la baisse les sentences arbitrales pour tenir compte de la capacité de payer des employeurs. Plus de 5 000 personnes participent à une assemblée de protestation au Manège militaire de la rue Craig à Montréal.

La Conférence soutient également plusieurs groupes de grévistes en participant au piquetage et en organisant des assemblées de solidarité. Elle appuie en particulier la première grande grève dans l'enseignement au Québec, celle de l'Alliance des professeurs de Montréal (voir page 199), et une autre grève historique, celle des travailleurs de l'amiante.

LA GRÈVE DE L'AMIANTE

C'est en février 1949 que débute la grève des 5 000 travailleurs des mines d'amiante d'Asbestos et de Thetford qui va durer 5 mois et constituer un événement majeur pour toute la société québécoise.

Les mineurs travaillent dans une industrie où le Québec est le premier producteur mondial. Ils affrontent non seulement de grandes compagnies américaines mais aussi le gouvernement Duplessis. Dès le début du conflit, les principales forces de la société québécoise sont en présence: le mouvement ouvrier, le patronat anglo-américain, le pouvoir politique et l'Église catholique.

De tous les coins de la province, des camions apportent des secours aux grévistes de l'amiante. Manifestation d'une solidarité de classe sans précédent au Québec.

Devant l'église, en présence des policiers qui contrôlent la ville d'Asbestos, la loi de l'émeute est proclamée.

Les travailleurs de l'amiante sont membres des syndicats catholiques depuis plus de 30 ans mais ils commencent à peine à se donner de véritables conventions collectives. En 1948, 2 000 mineurs de Thetford ont réussi, par la grève, à obtenir notamment une hausse de leur salaire de base de 60 à 85 cents l'heure ainsi que deux semaines de vacances payées.

En 1949, ce sont les mineurs d'Asbestos qui donnent le coup d'envoi de la lutte. Leurs principales revendications sont les suivantes: une augmentation générale des salaires de 15 cents l'heure, ce qui porterait le taux de base horaire à 1 $; la formule Rand; un régime d'assurance-maladie et des dispositifs contre la poussière d'amiante qui provoque l'une des plus graves maladies industrielles, l'amiantose.

La grève de l'amiante a été précédée de révélations sur le drame de Saint-Rémi d'Amherst, un village des Laurentides au nord de Montréal: des dizaines de travailleurs non syndiqués sont morts de silicose, dans une mine de kaolin contrôlée par la Noranda Mines. L'existence de ce véritable «abattoir humain» est dévoilée dans un numéro de la revue des Jésuites, Relations. Le Devoir fait grand écho à cette affaire et, en janvier 1949, il publie un autre reportage sur les travailleurs des mines d'amiante d'East Broughton et sur l'amiantose.

Une grève «illégale»

Le soir du 13 février 1949, près de 2 000 syndiqués d'Asbestos sont réunis en assemblée générale. Après une première étape de conciliation, ils ont à se prononcer sur l'opportunité de recourir à un conseil d'arbitrage, en vertu de la loi, ou de se mettre en grève immédiatement, donc «illégalement». Or, les mineurs ont perdu confiance dans le processus d'arbitrage qui les a pénalisés dans le passé à cause de sa lenteur et des recommandations pro-patronales qui en découlent, d'autant plus que les arbitres nommés par le gouvernement n'ont pas plus de sympathie pour le syndicalisme que le premier ministre Duplessis lui-même. À l'immense majorité, les syndiqués décident de déclencher la grève. Ils sont bientôt imités par leurs camarades de Thetford. La CTCC accepte de les soutenir quoi qu'il arrive.

Aussitôt, le gouvernement dénonce l'illégalité du débrayage et la Commission des relations ouvrières retire au syndicat son accréditation. De son côté, la compagnie Johns-Manville d'Asbestos obtient une injonction interdisant le piquetage, ainsi que l'envoi d'une centaine d'agents de la Police provinciale, sur ordre de Duplessis. Les policiers arrivent à Asbestos pour «protéger la propriété» de la compagnie par suite d'une occupation des bureaux par les grévistes qui auraient «séquestré» certains cadres. La «PP» installe son quartier général à l'Hôtel Iroquois, propriété de la Johns-Manville, qui assume les frais de séjour. La répression se met en place et deviendra de plus en plus brutale devant la résistance des syndiqués.

La compagnie décide de reprendre sa production avec l'aide de «scabs», protégés par la «PP», d'où des affrontements violents avec les grévistes. Le 14 mars, la voie ferrée privée de la Johns-Manville est dynamitée. La «PP» multiplie les arrestations et les menaces. Un autre dynamitage survient le 27 mars. La compagnie, soutenue par le premier ministre Duplessis, refuse toujours de négocier, en traitant les leaders de la grève de «révolutionnaires». Duplessis dénonce même en Chambre les «sympathies communistes» des dirigeants de la CTCC, le président Gérard Picard et le secrétaire général Jean Marchand, ainsi que le leader de la Fédération des mineurs, Rodolphe Hamel.

Le rôle de l'Église

Au début, la hiérarchie catholique tente de jouer un rôle de médiateur, mais le clergé local et les aumôniers syndicaux soutiennent activement les mineurs. Après plus de 10 semaines de grève, fin avril, la Commission sacerdotale d'études sociales, avec l'assentiment de l'Épiscopat, publie une déclaration qui fait des grévistes de l'amiante le centre d'attraction de la société québécoise. Intitulée «*Secourons les travailleurs de l'amiante*», cette prise de position rappelle l'insuccès des démarches religieuses pour régler le conflit et souligne la misère des familles ouvrières. Elle lance un «appel pressant» aux gens «de toutes les classes» afin qu'ils apportent les secours les plus urgents aux grévistes. La «charité» leur en fait un «devoir».

Le 1er mai, l'archevêque de Montréal, Mgr Joseph Charbonneau, fait une intervention-choc. Il proclame en chaire: «La classe ouvrière est victime d'une conspiration pour l'écraser et c'est le devoir de l'Église d'intervenir. Nous voulons la paix sociale mais nous ne voulons pas l'écrasement de la classe ouvrière». À l'appel des évêques de 12 diocèses, des quêtes en faveur des grévistes se tiennent aux portes des églises plusieurs dimanches d'affilée.

La grève de l'amiante donne lieu à un mouvement de solidarité et de générosité sans précédent. Au total, plus de 500 000 $ en argent et 75 000 $ en vivres sont recueillis lors des quêtes dominicales et des collectes parmi les syndiqués.

À eux seuls, les syndicats catholiques contribuent pour plus de 300 000 $. On achemine des camions de nourriture et de vêtements à Asbestos et à Thetford.

Les barricades du 5 mai

Alors que la solidarité est à son plus fort, la Johns-Manville annonce que le travail va revenir à la normale à Asbestos, avec des ouvriers recrutés dans les campagnes environnantes. Mais les grévistes sont bien décidés à empêcher les briseurs de grève de «voler» leurs jobs. Le 5 mai à l'aube, défiant l'injonction, ils dressent une ligne de piquetage serrée aux abords de la mine, en compagnie de leurs femmes et de leurs enfants. La «PP» tente de les disperser à l'aide de gaz lacrymogènes. En même temps, ils bloquent toutes les routes d'accès à la ville: des barricades se dressent aux entrées d'Asbestos et certains grévistes sont armés de carabines. La violence éclate, des voitures de police sont incendiées et certains agents molestés. Les grévistes «contrôlent» la ville.

La réaction des autorités est d'une brutalité inouie. Sur ordre de Duplessis, la «PP» dépêche des renforts à Asbestos, la nuit suivante, et la Loi de l'émeute est proclamée. À l'annonce de l'arrivée massive des policiers — qui ont l'ordre de tirer au besoin — les dirigeants de la CTCC ont recommandé aux grévistes de rentrer chez eux. La «PP» occupe la ville. En vertu de la Loi de l'émeute, elle peut appréhender «quiconque ne vaque pas à ses affaires». Les policiers arrêtent plus de 200 ouvriers, dans tous les lieux publics et même à leur domicile. Des dizaines d'entre eux sont passés à tabac. C'est le «Jeudi sanglant». La sauvagerie de la répression scandalise tout le pays.

Un point tournant

C'est finalement la médiation de l'archevêque de Québec, Mgr Maurice Roy, qui permet aux grévistes de rentrer au travail après cinq mois de résistance. À court terme, le règlement comporte peu d'avantages pour les grévistes: la reconnaissance syndicale — qui avait été annulée; le réengagement des ouvriers selon l'ancienneté (les briseurs de grève conservent leur emploi); la non-discrimination du fait de la grève (ne seront toutefois pas protégés les grévistes trouvés coupables d'actes criminels devant les tribunaux) et la reprise des négociations. Le contrat signé par la suite accorde notamment une hausse de salaire de 10 cents avec une clause d'indexation au coût de la vie qui servira de modèle dans d'autres branches industrielles. Dans les années cinquante, les travailleurs de l'amiante auront des hausses supérieurs à celles des autres

Jeune gréviste arrêté par deux policiers provinciaux, à Asbestos, le 6 mai 1949.

employés de l'industrie minière. Une défaite toutefois: le contrat ne prévoit rien sur l'élimination de la poussière d'amiante. La lutte là-dessus est reportée à plus tard.

Parmi les séquelles de la grève, notons l'emprisonnement, pendant six mois, du directeur adjoint de l'organisation syndicale à la CTCC, René Rocque, reconnu coupable de «conspiration pour intimidation».

En conclusion, on peut dire que la grève de l'amiante marque un point tournant pour la CTCC qui s'y est engagée à fond. Cette combativité lui permet de se rapprocher de plus en plus du reste du mouvement syndical dont elle s'était isolée depuis sa fondation trente ans plus tôt.

LA GRÈVE DES MARINS

La grève de l'amiante n'est pas la seule lutte d'envergure survenue au Québec à cette époque. Durant la même année 1949, le Syndicat canadien des marins, affilié au CMTC, livre l'une des batailles les plus célèbres de l'histoire du mouvement ouvrier. La grève des marins de la navigation en haute mer dure près de 7 mois, du premier avril au 25 octobre.

Le Syndicat des marins, fondé et dirigé par des militants communistes, avait déjà mené de grandes grèves victorieuses après la guerre au Québec et en Ontario (Grands Lacs). Il avait notamment conquis en 1946 trois quarts de travail de 8 heures à bord des bateaux plutôt que deux quarts de 12 heures. La grève de 1949 vise à obtenir une meilleure sécurité d'emploi et des salaires plus élevés. Elle est ponctuée d'une grande violence provoquée par des scabs engagés par les compagnies maritimes qui ont décidé de briser un syndicat trop militant.

Montréal, 28 avril 1949: 13 membres du syndicat des marins sont arrêtés à leur quartier général.
Archives publiques du Canada. (The Gazette).

Elle coïncide également avec la «chasse aux communistes» qui, sous la pression des gouvernements et de la «guerre froide», s'amorce au sein du mouvement syndical (voir page 190). C'est ainsi qu'au beau milieu de la grève, le Congrès des métiers et du travail du Canada exclut de ses rangs les 9 000 membres du Syndicat des marins. Il accorde son appui à une organisation rivale affiliée à l'AFL, le Syndicat international des gens de mer. Celui-ci fait son entrée au Canada sous la direction de Hal Banks, un repris de justice américain qui deviendra tristement célèbre comme leader ouvrier corrompu. (En 1960, son syndicat sera expulsé à son tour du CMTC puis mis en tutelle par le gouvernement fédéral.)

Le CMTC avait d'abord résisté aux pressions de l'AFL en vue d'exclure le syndicat communiste. En 1948, la centrale avait publié une déclaration d'autonomie intitulée «Coopération oui, domination non!» Mais en 1949, la pression de l'AFL — et même du gouvernement américain — est très forte et l'expulsion est votée. Peu après, le Syndicat des marins se fait retirer son accréditation par la Commission canadienne des relations ouvrières. C'est le début de la fin pour un des syndicats les plus combatifs au sein du mouvement ouvrier.

LA GRÈVE DU RAIL

La plus grande grève à se produire jusqu'alors dans l'histoire du mouvement ouvrier au Québec et au Canada éclate en août 1950 et paralyse tout le réseau ferroviaire. Cette première grève générale du rail est suivie par près de 130 000 travailleurs non-itinérants des deux grandes compagnies de chemins de fer, le Canadien National (une société d'État) et le Canadien Pacifique. Les grévistes sont membres de quinze syndicats, nationaux et internationaux qui négocient en front commun. Leur principale revendication est la semaine de 40 heures, qui vient d'être acquise par leurs camarades américains.

Au bout d'une semaine de conflit, le gouvernement libéral de Saint-Laurent, à Ottawa, casse la grève par une loi spéciale décrétant le retour au travail sous peine de fortes amendes et d'emprisonnement. Ce genre de loi spéciale va devenir courant avec les années. Une décision arbitrale va toutefois accorder aux employés des chemins de fer leur revendication majeure: la semaine de travail est réduite de 48 à 44 heures en 1950 et à 40 heures en septembre 1951. Cet horaire se généralise par la suite dans la plupart des grandes industries, par effet d'entraînement.

Une nouvelle grève du rail va paralyser le réseau du Canadien Pacifique pendant une semaine, en 1957, à l'initiative de la Fraternité internationale des chauffeurs et mécaniciens de locomotives. Les 3 000 grévistes veulent se protéger contre les changements technologiques entraînés par l'entrée en service des trains Diésel. Ils obtiennent certaines concessions.

La grève des chantiers navals

L'année 1951 est marquée par plusieurs luttes syndicales victorieuses. La CTCC fait sa première percée majeure à Montréal aux chantiers navals de la

Piquetage devant la Canadian Vickers sous la surveillance policière.

Michel Chartrand.

Canadian Vickers, où elle déclenche une grève synchronisée avec celle des chantiers maritimes de Lauzon près de Québec. Les 3 500 grévistes arrachent des gains importants.

Le Syndicat international du tabac (AFL) mène une grève réussie de 3 000 ouvrières et ouvriers à l'Imperial Tobacco de Saint-Henri et dans deux autres usines de cigarettes. 2 400 membres du Syndicat des métallos (CIO) débraient à la compagnie de machines à coudre Singer, à Saint-Jean. Pour sa part, la CTCC dirige une grève de 1 000 ouvriers de l'Aluminium Company of Canada (ALCAN) à Shawinigan. Le conflit est marqué par l'une des nombreuses arrestations survenues dans la vie syndicale de Michel Chartrand, alors organisateur des syndicats catholiques. La CTCC mène plusieurs autres luttes dans la région de la Mauricie.

La grève de Louiseville

Le 10 mars 1952 débute à Louiseville une grève mémorable qui va durer 11 mois, celle de 850 ouvrières et ouvriers de la filature Associated Textile,

Organisation des secours aux grévistes de Louiseville, août 1952.

membres de la CTCC. La compagnie américaine embauche des scabs au bout de 4 mois de conflit, ce qui provoque de la violence sur les lignes de piquetage, le recours aux injonctions et l'entrée en scène de la Police provinciale envoyée par Duplessis.

Les grévistes, qui luttent pour le maintien des acquis de leur ancienne convention collective, en viennent à se battre pour la survie même de leur syndicat que la compagnie a décidé de casser. Après 9 mois de conflit, les syndiqués organisent une grande manifestation de solidarité devant l'usine, le 10 décembre. La Loi de l'émeute est proclamée et la «PP» charge les manifestantes et manifestants à coups de matraques et de gaz lacrymogènes. L'un des grévistes est atteint d'une balle grièvement et des dizaines d'autres sont blessés.

Devant la gravité des événements, la CTCC convoque une réunion spéciale de son bureau confédéral qui vote le principe d'une grève générale de sympathie «dans les plus brefs délais si le motif existant persiste». Mais à la dernière minute, on décide de ne pas donner suite à cette résolution, vu le rapport de forces et constatant que le syndicat local a finalement été brisé par la compagnie. La CTCC déclare que, dans les circonstances, il s'agirait d'«une grève purement politique qui entraînerait des conséquences désastreuses». Après 11 mois de sacrifices, les grévistes rentrent au travail le 10 février 1953. Il faudra près de 25 ans avant que le syndicat puisse être rebâti à l'Associated Textile, avec l'aide de la CSN.

La grève de Dupuis Frères

La CTCC remporte une éclatante victoire en 1952 au grand magasin Dupuis Frères à Montréal. Les 1 000 grévistes, en grande majorité des femmes, ne gagnent en moyenne que 30 $ par semaine alors que le salaire moyen industriel à Montréal est de plus de 48 $. Au bout de 13 semaines de lutte et après une manifestation de solidarité intersyndicale qui rassemble au-delà de 5 000 personnes, les grévistes ont gain de cause. Elles obtiennent la semaine de 40 heures, la formule Rand et des hausses de salaires de 4 $ à 6 $ par semaine.

Scènes de la grève des travailleurs de chez Dupuis et Frères, 1952.

Les grèves du textile

L'année 1952 est également marquée par une autre grève majeure dans les filatures, qui dure 3 mois, celle des 6 000 tisserandes et tisserands de la Dominion Textile à Montréal et Valleyfield, membres des Ouvriers unis du textile d'Amérique (AFL). Au beau milieu du conflit, les leaders du syndicat, Kent Rowley et Madeleine Parent, sont expulsés de l'Union sous prétexte qu'ils sont communistes; la direction américaine du syndicat les remplace par Roger Provost, le président de la FPTQ.

Des grévistes du textile de Valleyfield buvant un café sur la ligne de piquetage.
Archives publiques du Canada. (The Gazette).

LA «CHASSE» AUX SYNDICATS COMMUNISTES

L'anticommunisme a commencé à prendre des formes plus dures au sein du mouvement syndical au tournant des années cinquante. Au Québec et au Canada, les syndicats s'alignent sur les centrales américaines AFL et CIO et sont influencés par le climat de la «guerre froide»; ils votent des dispositions contre la présence des militants communistes à la direction des syndicats ou excluent carrément les syndicats dirigés par ceux qu'on appelle les «rouges».

Au Québec, toutes les grandes organisations syndicales sont anticommunistes. C'est le cas autant de la CTCC qui réclame la mise hors la loi du Parti Communiste, que de la FPTQ qui s'est rapprochée du régime Duplessis, et de la FUIQ qui appuie le socialisme démocratique de la CCF.

La «purge» aux États-Unis

Aux États-Unis, l'AFL et le CIO se rejoignent à cette époque dans la «chasse» aux communistes. Ils se conforment ainsi, finalement, aux dispositions contraignantes de la loi Taft-Hartley (1947), malgré la résistance que plusieurs groupes de syndiqués opposent à cette loi anti-ouvrière.

On estime que les syndicats dirigés par des militants du Parti Communiste représentaient, en 1946, environ le tiers des effectifs du CIO, la plus progressiste des centrales américaines. En 1949, à la veille de leur exclusion, les communistes, malgré diverses défections, dirigent 20% des effectifs, soit plus d'un million de membres. Leur principal bastion est le Syndicat des ouvriers unis de l'électricité («UE»), fort de 500 000 membres, À son congrès de 1949, le CIO frappe un grand coup. Une série d'amendements aux statuts empêche notamment tout membre du Parti Communiste, d'une organisation fasciste ou de tout autre mouvement «totalitaire» d'occuper un poste de dirigeant syndical. Plusieurs unions, au Canada et au Québec, adopteront des dispositions du même genre — qui existent encore dans certains cas. Puis le CIO expulse les «UE», la troisième union en importance de la centrale.

En même temps, à la fin de 1949, le CIO et l'AFL sont à la tête du mouvement qui conduit à la création de la Confédération internationale des syndicats libres (CISL), anticommuniste. La nouvelle organisation — qui regroupe aussi les syndicats britanniques (TUC), ouest-allemands (DGB), suédois (LO), Force Ouvrière en France, etc. — naît d'une scission au sein de la première grande internationale syndicale fondée en 1945, la Fédération syndicale mondiale (FSM). Le CIO avait été parmi les fondateurs de la FSM, qui ne regroupe plus, après 1949, que les syndicats proches des partis communistes. Le siège de la FSM est transféré de Paris à Prague, celui de la CISL est établi à Bruxelles.

Au Canada et au Québec

Au Canada et au Québec, le vent souffle dans la même direction.

En 1949, le Congrès canadien du travail se retire de la FSM et adhère à la CISL, en même temps que le CMTC. En 1950, le CCT expulse les 18 000 membres canadiens des «UE» — dont la moitié au Québec — et les 30 000 cotisants de l'«International Union of Mine, Mill and Smelter Workers». Les «UE» doivent affronter un syndicat rival créé de toutes pièces par le CIO, l'«International Union of Electrical Workers» (IUE), qui maraude la majorité de leurs membres québécois. Les «UE» ne seront réadmis au sein du mouvement syndical canadien et de la FTQ que vingt ans plus tard, en 1970. Quant aux «Mine-Mill», ils sont maraudés par les Métallos unis d'Amérique avec lesquels ils finiront par fusionner. En 1951, c'est au tour des Ouvriers unis du cuir et de la fourrure d'être expulsés.

Du côté du Congrès des métiers et du travail du Canada, la purge a commencé en 1949 avec l'expulsion du Syndicat des marins, suivie par des évictions chez les machinistes et d'autres syndicats. En 1950, le Conseil des métiers et du travail de Montréal exclut de ses rangs les délégués communistes. En 1952, Kent Rowley et Madeleine Parent sont évincés de la direction des Ouvriers unis du textile d'Amérique. La même année, le congrès du CMTC refuse de voter une résolution en faveur de la mise hors la loi du Parti Communiste, déjà suffisamment affaibli par le «nettoyage».

La loi 19 de Duplessis

C'est dans ce contexte qu'il faut situer l'adoption, au début de 1954, d'une des pires lois anticommunistes du régime Duplessis et qui sera combattue par une large partie du mouvement syndical. Il s'agit d'une loi d'exception, la loi 19, particulièrement odieuse parce qu'elle est rétroactive à... 1944.

La loi 19 consacre la politique discrétionnaire de la Commission des relations ouvrières depuis une dizaine d'années: elle permet de refuser ou de retirer son accréditation à un syndicat qui compterait des «communistes» parmi ses dirigeants élus et ses permanents. On ne peut considérer «de bonne foi», dit la loi duplessiste, un syndicat qui tolère dans ses rangs des personnes présumées ou soupçonnées d'être «communistes» ou d'avoir des «idées communistes». Le sens de ces termes n'est pas précisé et la loi peut donc frapper n'importe quel militant un tant soit peu progressiste. Le ministre du Travail, Antonio Barette, ne cache pas qu'il s'agit là de «la suite logique de la Loi du Cadenas». Peu après l'adoption de la loi 19, Duplessis s'en sert pour faire chanter le Syndicat des pompiers de Montréal et le forcer à signer une convention collective avec une hausse de salaire de 5 cents l'heure seulement. En effet, la P.P. avait repéré, au sein de l'exécutif du syndicat, un vieux syndicaliste naguère membre du Parti communiste.

La loi 20

En même temps, le gouvernement fait adopter une autre loi d'exception, elle aussi rétroactive à 1944, la loi 20. Celle-ci prévoit la perte automatique de son accréditation pour tout syndicat des services publics qui fait la grève ou dont l'un des dirigeants préconise publiquement la grève.

Marche provinciale sur Québec contre la Loi 20.

À la même époque, une autre loi duplessiste rend plus facile, pour les patrons, le recours à l'injonction (ordre de la Cour) contre un groupe de travailleurs en lutte, pour limiter le piquetage par exemple. Dorénavant, les patrons peuvent obtenir une injonction des tribunaux contre un groupe de syndiqués sans avoir à alléguer des dommages existants mais uniquement des dommages «appréhendés», ce qui est beaucoup plus arbitraire. C'est le début de l'ère des injonctions à la pelle contre les syndicats.

Ces lois anti-ouvrières sont vivement combattues par un front commun syndical qui regroupe la FUIQ, la CTCC, l'Alliance des professeurs de Montréal, les syndicats de pompiers et de policiers, à l'exception notable de la FPTQ. Alors que le front commun organise une série d'assemblées et une grande marche sur Québec, le 3 février 1954, le président de la FPTQ, Roger Provost, rencontre en privé Duplessis et son ministre du Travail Antonio Barrette, qui ont refusé de recevoir une délégation du front commun. Provost est accompagné de Claude Jodoin, vice-président du CMTC, et propose des amendements aux projets de loi alors que le reste du mouvement syndical en réclame le retrait. Le ministre Barrette — un ancien membre du Syndicat des machinistes (AFL) — remercie publiquement la FPTQ de sa collaboration.

Montréal, Léo Guindon (au centre) et des enseignants manifestent leur indignation devant le bill 20.

Des grèves longues

Malgré les divisions, les luttes internes et le poids de la répression, le mouvement syndical continue d'améliorer les conditions de ses membres dans les années cinquante, au moyen de luttes souvent longues et ardues. Les arrêts de travail sont moins nombreux que dans l'après-guerre, entre 30 et 40 par année; mais lorsque les syndiqués débraient, ils s'engagent la plupart du temps dans des conflits très durs.

En 1953-54, plus de 2 000 travailleurs des mines de cuivre et d'or de la Noranda, en Abitibi, mènent une grève de 5 mois, avec l'appui du Syndicat des Métallos. En 1954, 4 000 travailleurs du bâtiment, surtout des plombiers, débraient pendant deux mois à Montréal en plein «boom» de la construction. Les machinistes et les métallos cessent le travail à la Dominion Bridge et à la Dominion Engineering de Lachine. 1 400 ouvrières et ouvriers font grève pendant 84 jours à la Dominion Oilcloth à Montréal et à Farnham.

En 1955, 1 500 camionneurs gagnent une dure grève à Montréal pendant que 800 ouvriers du papier perdent la leur à Shawinigan, après 101 jours de lutte. L'année 1956 est ponctuée par une série de grèves dans le textile, les pâtes et papiers et aux chantiers maritimes de Sorel où 1 500 syndiqués de la CTCC font des gains importants. 1 650 électriciens du bâtiment débraient aussi à Montréal. Au total, on compte plus de 19 000 grévistes.

LA GRÈVE DE MURDOCHVILLE

L'année 1957 marque un tournant pour le mouvement syndical avec la fusion de la FPTQ et de la FUIQ et la fondation de la Fédération des travailleurs du Québec. Dès la première année de son existence, la FTQ doit s'engager dans une bataille épique: la grève de Murdochville.

Scènes de la grève des mineurs de Murdochville, 1957.

Scène de la grève des mineurs de Murdochville, 1957.

Pendant 7 mois, un syndicat affilié aux Métallos unis d'Amérique mène la lutte en faveur de la simple reconnaissance du droit d'association, à la mine de cuivre de la Gaspé Copper en Gaspésie, propriété du petit empire Noranda. Cette bataille est un moment déterminant pour l'émergence de la FTQ comme organisation syndicale québécoise et combative. C'est aussi, pour les dirigeants de l'ancienne FPTQ, représentés par Roger Provost, le premier affrontement direct et ouvert avec le gouvernement Duplessis qui soutient la Noranda Mines.

La grève de Murdochville est déclenchée le 10 mars 1957 par un millier de travailleurs qui débraient spontanément à la suite du congédiement du président de leur syndicat, Théo Gagné. Devant cette grève «illégale», la compagnie et le gouvernement se livrent à toute une série de manoeuvres patronales, policières et politiques contre les grévistes qui réclament, depuis plusieurs mois, la reconnaissance de leur syndicat. La Noranda reprend sa production avec l'aide de scabs, protégés par une centaine d'agents de la police provinciale et des gardes privés, ce qui provoque des actes de violence. Des installations de la compagnie sont dynamitées et le 14 juillet, un gréviste, Hervé Bernatchez, meurt avec sa charge d'explosifs.

Un large front commun intersyndical appuie les mineurs. Le 19 août, lors d'une marche de solidarité sur Murdochville, l'intervention de la «PP» et de fiers-à-bras payés par la Noranda provoque un affrontement. La Loi de l'émeute est proclamée et des dizaines de manifestants sont blessés et arrêtés. Le 7 septembre, une nouvelle manifestation intersyndicale rassemble plus de 7 000 personnes devant le Parlement à Québec. Roger Provost dénonce «la dictature antisociale et antichrétienne» de Duplessis. Jean Gérin-Lajoie, des Métallos, déclare que le Québec est en passe de devenir «un vaste camp de concentration».

Malgré une résistance héroïque, les mineurs mettent fin à leur grève le 5 octobre, après 215 jours de lutte. Ce n'est qu'en 1965 que les Métallos gagneront enfin la reconnaissance syndicale à Murdochville. En 1970, ils seront condamnés par la Cour suprême du Canada à verser à la Noranda 2,5 $ millions en dommages-intérêts par suite des événements de 1957.

LA FIN DU RÉGIME

Après Murdochville, la coopération entre la FTQ et la CTCC se poursuit à l'occasion des nombreuses luttes qui ponctuent la fin du régime Duplessis. La solidarité intersyndicale est à son plus haut.

L'Alcan

À la fin de 1957, 7 000 travailleurs de l'aluminium, affiliés à la CTCC, mènent une grève de 4 mois à Arvida, au Saguenay. Ils réussissent à améliorer les conditions de travail dans les salles de cuves et à obtenir une convention collective qui sert de modèle pour toutes les usines québécoises de l'Alcan. Le salaire de base est établi à 1,68 $ l'heure. Les Métallos (FTQ) ont accordé aux grévistes un prêt sans intérêt de 350 000 $.

«Il faut prouver à l'Aluminium Co. que les ouvriers du Québec ne sont pas du cheap labor» titrait le journal Le Travail, le 21 juin 1957.

En 1958, plus de 2 000 travailleuses et travailleurs de la chapellerie, affiliés à la FTQ, débraient pendant 10 jours à Montréal. 300 midinettes poursuivent la lutte pendant 167 jours à la manufacture Hyde Park. Par ailleurs, plus de 2 000 ouvriers mènent une grève de 2 mois aux chantiers maritimes de Lauzon.

La Presse

Une grève spectaculaire survient le premier octobre 1958 au quotidien La Presse, à Montréal. Le journal doit cesser sa publication pour la première

Les grévistes de La Presse défient l'injonction leur interdisant tout piquetage.

fois en 74 ans d'existence. Le débrayage spontané des journalistes, membres de la CTCC, se termine au bout de 13 jours par une victoire syndicale. À l'origine du conflit, il y a le refus de l'employeur d'accorder un congé sans solde au journaliste Roger Mathieu, qui vient d'être élu président de la CTCC où il succède à Gérard Picard. Le fond du conflit, c'est la volonté des syndiqués d'obtenir de meilleures conditions d'exercice de la liberté d'information. Les grévistes défient une injonction interdisant le piquetage. Dès le deuxième jour de la grève, ils publient «La Presse syndicale» dont le tirage atteint 100 000 exemplaires. Résultats: Mathieu obtient son congé et on procède à une réorganisation générale de la rédaction.

Les infirmières de Hull

L'année 1958 est également marquante à cause de la première grève à survenir dans les services hospitaliers. Cette grève «illégale» est menée par les infirmières de l'hôpital Sacré-Coeur de Hull, membres d'un syndicat catholique. Elle dure un mois et prend fin par des gains majeurs: la semaine de 40 heures et les plus hauts salaires chez les infirmières au Québec.

À Montréal, l'Alliance des infirmières (CTCC), fondée en 1946, améliore considérablement les conditions de travail et de salaires de ses membres. En 1960, la semaine régulière de travail des infirmières syndiquées est de 40 heures, comparé à 54 heures quinze ans plus tôt. Quant au salaire de base, il est passé d'environ 20 $ à 50 $ par semaine.

Radio-Canada

Les années cinquante se terminent par une grève célèbre, celle de Radio-Canada. C'est le premier débrayage depuis que la société d'État fédérale a ouvert sa station de télévision à Montréal, en 1952. C'est aussi la première grève en vue d'obtenir la reconnaissance du syndicalisme de cadres: elle est déclenchée par 75 réalisateurs francophones. Plus de 2 000 employés respectent les lignes de piquetage en guise de solidarité. Au cours d'un piquetage massif, la police arrête plusieurs manifestants dont le secrétaire général de la CTCC, Jean Marchand, et le journaliste René Lévesque, animateur de la populaire émission «Point de mire». Commencée le 29 décembre 1958, la grève se termine au bout de 69 jours par la reconnaissance du syndicat des réalisateurs.

Tous les employés de Radio-Canada appuient la revendication des réalisateurs pour la reconnaissance de leur syndicat.

LES SYNDICATS DE L'ENSEIGNEMENT

Durant les années 1945-1960, les syndicats d'enseignantes et d'enseignants restent plutôt en marge du mouvement syndical, si l'on exclut l'*Alliance des professeurs de Montréal* qui mène une grande grève en 1949.

Les enseignantes et enseignants de l'Alliance en réunion le 10 janvier 1949 pour prendre une décision quant aux offres salariales de la CECM.
Archives publiques du Canada. (The Gazette).

La *Corporation des instituteurs et institutrices catholiques du Québec* (CIC), fondée en 1945, n'augmente ses effectifs que de 10 000 à 16 000 membres jusqu'en 1959. C'est alors qu'après la mort de Duplessis, sous le gouvernement Sauvé, la CIC obtient l'adhésion automatique de tout le personnel enseignant laïque des écoles élémentaires et secondaires catholiques francophones, ainsi que la déduction des cotisations syndicales à la source. En une seule année, ses effectifs font un bond de 16 000 à 28 000 membres.

La loi de 1946

En 1946, alors même qu'il vient de faire voter la loi constitutive de la CIC, le gouvernement Duplessis adopte une législation qui va tuer, à toutes fins utiles, le syndicalisme enseignant dans les milieux ruraux, soit les deux tiers des effectifs de la Corporation.

Cette loi, qui porte le titre trompeur de «Loi pour assurer le progrès de l'éducation», enlève aux institutrices et instituteurs hors des villes le droit de recourir à l'arbitrage. Or, ce droit, conquis en 1944, est la seule arme dont ils disposent puisqu'ils sont privés du droit de grève. En pratique, cette loi d'exception, votée sous la pression des commissions scolaires, supprime le droit à la négociation collective. Elle instaure pour le personnel enseignant des milieux ruraux un régime discriminatoire qui va se perpétuer jusqu'en 1960.

La loi de 1946 est surtout dévastatrice pour les institutrices rurales, le groupe le plus nombreux de la CIC et l'un des plus combatifs jusqu'alors. Les effectifs syndicaux baissent dans les années suivantes, de même que le nombre de conventions collectives en vigueur. Les conditions de travail et de salaire restent extrêmement pénibles. En 1946, le salaire minimum des institutrices rurales est de 600 $ par année. En 1948-49, près des trois quarts d'entre elles gagnent moins de 900 $ par année. En 1952-53, près de la moitié touchent moins de 1 000 $ par année, alors que le salaire industriel moyen est de plus de 2 500 $.

Quant aux enseignantes et enseignants des villes, ils conservent le droit à l'arbitrage mais avec d'énormes restrictions à la suite de la loi 60 votée sous Duplessis au début de 1949. Cette loi permet notamment de réviser les sentences arbitrales à la baisse pour tenir compte de la situation financière des commissions scolaires. Elle stipule aussi que les sentences ne doivent contenir aucune disposition allant à l'encontre des pouvoirs des autorités scolaires en matière d'embauche, de suspension et de congédiement du personnel. En vertu du Code scolaire, l'employeur peut effectuer des congédiements annuels sans possibilité de recours pour les enseignantes et enseignants.

LA GRÈVE DE L'ALLIANCE DES PROFESSEURS

La loi 60 sur l'arbitrage fait suite à la grève «illégale» des membres de l'Alliance des professeurs de Montréal, la plus grande lutte de toute la période dans le secteur de l'enseignement. Cette grève, qui constitue un événement majeur pour la société québécoise, est déclenchée en janvier 1949 par 1 800 enseignantes et enseignants. Elle dure six jours.

On a souvent dit de cette grève historique qu'elle a été la première du genre au Québec. Or, en plus de certains arrêts de travail dans les années trente, on doit rappeler que l'année précédente, en mai 1948, soixante institutrices de Thetford, en Estrie, ont cessé le travail en se déclarant toutes «malades». Au bout de 4 jours, elles ont eu gain de cause en obtenant que s'applique un arbitrage leur accordant un salaire annuel variant de 800 $ à 1 400 $.

À Montréal, lorsqu'ils se mettent en grève, les institutrices et instituteurs sont alors les plus mal payés des grandes villes du Canada. Ils gagnent 1 000 $ de moins par année, en moyenne, que leurs collègues des écoles anglo-protestantes de la métropole, avec qui ils réclament la parité. Ils désirent également une hausse substantielle pour les femmes qui gagnent moitié moins que les hommes.

Les grévistes reçoivent l'appui de l'ensemble du mouvement syndical. Ils retournent au travail au bout de 6 jours à la demande expresse de l'archevêque de Montréal, Mgr Joseph Charbonneau, qui s'engage à obtenir une solution équitable au conflit. L'Alliance obtient certains gains mais les séquelles de cette lutte sont douloureuses.

Les suites de la grève

La grève ayant été «illégale», la Commission des relations ouvrières retire à l'Alliance son certificat d'accréditation. Le syndicat conteste cette décision et de longues procédures s'engagent jusqu'en Cour suprême du Canada. Entre-temps, la Commission des écoles catholiques de Montréal refuse désormais de négocier avec un syndicat qui n'est plus accrédité. Elle congédie, sous prétexte d'«insubordination», le leader de l'Alliance, Léo Guindon. Enfin, elle suscite la formation d'une association rivale qui est visiblement de collusion avec l'employeur.

En juin 1953, la Cour suprême conclut à l'illégalité de la désaccréditation de l'Alliance. Le premier ministre Duplessis riposte en faisant adopter la loi 20, surnommée la «loi Guindon», dans un geste de représailles odieux à l'égard de l'Alliance. La loi prévoit la perte automatique de son accréditation pour tout syndicat des services publics qui fait la grève ou dont l'un des dirigeants préconise publiquement la grève. Parce qu'elle est rétroactive, la loi vise expressément la grève menée par l'Alliance en 1949!

Ce n'est qu'en 1959 que le syndicat pourra recouvrer son accréditation et que s'effectuera la réunification des institutrices et instituteurs de Montréal au sein de l'Alliance.

Changements à la CIC

Léopold Garant, qui sera président de la CIC de 1951 à 1965.

La grève de l'Alliance provoque par ailleurs des dissensions au sein de la CIC entre les éléments plus progressistes, dirigés par Léo Guindon, et les éléments plus modérés, voire conservateurs. En 1951, Guindon est défait à la présidence de la Corporation par Léopold Garant. La CIC, qui avait commencé à nouer des liens avec le reste du mouvement syndical, fait cavalier seul et se rapproche du régime Duplessis.

En 1953, la loi constitutive de la Corporation est amendée pour permettre aux institutrices et instituteurs des milieux ruraux de se regrouper dans des syndicats mixtes, et aux fédérations provinciales de se transformer en fédérations diocésaines, sur la base des territoires des commissions scolaires.

À la fin des années cinquante, les conditions du personnel enseignant laïque francophone restent bien en-deçà de celles de beaucoup de travailleuses et travailleurs syndiqués. Les salaires sont faibles, la sécurité d'emploi inexistante, la qualification et l'expérience à peine reconnues. Il existe de grandes disparités entre le personnel enseignant rural et urbain, les femmes et les hommes, les écoles franco-catholiques et anglo-protestantes. Ce n'est que dans les années soixante que la situation s'améliorera radicalement, à la suite de nouvelles luttes.

5. L'ACTION POLITIQUE OUVRIÈRE

Les années 1945-1960 sont des années difficiles pour l'action politique ouvrière, au plus fort de la «guerre froide», du «maccarthysme» et de la chasse aux sorcières dirigée contre les militantes et militants communistes, socialistes ou tout simplement progressistes. De plus, des luttes acerbes se développent au sein du mouvement ouvrier entre le courant social-démocrate et le courant communiste, ce qui conduit à un affaiblissement général de la gauche déjà peu enracinée au Québec.

L'action politique du mouvement syndical est surtout dirigée contre le régime Duplessis. On peut même dire que le principal foyer d'opposition se trouve au sein des syndicats. À cause de l'incapacité de bâtir une alternative ouvrière indépendante, c'est le vieux Parti libéral qui, sous un visage réformiste, va profiter de la montée de l'opposition au régime. Les libéraux prennent le pouvoir à Québec, en 1960, avec la sympathie d'une large partie du mouvement syndical.

L'ACTION POLITIQUE DES SYNDICATS

Tout en menant une action de pression auprès des pouvoirs publics pour obtenir des législations favorables aux travailleuses et travailleurs, les organisations syndicales ont des positions différentes par rapport à l'organisation politique.

Alors que la FPTQ et la CTCC maintiennent officiellement une attitude de neutralité à l'égard de toute action politique partisane, la FUIQ appuie ouvertement le Parti Social-Démocratique (CCF). Après la réunification de la FPTQ et de la FUIQ au sein de la FTQ en 1957, la nouvelle centrale s'engage dans la voie de l'appui au successeur de la CCF, le Nouveau parti Démocratique (NPD). Quant à la CTCC, bien qu'elle soit publiquement antiduplessiste, elle conserve sa position d'indépendance à l'égard de tout parti politique.

LA FUIQ

Les débats les plus avancés sur l'action politique ouvrière indépendante se déroulent au sein des syndicats affiliés au Congrès canadien du travail qui fondent, en 1952, la Fédération des unions industrielles du Québec (FUIQ).

Depuis 1943, ces syndicats appuient officiellement la CCF et le «socialisme démocratique». Ils mènent de vives luttes internes contre les militantes et militants communistes qui sont finalement exclus. La question nationale est également au coeur des débats que tient la centrale sur l'organisation politique des travailleurs.

En 1954, le congrès de la FUIQ donne mandat à son Comité d'action politique — dont le secrétaire est Fernand Daoust — de préparer un Manifeste des droits fondamentaux que revendiquent les travailleuses et travailleurs, en tant que citoyens et syndiqués. En mai 1955, lors de son congrès de Joliette, la FUIQ adopte son «Manifeste au peuple du Québec», un document progressiste qui préconise le socialisme démocratique «dans le respect des traditions de masses canadiennes-françaises».

Dans la logique du Manifeste, le comité qui a préparé le document propose majoritairement la création d'un parti ouvrier «distinctement québécois», qui aurait un programme proche de celui de la CCF mais qui conserverait son autonomie à l'égard du parti social-démocrate canadien. La CCF, explique-t-on, est un parti ouvrier qui a ses assises au Canada anglais et dont les politiques ne sont pas élaborées en tenant compte de la situation particulière des travailleurs du Québec. Par 61% des voix, le congrès de la FUIQ rejette la formation d'un parti ouvrier québécois et maintient son appui à la CCF.

Certains défenseurs d'un parti social-démocrate propre au Québec forment, à l'été 1955, la Ligue d'action socialiste qui poursuit des objectifs d'éducation politique auprès des syndiqués. La direction de la Ligue réussit à convaincre la FUIQ d'appuyer le Rassemblement, formé en 1956 pour regrouper la «gauche démocratique» opposée au régime Duplessis. L'année suivante, le Rassemblement éclate à la suite de la décision de ne pas y admettre des militantes et militants du Parti Libéral. Deux des chefs de file du mouvement, le professeur Pierre Elliott-Trudeau et le secrétaire de la CTCC Jean Marchand, n'étaient pas d'accord avec la décision d'exclure les libéraux.

LA FTQ

À la suite de la fondation de la Fédération des travailleurs du Québec en 1957, par la fusion de la FUIQ et de la FPTQ, le problème de l'action politique ouvrière se pose surtout pour les anciens dirigeants de la FPTQ, qui s'opposaient jusque-là à tout appui à un parti ouvrier.

La FPTQ affichait en effet sa neutralité officielle à l'égard des partis, fidèle en cela à la tradition du «gomperisme» de l'American Federation of Labor aux États-Unis. Toutefois, certains de ses syndicats affiliés étaient proches de la CCF ou du Parti Communiste (avant leur exclusion). De plus, une fraction des dirigeants de la FPTQ collaborait avec Duplessis et participait même aux campagnes électorales aux côtés de l'Union nationale.

La fusion avec la FUIQ social-démocrate et la rupture avec le régime Duplessis, surtout à l'occasion de la grève de Murdochville, vont permettre une relance de l'action politique indépendante au sein de la FTQ. Cette action va toutefois se limiter à la scène fédérale.

Au niveau fédéral, la FTQ soutient le mouvement en faveur de la création d'un nouveau parti de type travailliste, résultant de la jonction de la CCF et du mouvement syndical. À son congrès d'avril 1958 à Winnipeg, le Congrès du travail du Canada (CTC), auquel la FTQ est affiliée, lance un appel en faveur d'un «regroupement large des forces populaires et progressistes» en vue de former un nouveau parti. C'est ainsi que sera fondé, en 1961, le Nouveau Parti Démocratique (NPD), social-démocrate. La FTQ et plusieurs de ses syndicats affiliés le soutiendront.

LA CTCC

Après ses grandes luttes syndicales et notamment la grève de l'amiante en 1949, la Confédération des travailleurs catholiques du Canada (CTCC) s'oriente dans la voie d'une action politique plus structurée.

À son congrès de 1949, la CTCC décide de former un comité d'action civique qui devient un comité d'orientation politique l'année suivante. On précise bien qu'il ne s'agit pas d'appuyer ou de former un parti politique, mais plutôt de travailler à l'«éducation politique» des syndiqués. En 1951, le «rapport moral» du président, Gérard Picard, marque une nette rupture avec le régime Duplessis, sur un ton anticapitaliste.

La première intervention directe de la CTCC sur la scène électorale survient en 1952. Des élections provinciales sont prévues pour juillet. Or, plusieurs grèves en cours au Québec sont alors menées par la CTCC: à l'Associated Textile de Louiseville, au grand magasin Dupuis Frères à Montréal, à la manufacture de vêtements Rubin de Sherbrooke et chez les débardeurs et les métallos de Fer et Titane, à Sorel.

Pour la première fois de son histoire, la CTCC donne le mot d'ordre de «voter contre les ennemis de la classe ouvrière». Ces ennemis, ce sont quatre députés de l'Union nationale (dont deux ministres) que la centrale juge possible de faire battre dans leurs comtés. Trois d'entre eux sont d'ailleurs battus: dans Saint-Maurice (où se trouve Shawinigan), dans Richmond (qui englobe Asbestos), et dans Saint-Sauveur, quartier ouvrier de Québec. La CTCC appuie quatre candidats du Parti Libéral, dont un conseiller juridique de la centrale à Shawinigan, Me René Hamel, qui est élu député de Saint-Maurice et qui deviendra ministre du Travail dans le gouvernement libéral en 1960.

À son congrès de 1954, la centrale insiste à nouveau sur la nécessité de l'action politique, jugée indispensable pour que le syndicalisme atteigne ses objectifs. Le congrès décide que le travail politique passe par des campagnes d'éducation, uniquement, et n'envisage pas l'appui à un parti ouvrier.

Pourtant, à son congrès de 1957, la CTCC déclare que le programme du Parti Social-Démocratique (CCF) est «conforme aux voeux exprimés par les centrales syndicales». Elle n'envisage toutefois pas de modifier sa position statutaire qui lui interdit de s'engager dans la politique partisane. Sa position a néanmoins considérablement évolué depuis 1944 alors qu'elle condamnait formellement le socialisme incarné par la CCF.

En 1959, la CTCC fait un pas de plus en amendant sa constitution pour permettre à ses organisations affiliées de «prendre les attitudes qu'elles jugeront appropriées» en matière d'action politique, y compris le soutien à un parti. La centrale elle-même réaffirme son indépendance à l'égard de tout parti politique.

Quelques membres influents de la CTCC joueront un rôle important dans la formation du NPD au Québec, notamment l'ex-président Gérard Picard et Michel Chartrand. D'autres dirigeants, comme Jean Marchand, s'identifieront davantage au Parti Libéral.

LE PARTI SOCIAL-DÉMOCRATIQUE (CCF)

Appuyé par une partie du mouvement syndical, le Parti Social-Démocratique (CCF) a beaucoup de mal à s'implanter au Québec même si son «socialisme démocratique» suscite moins de craintes qu'auparavant. En fait, comme nous l'avons déjà vu, c'est la question nationale qui apparaît jouer surtout au détriment du parti. La CCF est identifiée au Canada anglais et favorable à une plus grande centralisation des pouvoirs à Ottawa, ce qui va à l'encontre du nationalisme canadien-français. De là les tentatives en vue de créer un parti ouvrier «distinctement québécois» mais qui n'ont pas de suites. Les résultats électoraux, tant sur la scène fédérale que provinciale, sont très faibles.

En 1946, la CCF s'est donné comme leader québécois un avocat spécialisé dans les causes syndicales, Guy-Merrill Désaulniers, qui succède à Romuald Lamoureux du Syndicat des Métallos. En 1951, le parti se donne comme porte-parole Thérèse Casgrain, qui a beaucoup contribué à l'avancement de la cause des femmes au Québec. En 1957, le nouveau leader est Michel Chartrand, un syndicaliste de la CTCC. Ce dernier recueille exceptionnellement plus de 8 000 voix lors des élections fédérales de 1958 dans le comté de Lapointe au Saguenay (qui englobe Arvida), alors que le candidat libéral est élu avec quelque 10 000 voix.

Peu après, le parti s'engage aux côtés de la FTQ et de certains dirigeants de la CTCC dans la formation d'une nouvelle organisation politique qui prendra le nom de Nouveau Parti démocratique (NPD).

LE PARTI COMMUNISTE

Le Parti Communiste (PC), — qui portera le nom de Parti Ouvrier Progressiste jusqu'en 1959 — apparaît en montée à la fin de la guerre au Québec où il compte quelque 2 500 membres dont environ 500 francophones. Il est implanté à Montréal dans plusieurs syndicats internationaux. Le PC va cependant perdre, graduellement, l'influence qu'il avait pu gagner.

Plusieurs facteurs expliquent ce déclin du parti. D'abord, il y a le climat international de «guerre froide» et la vague de maccarthysme qui renforcent la crainte de l'Union soviétique et du «péril rouge». Cette situation contribue à discréditer le PC qui, avec plus ou moins de succès, essaie constamment de rester fidèle à la «ligne de Moscou». Le parti subit un dur coup, dès 1946, avec l'arrestation de son seul député à Ottawa, Fred Rose, de Montréal-Cartier, soi-disant pour espionnage au profit de l'URSS pendant la guerre. Condamné à six ans d'emprisonnement en vertu de la loi arbitraire des secrets officiels, Rose sera libéré en août 1951 et devra par la suite s'exiler dans sa Pologne natale.

À cela s'ajoute la répression constante exercée par le régime Duplessis. La «Loi du Cadenas», qui reste en vigueur jusqu'en 1957, entraîne notamment la fermeture temporaire du journal québécois du parti, «Combat», à la suite d'un raid de la police provinciale.

Par ailleurs, le mouvement ouvrier est divisé par des rivalités grandissantes entre les militants sociaux-démocrates et communistes. Ces rivalités conduisent, entre autres, à l'exclusion des communistes de la plupart de leurs positions au sein des syndicats.

Tout comme la CCF, le PC est également confronté avec la question nationale. En 1947, il est victime d'une grave scission provoquée par des divergences autour de la reconnaissance des droits des Canadiens français et de l'autonomie de l'aile québécoise par rapport à l'organisation canadienne. Cette scission entraîne le départ d'une partie importante des membres francophones. C'est ainsi qu'est fondé un éphémère Parti Communiste du Canada français sous l'impulsion d'un ex-dirigeant du PC, Henri Gagnon.

Enfin, une nouvelle crise secoue le parti, en 1956-1957, à la suite des révélations du 20e congrès du PC soviétique sur le stalinisme et après les événements de Hongrie et de Pologne. Le leader québécois du parti, Gui Caron, démissionne de façon spectaculaire en même temps qu'un fort noyau de militants.

À la fin des années cinquante, le Parti Communiste est devenu une organisation marginale au Québec.

CHAPITRE 5

Les années 1960

1. L'ÉCONOMIE

Le début des années soixante est marqué par la reprise économique et une croissance accélérée de l'emploi qui coïncident avec ce qu'on a appelé la «Révolution tranquille», cette vaste mutation de la société québécoise. Le taux de chômage, qui était de plus de 10% en 1960, redescend à 7,5% en 1962 et à 4,7% en 1966.

Après la fin des grands travaux publics occasionnés par la construction du barrage hydro-électrique de la Manicouagan et la tenue de l'Exposition universelle de Montréal en 1967, l'économie ralentit et entre graduellement dans une phase de récession. Le chômage monte à près de 10% à la fin de 1970. En même temps, les prix — dont la hausse se maintenait en deçà de 2,5% par année — se mettent à grimper à partir de 1966. Cette combinaison d'inflation et de stagnation de la production (la «stagflation») est un phénomène nouveau: habituellement, pendant les récessions, la croissance des prix se fait plus modérée.

Le capitalisme d'État

Profitant de la reprise économique, les artisans de la «Révolution tranquille» se lancent dans une série de grandes réformes qui visent à moderniser les structures de la société québécoise pour les adapter au stade de développement

La construction des barrages électriques a contribué à l'essor économique du Québec. Ici le Manic 5.

atteint par le capitalisme, c'est-à-dire le capitalisme monopoliste d'État. En d'autres termes, l'État doit mieux jouer son rôle de soutien au service d'une économie qui reste contrôlée par les monopoles, les grandes entreprises.

Aux côtés du capital américain et anglo-canadien, qui demeure largement majoritaire, se développe une bourgeoisie canadienne-française aidée par «l'État du Québec», ainsi qu'on l'appelle à l'époque. L'État est présenté comme un instrument qui doit favoriser un plus grand contrôle de l'économie du Québec par les Québécois, plus précisément par les Québécois francophones. C'est ainsi que le slogan «Maîtres chez nous» ponctue la campagne du gouvernement libéral en faveur de la nationalisation du réseau hydro-électrique en 1962.

Les réformes économiques

La nationalisation de l'électricité est l'une des réformes les plus spectaculaires. C'est une opération que l'Ontario avait réalisée dès 1906. Le réseau avait déjà été partiellement étatisé en 1944 avec la création d'Hydro-Québec et la prise de contrôle de la Montreal Light, Heat and Power. La nationalisation de tout le réseau, en 1963, permet de rendre le service plus accessible et d'en diminuer les coûts en certains endroits, tout en favorisant la promotion de cadres francophones dans un secteur qui était jusque-là un fief anglophone. Elle permet aussi les investissements requis pour la production hydro-électrique exigée par le développement du capitalisme.

Autre réforme économique majeure: la création de la Caisse de dépôt et placement, qui administre les fonds de la nouvelle Régie publique des rentes et d'autres caisses de retraite. La Caisse devient un formidable réservoir de capitaux pour l'État qui l'a mise sur pied ainsi que pour l'entreprise privée où il investit des fonds.

L'État crée d'autres instruments pour aider, de façon générale, l'entreprise privée. Ainsi, la Société générale de financement permet notamment de soutenir des entreprises francophones. Société mixte, la SGF s'associe, entre autres, à la famille Simard de Sorel, un des fleurons de la bourgeoisie canadienne-française, propriétaire des chantiers navals de Marine Industrie à Sorel. Québec crée aussi l'Office de crédit industriel pour aider les petites et moyennes entreprises francophones.

Par ailleurs, le gouvernement met sur pied des sociétés d'État dans le secteur des richesses naturelles. C'est le cas de la Société québécoise d'exploration minière (SOQUEM), de la Société québécoise d'initiatives pétrolières (SOQUIP) et de la Régie d'exploitation forestière (REXFOR). Premier producteur de fer au Canada, le Québec décide aussi de se donner une industrie sidérurgique intégrée en créant une société d'État, Sidbec, qui prend le contrôle des installations de la compagnie britannique Dosco à Montréal.

Présentés comme des «leviers» de l'économie québécoise, ces divers instruments font assumer par l'État des coûts élevés d'investissements qui, pour l'entreprise privée, seraient d'une rentabilité douteuse. Ainsi, la SOQUEM (mines) et la SOQUIP (pétrole) font des recherches qui profitent au capital privé: les coûts sont socialisés, c'est-à-dire payés par tous, mais les profits restent largement privés.

Si les réformes économiques de la Révolution tranquille favorisent l'expansion d'une bourgeoisie canadienne-française, elles permettent aussi l'essor d'une nouvelle petite-bourgeoisie réformiste à la faveur de la croissance de l'État.

Les réformes sociales

Sous la poussée d'un mouvement syndical en pleine montée et d'une petite-bourgeoisie qui contrôle certains leviers de pouvoir, le gouvernement du Québec réalise plusieurs réformes sociales de grande importance, surtout en matière de services de santé, de sécurité sociale et d'enseignement. L'État assume progressivement le contrôle de ces secteurs jusque-là dominés par le clergé et où le mouvement de laïcisation ira s'accentuant.

La réforme des services de santé est amorcée avec l'assurance-hospitalisation en 1961. Elle est complétée avec l'entrée en vigueur d'un régime public d'assurance-maladie qui s'applique d'abord aux bénéficiaires de l'aide sociale, en 1966, puis à toute la population en 1970, en même temps qu'est créé un vaste ministère des Affaires sociales.

Autre réforme majeure: l'entrée en vigueur, le premier janvier 1966, d'un régime public des rentes qui permet aux cotisants de toucher, le moment venu, une pension de retraite beaucoup plus substantielle que les pensions de sécurité de la vieillesse versées par Ottawa. En 1967, le Québec instaure aussi son propre régime d'allocations familiales qui complète celui du gouvernement fédéral.

Dans l'enseignement, un ministère de l'Éducation est enfin créé en 1964. On assiste à l'extension du réseau d'écoles publiques, gratuites et désormais obligatoires jusqu'à l'âge de 16 ans. Le Québec se dote d'un réseau complet d'écoles secondaires publiques et, à partir de 1967, de collèges d'enseignement général et professionnel (cégeps) qui favorisent l'accès à l'université réservée jusque-là à une «élite». Les milieux ouvriers et francophones restent toutefois sous-représentés aux niveaux supérieurs de l'enseignement.

Ces réformes sociales constituent de grandes conquêtes pour le mouvement ouvrier qui les revendiquait depuis longtemps, parfois depuis le début du siècle. Elles démocratisent l'accès à des services publics comme la santé et l'éducation. En même temps, elles visent à développer une main-d'oeuvre mieux formée et plus productive, en fonction d'une politique dite de «rentabilisation du capital humain».

Les réformes économiques et sociales de la Révolution tranquille, qui entraînent une extension du secteur public et parapublic, constituent une vaste opération de rattrapage et de modernisation. Elles marqueront profondément toute la société québécoise et auront des retombées pour longtemps.

2. LA SCÈNE POLITIQUE

La Révolution tranquille démarre avec l'arrivée au pouvoir du Parti Libéral du Québec, le 22 juin 1960, après 16 ans de règne de l'Union nationale.

Les libéraux sont formés d'une aile fédéraliste et plutôt conservatrice, dirigée par le premier ministre Jean Lesage, et d'une aile nationaliste et réformiste animée par le ministre des Richesses naturelles René Lévesque. Ils sont reportés au pouvoir lors de l'élection-référendum sur la nationalisation de l'électricité, en 1962.

Jean Lesage, encadré par René Lévesque et Jean Gérin-Lajoie lors de l'élection de 1962 sous le thème «Maîtres chez nous».

«L'État du Québec»

La Révolution tranquille est marquée par une affirmation grandissante de «l'État du Québec», à la faveur des grandes réformes réalisées par les libéraux. Les francophones du Québec, qui se définissaient jusque-là comme Canadiennes et Canadiens français, s'identifient de plus en plus comme Québécoises et Québécois, c'est-à-dire comme un peuple qui occupe un territoire national distinct.

Le processus de modernisation et d'affirmation du Québec suscite une dynamique qui remet en question le partage des pouvoirs, au sein de la fédération canadienne, entre les gouvernements fédéral et québécois. Cet état de fait est bien illustré par le rapport de la commission fédérale d'enquête sur le bilinguisme et le biculturalisme (commission Laurendeau-Dunton) qui, en 1965, constate que «le Canada traverse la crise la plus grave de son histoire». Cette crise, explique-t-on, oppose «deux majorités»: la majorité française du Québec et la majorité anglaise du Canada.

Le projet d'indépendance

La crise politique canadienne est accentuée par la montée du mouvement en faveur de l'indépendance du Québec. Ce mouvement naît à la faveur de la Révolution tranquille et de l'effervescence que connaît la société québécoise aux niveaux politique, économique, social et culturel. Il vise à faire du Québec un pays souverain où les francophones (80% de la population) seraient majoritaires et maîtres de leurs destinées.

C'est en septembre 1960 que sont jetées les bases du premier parti indépendantiste, le Rassemblement pour l'indépendance nationale (RIN), identifié au centre-gauche. Un autre parti situé à droite, le Ralliement national, est fondé en 1964. De son côté, le Front de libération du Québec (FLQ) se manifeste, à partir de 1963, par des actes de violence politique qui iront croissant jusqu'en 1970. Les indépendantistes recueillent environ 10% des voix lors des élections de 1966.

Le retour de l'Union nationale

Ces élections marquent le retour au pouvoir de l'Union nationale, dirigée par Daniel Johnson, qui a fait campagne sur le thème «Égalité ou indépendance» pour le Québec. Malgré ses orientations conservatrices, l'Union nationale ne peut stopper complètement le mouvement de réformes amorcé avec la Révolution tranquille. Après la mort subite de Johnson en 1968, la succession est assumée par le premier ministre Jean-Jacques Bertrand. Le Québec entre dans une période d'agitation politique et sociale grandissante.

Le «French Power» à Ottawa

Entre-temps, sur la scène fédérale, les années soixante sont marquées par une phase d'instabilité politique: trois gouvernements minoritaires se succèdent en six ans, de 1962 à 1968. Lors des élections du 25 juin 1968, sous le thème de la «société juste», les libéraux forment un gouvernement majoritaire dirigé par le premier ministre Pierre-Elliott Trudeau. On assiste alors à l'entrée en scène à Ottawa de ce qu'on a appelé le «French Power», un bloc de francophones résolus à faire du Canada un pays bilingue et biculturel, comme en témoigne la Loi sur les langues officielles (1969).

Les trois colombes, au matin de leur conversion, en octobre 1965.

Pierre Trudeau, ex-directeur de la revue Cité Libre et professeur à l'Université de Montréal, avait rejoint le Parti libéral fédéral en 1965 en compagnie de

Jean Marchand, qui venait de quitter la présidence de la CSN, et de Gérard Pelletier, ex-directeur du journal Le Travail de la CTCC puis rédacteur en chef de La Presse. Les trois hommes avaient proclamé qu'ils allaient à Ottawa pour «sauver le Canada» menacé par la montée du mouvement en faveur de l'indépendance du Québec.

Le Parti Québécois

Alors que le «French Power» s'installe à Ottawa, le mouvement indépendantiste est en progression au Québec. Peu après la visite du général de Gaulle et son célèbre cri «Vive le Québec libre», en 1967, l'ex-ministre René Lévesque et ses partisans quittent le Parti libéral pour former le Mouvement Souveraineté-Association. Sous le leadership de Lévesque, les indépendantistes font leur unité au sein du Parti Québécois, fondé en octobre 1968. Le PQ absorbe, à sa gauche, les militants du Rassemblement pour l'indépendance nationale qui se dissout, et à sa droite le Ralliement national.

Parti nationaliste et réformiste, le PQ recueille 24% des voix lors des élections d'avril 1970. Ce scrutin marque le retour au pouvoir des libéraux dirigés par Robert Bourassa, qui a fait campagne sur le thème «Québec au travail» en promettant 100 000 emplois.

Le FRAP

Par ailleurs, un nouveau front de lutte apparaît dans les quartiers populaires de Montréal, de Québec et de certaines régions: les comités de citoyens. Ils tentent de regrouper les plus exploités sur des terrains de luttes sociales comme le logement, la santé, l'alimentation, etc. Les comités de citoyennes et citoyens se politisent et, à Montréal, se transforment en comités d'action politique de quartiers. En 1970, ils effectuent une jonction avec les syndicats montréalais pour fonder le Front d'action politique (FRAP), en vue de faire la lutte au régime du maire Jean Drapeau lors des élections municipales.

Montréal 1970. Le FRAP lors d'une assemblée publique sous le thème «Les salariés au pouvoir».

Le FLQ: la Crise d'Octobre

Dans l'intervalle, le Front de libération du Québec continue de se manifester. À partir de 1966, sous le leadership idéologique de Pierre Vallières et Charles Gagnon, le FLQ s'identifie comme indépendantiste et socialiste; il intervient par la violence pour soutenir certaines luttes ouvrières. L'escalade atteint son point culminant en octobre 1970 avec un double kidnapping et une «exécution».

Octobre 1970. Scènes de l'occupation militaire au Québec.

L'enlèvement par le FLQ d'un diplomate britannique, James Richard Cross, et du ministre québécois du Travail, Pierre Laporte (qui sera «exécuté»), conduit à la proclamation par Ottawa de la Loi des mesures de guerre et à l'occupation du Québec par l'armée canadienne. Le gouvernement Trudeau, avec la collaboration du gouvernement Bourassa et des pouvoirs municipaux à Montréal, utilise le prétexte du terrorisme pour tenter de mater l'opposition nationale et sociale. Au-delà de 500 personnes sont emprisonnées et plusieurs milliers d'autres subissent des râfles alors que les libertés civiles sont suspendues.

Plusieurs militants du FRAP, des syndicats, des groupes populaires et progressistes ainsi que du Parti Québécois sont victimes de cette razzia. L'opération vise, manifestement, à désorganiser les forces progressistes et à semer la panique parmi la population. C'est ainsi qu'en pleine crise, le 25 octobre, le régime autoritaire du maire Drapeau est reporté au pouvoir après avoir utilisé la plus basse démagogie contre le FRAP, qu'il associe au FLQ. La répression, orchestrée par le gouvernement fédéral sous la direction de Trudeau, ne freinera pas pour autant la radicalisation du mouvement ouvrier, ni la montée du mouvement indépendantiste.

3. LA CONDITION OUVRIÈRE

Durant les années soixante, les conditions de vie et de travail s'améliorent rapidement comme c'est généralement le cas à l'occasion d'une phase de croissance économique, et aussi grâce aux luttes du mouvement syndical en pleine expansion. Les travailleuses et travailleurs conquièrent de grandes réformes lors de la Révolution tranquille, notamment en matière de santé, de sécurité sociale et d'éducation.

La main-d'oeuvre

L'intervention accrue de l'État dans l'économie accélère les changements dans la composition de la main-d'oeuvre. Le secteur des services en général et des services publics en particulier devient largement prédominant, en raison surtout de l'expansion des réseaux scolaire et hospitalier ainsi que de la fonction publique. Par exemple, le personnel des hôpitaux passe de quelque 50 000 à 100 000 employés de 1960 à 1966.

En dix ans, le nombre des cols blancs s'accroît de 8% et celui des cols bleus diminue de 5%, ce qui signifie moins de salariés dans les manufactures et la construction et davantage dans les emplois de bureau, de commerce, de transports et de services. On compte près des deux tiers de la main-d'oeuvre dans le secteur dit tertiaire, soit celui des services en général.

Par ailleurs, les changements technologiques se multiplient et créent des bouleversements sur le marché du travail. Le phénomène de l'automation prend des proportions grandissantes.

Les travailleuses

L'expansion des services est l'un des facteurs qui favorise l'augmentation du nombre de femmes sur le marché du travail, où elles forment environ le tiers de la main-d'oeuvre en 1970. Phénomène encore plus frappant: 28% des femmes mariées ont un emploi salarié, comparé à 14% dix ans plus tôt. Au total, près de la moitié des travailleuses sont mariées (48%), comparé au tiers en 1960.

Ces changements majeurs entraînent de nouvelles revendications en faveur de congés de maternité et de garderies publiques, réclamés par les syndicats à partir de 1962. Certains groupes de travailleuses syndiquées commencent à obtenir des congés de maternité sans perte d'emploi ni d'ancienneté mais non payés.

En décembre 1968, le Québec, après toutes les provinces canadiennes, adopte une loi levant l'interdiction qui pèse sur le travail de nuit des femmes en usines.

Le niveau de vie

Le niveau de vie des travailleuses et travailleurs s'améliore dans les années soixante en raison de l'expansion économique et des luttes nombreuses menées par les syndiqués.

C'est une époque de développement fulgurant de la production et de la consommation de masse, marquée par un essor sans précédent du crédit à la consommation — qui entraîne des problèmes d'endettement pour les familles ouvrières.

En 1968, près de 45% des ménages québécois possèdent une maison (contre 55% au Canada), 66% une automobile et 96,5% un appareil de télévision. Ils achètent en grand nombre des appareils électro-ménagers modernes comme les laveuses (83% des ménages) et les congélateurs (16,4%), de même que des tourne-disques (62,5%). On note aussi que 94% des ménages ont le téléphone.

Si la société québécoise est de celles qui possèdent l'un des plus hauts niveaux de vie, les disparités n'en sont pas moins énormes entre les plus riches et les plus pauvres. En 1970, 20% de la population québécoise vit encore sous le seuil de la pauvreté, selon les données de la commission d'enquête sur la santé et la sécurité sociale (rapport Castonguay-Nepveu). Selon l'Association coopérative d'économie familiale (ACEF), qui s'occupe surtout des problèmes d'endettement en milieu ouvrier, le tiers des Québécoises et Québécois vivent en état de pauvreté ou de privation. À Montréal, cette proportion est d'environ 40%, selon une étude célèbre sur la pauvreté publiée en 1966 par le Conseil du travail de Montréal (FTQ) et intitulée «La troisième solitude.»

D'autre part, si le niveau de vie des Québécois en général s'améliore, leur position relative parmi les pays industrialisés décline. Les Canadiennes et Canadiens, qui ont eu pendant longtemps le deuxième niveau de vie au monde après les États-Unis, ont baissé au sixième rang en 1970. Or, les Québécoises et Québécois francophones, ayant un revenu inférieur à la moyenne canadienne, se situent au douzième rang.

Les revenus des francophones

Malgré des gains importants, les revenus des Québécoises et Québécois en général continuent d'être de 15% inférieurs à la moyenne canadienne et au-delà de 20% inférieure à la moyenne de l'Ontario. Au Québec même, les francophones ont des revenus inférieurs de 35% en moyenne à ceux des anglophones, selon les données de la Commission d'enquête fédérale sur le bilinguisme et le biculturalisme (1965). Ils se classent au douzième rang de quatorze groupes ethniques, juste avant les Italo-Québécois et les Amérindiens.

Les Québécoises et Québécois de langue française, même bilingues, gagnent en moyenne 20% de moins que les Anglo-Québécois unilingues. La prise de conscience aiguë de cet état de fait explique la montée rapide du mouvement nationaliste dans les années soixante, de même que les revendications du mouvement ouvrier en faveur du français comme langue de travail.

Les salaires

De 1945 à 1970, les salaires ont en moyenne quadruplé au Québec et, compte tenu de l'inflation, le pouvoir d'achat a doublé.

En 1970, le salaire industriel moyen atteint près de 3 $ l'heure, soit environ 125 $ par semaine (comparé à 70 $ dix ans plus tôt). Dans des secteurs traditionnellement moins payés et qui fonctionnent selon le régime du «plan-boni» (au rendement), comme le textile, le salaire horaire moyen augmente de 1,36 $ à environ 2,30 $.

Entre-temps, le salaire minimum double en dix ans, passant à 1,30 $ l'heure en 1970. Une proportion élevée de la main-d'oeuvre au Québec gagne des salaires très voisins du salaire minimum, ce qui n'est pas le cas en Ontario et dans la plupart des autres provinces.

Le rattrapage salarial le plus spectaculaire se produit chez les travailleuses et travailleurs des services publics. Alors que le personnel enseignant fait les gains les plus considérables, le personnel des hôpitaux et les fonctionnaires améliorent de beaucoup leur sort à la suite de plusieurs luttes. Dans les hôpitaux, le salaire moyen de 100 $ par semaine est atteint à la fin de 1970.

Au début des années soixante-dix, on établit à 5 777 $ par année (111 $ par semaine) le salaire médian au Québec, c'est-à-dire le salaire en bas duquel et au-dessus duquel il y a 50% des salariés de tous les métiers. Pour les femmes, ce salaire n'est que de 3 205 $, soit un écart de 44,5% avec les hommes.

Chez les enseignantes et enseignants du secondaire, le salaire médian est de 8 171 $ (6 748 $ pour les femmes qui forment la moitié du personnel). Dans l'assemblage des appareils électriques, le salaire médian est de 5 680 $ — 3 758 $ pour les femmes qui constituent 40% de la main-d'oeuvre. Chez les aide-infirmiers, il est de 5 295 $ — 3 990 $ pour les femmes qui forment les trois quarts du personnel. Dans le textile, il est de 5 224 $ — 3 271 $ pour les tisserandes (20% du personnel). Enfin, chez les commis-vendeurs et vendeuses, le salaire médian s'établit à 4 104 $ — 1 848 $ pour les femmes (55% du personnel).

Si l'on s'en tient au salaire moyen, les gains des hommes qui ont travaillé toute l'année à plein temps en 1970 sont de 7 822 $ et ceux des femmes de 4 702 $. Au Canada, les gains sont plus élevés: 8 178 $ et 4 826 $ respectivement. La double discrimination salariale persiste donc: entre les hommes et les femmes, ainsi qu'entre les anglophones et les francophones.

Les travailleuses sont cantonnées dans des «ghettos d'emplois» sous-payés en usines, dans les bureaux, le commerce et les services en général. L'un des premiers groupes à atteindre l'objectif de la parité salariale est celui des institutrices syndiquées, qui l'obtiennent en 1967. Elles seront suivies par d'autres travailleuses des services publics.

La semaine de travail

En 1970, la semaine de travail moyenne au Québec est d'un peu moins de 40 heures (39,7) dans l'industrie manufacturière. Pour l'ensemble des salariés, elle est de 40,6. Chez les syndiqués, elle se rapproche de 37 heures et demie. Certains groupes font 35 heures.

En vertu du Code canadien du travail, la durée normale du travail pour les employés sous juridiction fédérale (10% des salariés au Québec) est fixée à 8 heures par jour et 40 heures par semaine, et la durée maximale à 48 heures. L'employeur doit payer les heures supplémentaires à temps et demi après 8 heures par jour et 40 heures par semaine.

En vertu de la Loi québécoise du salaire minimum, la durée normale du travail est fixée à 9 heures par jour et 45 heures par semaine. Elle est de 48 heures dans les exploitations forestières et de 50 heures dans les scieries.

La Loi des établissements industriels et commerciaux fixe à 9 heures par jour et 50 heures par semaine la durée maximale du travail en usine pour les femmes et les garçons de moins de 18 ans, et à 54 heures dans le commerce. L'âge minimum pour travailler est fixé à 16 ans, sauf pendant les vacances scolaires où il est de 15 ans.

Les avantages sociaux

Le régime de vacances payées s'étend progressivement à trois semaines de vacances chez les syndiqués, en fonction de l'ancienneté. Certains groupes obtiennent un mois.

Les régimes de protection sociale inclus dans les conventions collectives s'améliorent, en même temps que les régimes publics (assurance-hospitalisation, assurance-maladie, régime des rentes). Les syndicats négocient également un meilleur contrôle de l'évaluation des tâches et de la charge de travail et des dispositions en matière de sécurité d'emploi.

4. LE MOUVEMENT SYNDICAL

Les années soixante constituent une grande période d'expansion et de militantisme pour le mouvement syndical québécois.

En dix ans, le taux de syndicalisation passe d'un peu moins de 30% à près de 40% des salariés, soit de 375 000 à plus de 700 000 syndiqués. Il s'agit là d'un des taux les plus forts en Amérique du Nord.

Cette progression est due, en bonne partie, à l'implantation du syndicalisme dans les services publics. En 1970, on estime que près de 40% des syndiqués (280 000) travaillent dans les services publics et parapublics de l'État québécois et de l'État fédéral.

Alors que le secteur public est largement syndiqué, le taux de syndicalisation dans le secteur privé dépasse à peine 25%. Ce taux serait encore plus bas sans l'inclusion d'une catégorie de travailleurs où la syndicalisation devient obligatoire à la fin des années soixante: les quelque 100 000 ouvriers de la construction.

La force du mouvement syndical se manifeste notamment en 1964 par la conquête d'un nouveau Code du travail qui améliore le droit d'association, de négociation et de grève et reconnaît le droit de grève aux travailleurs et travailleuses des services publics.

LES ORGANISATIONS SYNDICALES

Dans les années soixante, les syndicats internationaux et pancanadiens continuent de représenter la majorité des syndiqués québécois, regroupés au sein du *Congrès du travail du Canada (CTC)* et de son aile provinciale, la *Fédération des travailleurs du Québec (FTQ)*, qui s'affirme de plus en plus. La FTQ doit réagir à la poussée exceptionnelle de la *Confédération des syndicats nationaux (CSN)*, nouvelle dénomination des syndicats catholiques à partir de 1960. La CSN représente désormais 30% des syndiqués au Québec grâce à une percée dans les services publics et parapublics. On assiste également à une montée remarquable de la Corporation des instituteurs et institutrices catholiques, qui devient la Corporation des enseignants du Québec (CEQ) en 1967.

La FTQ (CTC)

Les membres de syndicats internationaux (nord-américains) et pancanadiens, affiliés au Congrès du travail du Canada, passent de quelque 250 000 à plus de 375 000 et prédominent largement dans le secteur privé. En 1970, plus de la moitié d'entre eux sont affiliés à la Fédération des travailleurs du Québec dont les effectifs sont passés de 100 000 à 200 000 en dix ans. C'est en affirmant davantage son caractère québécois et en se donnant des moyens d'intervention accrus que la FTQ s'impose, peu à peu, comme organisation syndicale, et réussit à contrer la poussée de la CSN à ses dépens.

En 1960, la FTQ n'est encore qu'une fédération provinciale du CTC, sans grands pouvoirs. Elle reste en marge de l'action revendicative organisée par ses unions affiliées et possède peu de ressources financières, humaines et techniques. Le sentiment d'appartenance au mouvement est encore faiblement développé chez les membres de la base. Progressivement, la FTQ commence à prendre ses distances vis-à-vis du CTC en revendiquant un «statut particulier» et davantage de ressources.

Louis Laberge, élu président la première fois en 1964.

Les syndicats affiliés sont surtout implantés dans le secteur privé, et d'abord dans la construction et l'industrie manufacturière (notamment les Métallos). Le secteur public est surtout représenté par le Syndicat canadien de la fonction publique (SCFP) qui est en pleine expansion et qui recueille, en 1966, l'adhésion des 10 000 hommes de métiers, techniciens et membres du personnel de bureau d'Hydro-Québec. En 1967, autre percée dans le secteur des services: le premier syndicat d'employés de banque en Amérique du Nord est reconnu à la Banque d'Épargne de Montréal, à la suite d'une campagne de l'Union internationale des employés professionnels et de bureau.

La FTQ se donne un nouveau président en 1964 à la suite du décès de Roger Provost. C'est Louis Laberge qui est élu, un ancien machiniste de l'avionnerie Canadair. Il défait par une seule voix Fernand Daoust, du Syndicat du pétrole et de la chimie. Daoust sera élu par la suite au poste de secrétaire général.

La CSN

Les années soixante sont une période d'expansion spectaculaire pour la Confédération des syndicats nationaux qui double le nombre de ses membres en dix ans, soit de 95 000 à 205 000.

Jean Marchand, président de la CSN de 1961 à 1965.

C'est en 1960 que la Confédération des travailleurs catholiques du Canada change son nom en celui de CSN. Elle met ainsi fin à une longue démarche de déconfessionnalisation. Dans sa déclaration de principes, la phrase où elle disait «s'inspirer de la doctrine sociale de l'Église» est remplacée par une autre où elle reconnaît adhérer à des «principes chrétiens», et ce jusqu'en 1970.

La CSN réalise une grande percée dans les services, et surtout les services publics, où elle compte la moitié de ses membres en 1970. Le nombre des syndiqués des hôpitaux et des services sociaux augmente de 10 000 à 30 000 de 1960 à 1965, puis à 50 000 en 1970, soit le quart des cotisants. La centrale recueille également l'adhésion des quelque 25 000 fonctionnaires provinciaux (cols blancs et cols bleus), d'employés des commissions scolaires et des municipalités, des services de transports publics et aussi de quelques milliers d'enseignantes et enseignants des cégeps.

Marcel Pépin, président de la CSN de 1965 à 1976.

La CSN fait également des gains dans le secteur privé en recrutant notamment des membres affiliés à la FTQ (CTC), près de 10 000 dans les seules années 1964-67. La Fédération de la métallurgie, des mines et de la chimie double ses effectifs qui passent à 30 000 membres.

À cause des secteurs où elle s'implante, la centrale compte une proportion de plus en plus forte de travailleuses. Toutefois, le «comité féminin» de la CSN recommande sa propre dissolution en 1966, en soulignant que la participation des femmes au mouvement syndical ne doit pas être différente de celle des hommes (un comité semblable sera remis sur pied en 1974).

En 1961, Jean Marchand est élu à la présidence où il succède à Roger Mathieu, nommé à la Commission des accidents du travail. Marcel Pepin, permanent à la Fédération de la métallurgie, accède au poste de secrétaire général. Il devient président en 1965 après le départ de Marchand pour le Parti libéral fédéral.

La CEQ

C'est au cours des années soixante que les enseignantes et enseignants commencent à se donner une véritable organisation syndicale et se rapprochent du reste du mouvement ouvrier. En 1967, la Corporation des instituteurs et institutrices catholiques (CIC) abandonne son caractère confessionnel et devient la Corporation des enseignants du Québec (CEQ). Par suite de la croissance phénoménale du réseau scolaire, le nombre de membres passe de

Raymond Laliberté, président de la CEQ de 1965 à 1970.

28 000 à 70 000 en dix ans, y inclus les religieux et les religieuses qui adhèrent finalement au syndicalisme en 1965.

Le personnel enseignant des milieux ruraux recouvre en 1960 le droit à l'arbitrage supprimé par le régime Duplessis, en même temps que le salaire minimum annuel est porté à 1 500 $. À Montréal, l'Alliance des professeurs signe une convention qui porte à 3 600 $ la moyenne annuelle des salaires. En 1962, le Code scolaire est amendé de telle sorte qu'un enseignant non-réengagé puisse soumettre son cas à l'arbitrage. En 1965, les enseignantes et enseignants conquièrent le droit de grève, non sans avoir mené auparavant des luttes «illégales».

Le syndicalisme enseignant devient de plus en plus militant à l'occasion de ses premiers affrontements avec l'État-patron. Ce changement se traduit à la direction du mouvement par l'élection d'un nouveau président, Raymond Laliberté, qui succède à Léopold Garant en 1965. La même orientation se poursuit avec l'élection de Yvon Charbonneau en 1970.

LES LOIS DU TRAVAIL

Les luttes ouvrières menées pendant la Révolution tranquille entraînent des améliorations majeures dans les lois du travail au Québec.

Déjà, après la mort de Duplessis à la fin de 1959, le gouvernement Sauvé avait comblé un retard de 25 ans sur la législation américaine en améliorant l'exercice des libertés syndicales par un amendement à la Loi des relations ouvrières. Ce changement, revendiqué depuis des années par les syndicats, permet à la Commission des relations ouvrières d'ordonner le réengagement d'une travailleuse ou d'un travailleur congédié pour activités syndicales et impose le fardeau de la preuve à l'employeur. En fait, la crainte d'être congédié est si forte qu'elle s'avère l'une des principales entraves à la syndicalisation. La «loi Sauvé» est loin de régler définitivement le problème, mais c'est un début dans la bonne voie.

En 1961, le gouvernement Lesage vote à son tour une série d'amendements à la Loi des relations ouvrières qui vont dans le sens des revendications syndicales. Il raccourcit les délais pour l'exercice du droit de grève en faisant sauter l'étape du conseil d'arbitrage imposée en 1944: désormais, la grève est acquise après un délai fixe de conciliation. Par ailleurs, il est interdit à l'employeur de modifier les conditions de travail (mises à pied, congédiements, etc.) dès le moment du dépôt d'une requête en reconnaissance syndicale. La loi renforce également l'arbitrage des griefs avec sentence exécutoire.

Tout en apportant des modifications favorables à l'action syndicale, le gouvernement libéral durcit cependant l'interdiction du droit de grève pendant la durée de la convention, en précisant que cet interdit vaut «en toute circonstance». (Depuis 1944, c'était «à moins que les parties n'en décident autrement»). Dans les services publics, la grève reste prohibée.

Le Code du travail (1964)

Par suite des vives pressions du mouvement syndical, le gouvernement Lesage doit finalement promulguer un premier véritable Code du travail, qui entre en vigueur en septembre 1964 et est perçu comme un progrès malgré ses lacunes. Le Code remplace la Loi des relations ouvrières de 1944 et apporte de nombreux changements aux lois régissant les relations de travail.

En plus de raccourcir encore les délais pour la syndicalisation, la négociation, la conciliation et la grève, le Code impose la déduction volontaire et révocable des cotisations syndicales à la source, c'est-à-dire la perception par l'employeur sur requête des salariés. Cet article sera en vigueur jusqu'en 1977 alors qu'il sera renforcé par l'imposition de la formule Rand.

Un autre article important stipule que le syndicat peut choisir la langue du texte officiel de la convention. Par la suite, la pratique de négocier et de rédiger la convention en français se répand rapidement dans le secteur privé, jusque-là soumis à la «loi» du patronat anglophone.

Mais la grande nouveauté du Code du travail, c'est la reconnaissance du droit de grève pour les travailleuses et travailleurs des services publics — à l'exception des pompiers, des policiers et des agents de la paix. Ce changement majeur est l'aboutissement d'une lutte tenace de l'ensemble du mouvement syndical et des grèves «illégales» menées par les syndiqués eux-mêmes, à la base.

LES LUTTES OUVRIÈRES

C'est par leurs luttes — et des luttes très vives — que les travailleuses et travailleurs syndiqués s'affirment, dans les années soixante, comme une grande force sociale. Les syndicats peuvent notamment compter sur l'afflux de jeunes plus scolarisés et revendicatifs, qui sont particulièrement sensibles à la contestation généralisée dans la société.

Le Québec est touché par un nombre de débrayages aussi élevé que durant les années-record de la Deuxième Guerre. Non seulement les arrêts de travail ont-ils plus d'ampleur mais leur durée s'allonge. Ils permettent d'arracher des gains majeurs. C'est le cas des luttes dans les services publics comme les hôpitaux, l'enseignement, Hydro-Québec, la fonction publique, les Postes, les chemins de fer, les transports en commun, mais aussi dans la construction, les ports, l'avionnerie (Canadair), les mines de fer de la Côte-Nord, les pâtes et papiers, l'automobile, le textile, les journaux (La Presse) et même chez les pompiers et les policiers de Montréal.

LES SERVICES PUBLICS QUÉBÉCOIS

Jusqu'à l'adoption du Code du travail en 1964, le régime des relations de travail dans le secteur public et parapublic québécois est encadré, depuis 20 ans, par la Loi des différends entre les services publics et leurs salariés. Les employés du secteur parapublic (enseignement, hôpitaux, municipalités, Hydro, Gaz, etc.) peuvent se syndiquer et négocier avec leur employeur mais la grève est interdite et les conflits sont soumis à l'arbitrage avec sentence exécutoire. Quant aux salariés directs de l'État (les fonctionnaires, cols blancs et cols bleus), ils n'ont pas le droit de se syndiquer et de négocier collectivement, à plus forte raison de recourir à la grève.

Dès le début de la Révolution tranquille, les travailleuses et travailleurs des services publics décident d'en finir avec un régime de négociations qui les a maintenus dans des conditions inférieures à celles de leurs camarades du secteur privé. C'est encore le règne de l'exploitation, de l'arbitraire, du favoritisme dans les emplois, des disparités énormes entre hommes et femmes et entre les régions. Dans la santé et l'éducation, le travail est encore présenté comme une «vocation»: on exploite le dévouement du personnel sous le signe de la charité. Les retards accumulés, la volonté de revaloriser les services publics, le militantisme d'une base fraîchement syndiquée dans bien des cas, tout cela va permettre de changer radicalement la situation.

Vague de syndicalisation

Le mouvement de syndicalisation progresse rapidement parmi le personnel des hôpitaux à la suite de la Loi de l'assurance-hospitalisation (1961) qui augmente le nombre de patients et double celui des employés en dix ans. L'État assume peu à peu le contrôle de ce secteur dominé jusque-là par les communautés religieuses. L'extension du réseau scolaire favorise également la montée du nombre de syndiqués dans l'enseignement. Il en va de même dans la fonction

publique qui augmente en raison des responsabilités nouvelles de l'État. La syndicalisation des fonctionnaires s'amorce à Montréal en 1961, avec l'aide de la CSN, et s'étend à tout le Québec. Dès 1962, le premier ministre Jean Lesage lance la contre-offensive: dans une phrase restée célèbre, il déclare que «la Reine ne négocie pas avec ses sujets». Elle devra finalement négocier! Des syndicats s'implantent également parmi les professionnels du gouvernement, les employés d'Hydro-Québec, à la Régie des alcools et dans d'autres sociétés d'État.

DES GRÈVES «ILLÉGALES»

Dans les hôpitaux et les établissements scolaires, les grèves «illégales» se multiplient.

En 1962, les infirmières de l'Hôtel-Dieu de Montréal votent la grève, estimant que l'arbitrage exécutoire ne leur a pas rendu justice. La direction fait des concessions suffisantes pour empêcher le débrayage. En 1963 survient la grève des infirmières de l'hôpital Sainte-Justine à Montréal, membres de la CSN. Au bout de 30 jours, les grévistes gagnent un premier contrat qui leur assure de meilleures conditions de travail et de salaire, la formule Rand et la négociation du fardeau de la tâche de travail.

En 1964, nouvelle grève illégale chez le personnel des hôpitaux de la région de Montréal. Le débrayage ne dure que six heures et 15 000 syndiqués obtiennent une première convention collective régionale négociée qui leur accorde la semaine de 37 heures et demie (contre 44 en 1960), de meilleurs salaires et une clause d'ancienneté contre l'arbitraire patronal.

Manifestations en 1964 portant sur la syndicalisation.
Canada Wide Photo.

Prévisions atmosphériques
Généralement beau.
Très froid. Vents légers.
Min. et max. à Québec:
15 sous zéro et 10 au-dessus
(Voir détails en page 3)

LE SOLEIL

68e ANNEE — No 49 — QUEBEC, MERCREDI 24 FEVRIER 1965 — PRIX SEPT CENTS

Dans Le Soleil aujourd'hui

ENTHOUSIASME. – Les instituteurs des "journées pédagogiques" ont appris la nouvelle avec un enthousiasme indescriptible.

En dernière heure

Tragédie à Saint-Honoré

Audience du pape

Soviétiques dans le cosmos

Règlement complet du conflit des instituteurs

par J.-Claude RIVARD

Le conflit scolaire de la périphérie de Québec qui privait depuis le 1er février dernier quelque 17,000 écoliers de l'enseignement, est maintenant chose du passé.

Dans une formule de compromis qu'elles ont signée cet avant-midi, à l'Académie Sainte-Chrétienne de Giffard, les douze commissions scolaires en litige avec les associations d'instituteurs de Québec-Comté, Québec-Banlieue et Québec-Côte de Beaupre, ont reconnu le principe de la validité de la sentence arbitrale, comme seule solution légale et admissible en matière d'éducation. Elles ont reconnu la validité de l'article 15 de la Loi sur les Différends entre les Services publics et leurs employés, lequel article dit exécutoire et sans appel, la sentence arbitrale, sur le plan scolaire.

Dans l'enseignement, les institutrices et instituteurs de la commission scolaire de Sainte-Foy, près de Québec, déclenchent une grève illégale de 3 jours en 1963. En 1964, c'est au tour des membres de la CIC en Estrie, qui refusent de se soumettre à l'arbitrage et déclenchent la grève dite «des dix villes». Ce débrayage rotatif aboutit après 30 jours à la signature de la convention. En février 1965 plus de 650 syndiqués déclenchent, contre 13 commissions scolaires de la région de Québec, la «grève de la périphérie», en vue de faire appliquer une sentence arbitrale. La victoire est acquise au bout de trois semaines.

Entre-temps, le mouvement syndical fait campagne pour obtenir un Code du travail plus favorable aux syndiqués des services publics. Les trois centrales forment le «Carrefour de la fonction publique». La FTQ et la CEQ menacent de déclencher une grève générale alors que la CSN organise une assemblée extraordinaire de 1 500 militantes et militants.

Le droit de grève

Toutes ces luttes et d'autres encore aboutissent, le premier septembre 1964, à l'entrée en vigueur du Code du travail qui reconnaît le droit de grève dans les services publics. La loi 15, adoptée en juin 1965, précise ce droit dans l'enseignement. Une autre loi (août 1965) reconnaît le droit d'association, de négociation et de grève pour les fonctionnaires. Elle permet en outre au Syndicat des fonctionnaires de s'affilier à une centrale, en l'occurrence la CSN. La loi interdit au syndicat de «faire de la politique partisane».

Le droit de grève dans les services publics est cependant plus sévèrement encadré que dans le secteur privé. En vertu de l'article 99 du Code du travail, le gouvernement peut, par injonction des tribunaux, faire interdire pendant 80 jours toute grève en cours ou appréhendée si elle menace la santé, la sécurité publique ou l'éducation d'un groupe d'élèves. Cette disposition s'appuie sur une législation du régime Duplessis (1954) qui facilite le recours à l'injonction en fonction d'une urgence non seulement réelle mais appréhendée. La nécessité du maintien des «services essentiels» en cas de grève sera dès lors invoquée par l'État pour obtenir des injonctions limitant ou empêchant l'exercice du droit de grève.

En 1965, des amendements au Code de procédure civile permettent aux tribunaux de s'ingérer davantage dans l'activité syndicale. Un juge peut dorénavant ordonner à un syndicat non seulement de «ne pas faire» mais de «faire» quelque chose: par exemple, forcer des dirigeants syndicaux à ordonner le retour au travail. Les pénalités maximales pour désobéissance à une injonction passent de 2 000 $ à 50 000 $ d'amende et de 6 mois à un an d'emprisonnement. L'État et les patrons recourront à cette procédure plutôt qu'aux dispositions du Code du travail dont les pénalités sont beaucoup moins fortes.

7 000 fonctionnaires provinciaux se réunissent pour arracher au gouvernement Lesage les amendements à la Loi de la fonction publique (Bill 55), dans le sens du plein droit à la négociation. Québec, 3 août 1965.

Première ronde de négociations

Ce durcissement du pouvoir n'est pas un hasard. Il survient au beau milieu de la première ronde de négociations dans les services publics, marquée par des luttes de grande ampleur. À cette époque, il n'y a pas encore de Front commun syndical et les négociations se déroulent à divers niveaux, soit directement avec l'État ou ses organismes, soit avec les directions locales des hôpitaux et des commissions scolaires.

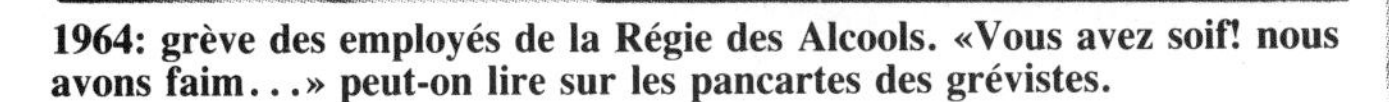

1964: grève des employés de la Régie des Alcools. «Vous avez soif! nous avons faim. . .» peut-on lire sur les pancartes des grévistes.

Les 4 000 employés de la Régie des Alcools (CSN) débraient le 4 décembre 1964 en promettant un Noël sec! Leur grève dure deux mois et demi et se termine par des gains importants comme la sécurité d'emploi et des hausses de salaire de 31% sur 3 ans. Avant la grève, le salaire moyen se chiffrait à 57,65 $ par semaine.

En mai 1965, les ingénieurs d'Hydro-Québec déclenchent une grève de cinq semaines. Pionnier du syndicalisme chez les cadres, leur syndicat est le deuxième du genre à s'affilier à la CSN, après celui des ingénieurs de la ville de Montréal. En septembre, c'est au tour des hommes de métiers d'Hydro à débrayer aux chantiers du grand barrage hydro-électrique de la Manicouagan, sur la Côte-Nord.

La première grève «légale» dans l'enseignement survient le 4 janvier 1966 dans les écoles élémentaires et secondaires du territoire de Repentigny, près de Montréal. Plusieurs centaines de membres de la CIC débraient pendant un mois. D'autres grèves ont lieu peu après dans l'Outaouais.

En mars 1966, une grève de 25 000 fonctionnaires provinciaux est évitée à la dernière minute. On signe une première convention collective appréciable qui accorde notamment la formule Rand.

À partir d'avril, l'État se durcit. Il se sert amplement d'armes comme l'injonction pour s'affirmer, de plus en plus, comme l'État-patron. La répression s'abat lors de la grève des 2 500 membres du Syndicat des professeurs de l'État du Québec (CSN). Treize dirigeants sont condamnés pour outrage au tribunal après avoir défié une injonction. Ils feront un mois de prison.

Manifestation d'appui aux 13 professeurs condamnés pour avoir passé outre à une injonction en octobre 1968.

Les ingénieurs d'Hydro-Québec se heurtent à l'intransigeance patronale à l'occasion d'une nouvelle grève déclenchée en avril 1966 et qui dure jusqu'au début de juillet. Les 1 600 professionnels du gouvernement du Québec subissent un demi-échec après 12 semaines de grève. Ils forment alors le seul groupe de professionnels de l'État syndiqués en Amérique du Nord.

De leur côté, 32 500 travailleuses et travailleurs de 125 hôpitaux obtiennent une grande victoire, en août 1966, après trois semaines de grève et le défi des injonctions. Ils gagnent une première convention négociée à l'échelle nationale qui leur accorde la quasi-parité des salaires entre Montréal et les régions et des hausses de 15 à 20% sur 2 ans. De plus, ils réussissent à faire mettre sous tutelle par l'État-patron les administrations hospitalières locales. La Fédération nationale des services (CSN) s'affirme dans cette lutte.

Août 1966: les travailleuses et travailleurs des hôpitaux exigent la nationalisation des hôpitaux.

Quant aux 10 000 hommes de métiers, techniciens et membres du personnel de bureau d'Hydro-Québec, affiliés au Syndicat canadien de la fonction publique (FTQ), ils obtiennent des gains substantiels à la suite d'un mouvement de grèves tournantes.

Une loi spéciale (1967)

La première ronde de négociations dans les services publics se termine en février 1967 par une loi spéciale mettant fin à une grève dans l'enseignement: la loi 25 votée par le gouvernement de l'Union nationale.

À l'origine de la grève, il y a une directive du ministère de l'Éducation concernant «le financement des dépenses inadmissibles résultant des nouvelles conventions collectives». En rendant conditionnelles ses subventions aux commissions scolaires, le ministère s'affirme comme le grand patron dans l'enseignement. En novembre 1966, la Corporation des instituteurs et institutrices lance un mouvement de grève qui fait boule de neige et englobe plus de 15 000 syndiqués en janvier 1967. L'annonce d'une loi-matraque, le bill 25, au début de février, provoque un arrêt de travail d'une journée de toutes les enseignantes et enseignants. Une manifestation intersyndicale massive a lieu à Québec, le 12 février, à l'appel de la CIC, de la CSN, de la FTQ et de l'Union générale des étudiants du Québec.

Montréal, printemps 1967, plus de 2 500 membres de l'Alliance se regroupent devant la CECM pour exprimer leur opposition au Bill 25.

Québec, printemps 1967, assemblée des participantes et participants à la manifestation nationale contre le Bill 25 au cours de laquelle la CSN et la FTQ exprimèrent leur appui.

Le mouvement de grève prend fin le 20 février par l'adoption de la loi spéciale qui impose le retour à l'ouvrage dans les 48 heures. La loi prolonge les conventions collectives jusqu'au 30 juin 1968 et fixe une échelle de salaires qui reconnaît l'une des revendications de base des grévistes: la parité entre les institutrices et les instituteurs. Mais l'aspect majeur de la loi 25, c'est qu'elle instaure un nouveau régime de négociations à l'échelle nationale dans l'enseignement au Québec.

En fait, c'est un tournant capital: non seulement l'État est-il le grand patron mais il est aussi le législateur qui peut imposer ses conditions par la loi. La «bataille du bill 25» porte en germe les affrontements à venir dans les services publics.

LES SERVICES PUBLICS FÉDÉRAUX

D'autres luttes de grande envergure se déroulent, durant les années soixante, dans les services publics relevant de l'État fédéral.

LA GRÈVE DES POSTES

Le groupe le plus combatif au Québec est celui des employés des Postes qui mènent, en 1965, la première grande grève «illégale» dans le secteur public fédéral. 5 000 postiers et facteurs québécois, affiliés à la FTQ, sont à

En 1965 les travailleurs des Postes cherchent non seulement à obtenir de meilleurs salaires mais aussi le droit à la négociation collective. Ils obtiennent ce droit en 1967.

l'avant-garde du mouvement de débrayage de 12 500 syndiqués canadiens des Postes qui dure 17 jours.

Véritable révolte de la base, la grève éclate le 22 juillet à Montréal et s'étend au Québec et à d'autres grandes villes du Canada comme Toronto et Vancouver. Dans la métropole, les grévistes défient les injonctions interdisant le piquetage. Ils contestent également, avec le soutien de la FTQ, les appels à la modération de leurs dirigeants syndicaux canadiens et du Congrès du travail du Canada.

L'enjeu du conflit porte sur le relèvement des bas salaires des commis des Postes, qui gagnent de 2 200 $ à 4 700 $ par année. La grève permet d'obtenir des hausses annuelles de 510 $ à 560 $. Les postiers de Montréal, après avoir obtenu quelques concessions additionnelles, sont les derniers à rentrer au travail.

Le droit de grève

La lutte des employés des Postes a été décisive dans la conquête du droit de négociation et de grève pour les travailleurs et les travailleuses des services publics fédéraux. Elle force en effet le gouvernement d'Ottawa à adopter, en 1967, une loi qui consacre le droit d'association, de négociation et de grève des employés fédéraux.

Au Québec, 30 000 de ces nouveaux syndiqués sont des fonctionnaires regroupés dans l'Alliance de la fonction publique du Canada. Les syndicats locaux de l'Alliance commenceront à s'affilier à la FTQ au début des années soixante-dix.

Pour les employés fédéraux, l'exercice du droit de grève est soumis à un régime plus complexe — et plus restrictif — que celui en vigueur dans les services publics québécois. La grève n'est légale qu'après le dépôt du rapport d'un conseil d'arbitrage formé d'un représentant de chacune des parties et d'un président nommé par celles-ci.

En 1968, les 25 000 postiers et facteurs du Canada déclenchent leur première grève générale «légale». C'est le premier d'une longue série d'arrêts de travail dans les services postaux. Les 4 000 membres du Syndicat des postiers de Montréal (FTQ) sont parmi les plus militants.

LA GRÈVE DU RAIL

Autre grande lutte ouvrière des années soixante: la grève des 120 000 employés non-itinérants des deux grandes compagnies ferroviaires, le CN et le CP, qui paralyse l'ensemble du réseau au Canada pendant 12 jours, à l'été 1966.

Cette deuxième grève générale du rail se termine comme la première, en 1950, par une loi spéciale d'Ottawa forçant le retour au travail des grévistes, membres de 17 syndicats nationaux et internationaux négociant en cartel. On observe une résistance chez certains groupes qui veulent défier la loi. La grève permet d'obtenir une hausse des salaires de 18% sur deux ans et une certaine protection contre les effets des changements technologiques — qui avaient déjà provoqué de courtes grèves spontanées. Au Québec, la Fraternité des employés de chemins de fer et des transports (FTQ) est à la pointe du mouvement de lutte. Au même moment, la Fraternité obtient une hausse exceptionnelle au Canada de 30% sur deux ans pour les employés de la Voie maritime du Saint-Laurent, après avoir brandi une menace de grève.

LA GRÈVE DES DÉBARDEURS

Toute juste avant le dépôt d'une autre loi spéciale au Parlement fédéral, les 3 500 débardeurs des ports du Saint-Laurent (Montréal, Québec, Trois-Rivières) retournent à l'ouvrage après 39 jours de grève, à l'été 1966. Les syndiqués, membres de l'Association internationale des débardeurs (FTQ), gagnent une convention qui sert de modèle dans les autres ports canadiens, soit une hausse de 87 cents sur 3 ans du salaire de base de 2,50 $ et une meilleure sécurité d'emploi face à l'automation. La grève donne lieu à plusieurs actes de violence, à la suite de l'embauche de scabs, et la police patrouille les quais.

LES LUTTES DANS LE BÂTIMENT

En avril 1966 à Montréal, en plein boom de la construction à l'approche de l'Exposition universelle, éclate l'une des grèves les plus fructueuses des années soixante, celle de quelque 30 000 travailleurs du bâtiment.

Le rapport de forces joue en faveur des grévistes car les travaux publics de construction sont alors nombreux (Expo, métro, autoroutes, édifices, etc.). Au bout de 5 jours de débrayage, les syndiqués gagnent des hausses de salaire spectaculaires, allant d'une augmentation de 1,05 $ l'heure pour les journaliers à 1,20 $ pour les ouvriers de métiers, sur trois ans. Cette grève a des effets d'entraînement dans d'autres industries.

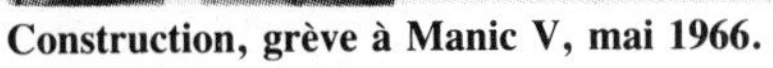

Construction, grève à Manic V, mai 1966.

Québec printemps 1966, grève des plombiers.

La grève du bâtiment a été menée conjointement par les syndiqués du Conseil des métiers de la construction (FTQ) et de la CSN, qui négocient en front commun le renouvellement du décret régional de convention collective. Ce décret couvre plus de 50 000 travailleurs de la région de Montréal dont environ 30 000 sont syndiqués — pour les deux tiers avec les unions internationales de métiers de la FTQ. Des décrets existent également dans une quinzaine d'autres régions du Québec où la CSN est généralement majoritaire.

Une industrie difficile

Malgré des gains salariaux importants, les quelque 100 000 travailleurs du bâtiment au Québec (150 000 si on inclut les occasionnels) dépendent d'une industrie qui subit des fluctuations saisonnières et cycliques importantes et où le chômage est fréquent. Un haut taux de salaire horaire est loin de toujours être synonyme de revenu annuel élevé.

Sans aucune sécurité d'emploi, les ouvriers sont régulièrement à la recherche de travail et la concurrence entre eux est très forte.

Grève de la construction, Montréal 1966.

Occupation du Centre de main-d'oeuvre, Sorel 1970.

De plus, il n'y a aucune politique d'uniformisation des salaires et des conditions de travail entre les régions. Les conditions sur les chantiers sont pénibles et les accidents du travail atteignent un taux record: avec 5% des salariés québécois, le bâtiment est responsable de 25% des accidents mortels (environ 45 par année).

La course aux «jobs» constitue cependant le principal problème et provoque des rivalités très dures entre les syndiqués de la FTQ et de la CSN, dans un secteur où existe le pluralisme syndical. Des affrontements violents éclatent parfois sur les chantiers: l'un des plus graves survient à la Canadian Bechtel à Baie-Comeau en 1968. La capacité de lutte des travailleurs est également réduite par la division des ouvriers au sein de syndicats de métiers qui font souvent preuve d'un esprit corporatiste étroit. Les patrons, avec l'aide de l'État, vont profiter de cette situation pour tenter de diviser davantage les syndicats du bâtiment.

La négociation sectorielle

En décembre 1968, le gouvernement du Québec adopte la première d'une série de lois qui visent à «rationaliser» les relations de travail dans l'industrie de la construction. La loi 290 impose un nouveau régime de négociations à l'échelle nationale pour les travailleurs de la construction de tout le Québec — un précédent dans le secteur privé.

La loi centralise les négociations au sommet en restreignant les pouvoirs des syndicats de métiers et des syndicats régionaux, ce qui est vivement combattu par plusieurs groupes à la FTQ et à la CSN. Par ailleurs, tout en instaurant la syndicalisation obligatoire dans l'industrie, la loi maintient le pluralisme syndical et officialise la pratique du maraudage entre les deux grandes centrales pour recruter des membres.

Malgré des grèves communes en 1969 et 1970, les rivalités vont aller en grandissant entre les syndicats de la FTQ et ceux de la CSN. Alors que celle-ci veut défendre le pluralisme syndical et ses positions en régions, la FTQ recrute la majorité des syndiqués et en vient à réclamer le monopole syndical, comme c'est la règle partout en Amérique du Nord.

La première ronde de négociations nationales dans le bâtiment se termine en 1970 par un geste autoritaire de l'État, qui impose un décret tenant lieu de convention collective pour trois ans. Ce décret fait suite à une autre loi d'exception, la première du genre dans le secteur privé, qui a imposé le retour au travail de plus de 25 000 grévistes, en août 1970, après trois semaines de débrayage. Cette grève, déclenchée d'abord par la CSN, avait pour objectif la parité des salaires entre Montréal et les régions, qui est finalement obtenue par étapes sur cinq ans. Un autre objectif est la sécurité d'emploi, qui reste au coeur des problèmes dans l'industrie de la construction.

LA GRÈVE DE LA PRESSE

Parmi les autres luttes d'importance dans les années soixante, il y a le conflit qui interrompt la publication du quotidien La Presse pendant sept mois en 1964, et qui constitue un événement important pour la société québécoise. La grève est déclarée le 3 juin par les membres du Syndicat international des

1964, grève à La Presse.

typographes (FTQ), l'un des plus anciens du mouvement ouvrier, qui veut se protéger contre les effets des changements technologiques. Elle est aussitôt suivie d'un lock-out contre les 900 autres employés du journal, membres de syndicats affiliés à la FTQ et à la CSN. Les syndiqués publient un quotidien, «La Presse Libre», et recueillent beaucoup d'appuis dans l'opinion publique. Un compromis met fin au conflit.

PREMIÈRE GRÈVE DU MÉTRO

Parmi les conflits spectaculaires, on doit noter les grèves des travailleurs du transport en commun à Montréal, membres de la CSN, pendant deux semaines en 1965 et un mois en 1967. Ce dernier arrêt de travail, qui implique 6 000 travailleurs des autobus et du nouveau métro, prend fin avec une loi spéciale forçant le retour au travail. Les syndiqués gagnent la presque totalité de leurs revendications à la suite d'un arbitrage.

D'AUTRES GRÈVES IMPORTANTES

En 1965, 4 000 membres du Syndicat international des machinistes (FTQ) débraient à l'avionnerie Canadair. Ils obtiennent notamment une hausse de salaires qui sert de modèle dans l'industrie aéronautique. En 1966, 5 000 membres de la CSN mènent une dure grève de 6 mois aux filatures de la Dominion Textile à Sherbrooke, Magog, Drummondville et Montmorency. La même année, le Syndicat des Métallos (FTQ) soutient un premier grand arrêt de travail dans les mines de fer de la Côte-Nord, qui seront à nouveau paralysées en 1969. En même temps, les métallos de la Stelco, à Montréal, obtiennent enfin la parité avec leurs camarades de la sidérurgie ontarienne.

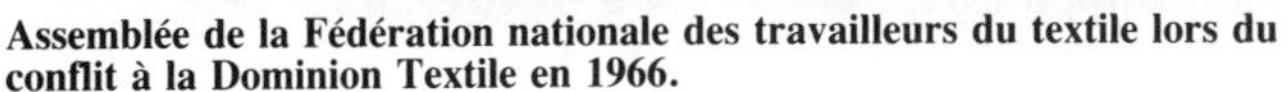
Assemblée de la Fédération nationale des travailleurs du textile lors du conflit à la Dominion Textile en 1966.

Piquetage devant la Dominion Textile de Drummondville.

L'une des grèves les plus longues dure 13 mois, en 1967-1968, à l'usine d'embouteillage Seven-up de Ville Mont-Royal. Les syndiqués de l'Union des ouvriers des «liqueurs douces» (FTQ) doivent affronter des briseurs de grève protégés par la police. Une manifestation conjointe FTQ-CSN tourne à l'affrontement avec les forces de l'ordre. La grève se solde par une défaite.

Piquetage devant la compagnie Seven-Up de Ville Mont-Royal.

Assemblée publique au sujet de la menace de fermeture de Domtar, East Angus, 6 octobre 1968.

Le 3 novembre 1968, les travailleurs de la papeterie Domtar de Windsor, en Estrie, organisent l'occupation de leur usine. Ils sont en grève depuis le 18 juillet, tout comme leurs camarades d'un autre moulin à papier de la Domtar à East Angus. Les 1 200 grévistes, membres de la CSN, réussissent à empêcher la compagnie de mettre à exécution sa menace de fermer les moulins.

UN CAS: LA GRÈVE CHEZ AYERS

Dans certaines petites entreprises de secteurs économiques fragiles (bois, meubles, chaussure) — où traditionnellement la moyenne bourgeoise canadienne-française a maintenu ses positions — des syndiqués doivent se battre contre des conditions de travail d'un autre âge, synonymes de surexploitation. C'est le cas, par exemple, à la Dominion Ayers, une usine de contreplaqué de Lachute, propriété de la famille Gilbert Ayers. La grève, déclenchée le 3 juillet 1966, dure 4 mois dans cette petite ville où, contre la même compagnie Ayers, Madeleine Parent et Kent Royley avaient dirigé une grève du textile vingt ans plus tôt.

Les 300 grévistes, membres de la CSN, doivent affronter le petit empire de la famille Ayers qui «possède» toute la ville: les deux plus grosses entreprises locales (textile et bois), une piste d'atterrissage, un motel, deux terrains de golf, la piscine municipale, une pente de ski, etc. Cette domination s'étend au conseil municipal, qui a toujours restreint l'implantation de nouvelles industries concurrentes afin de maintenir les salaires au plus bas niveau possible dans les entreprises Ayers.

Le salaire moyen des grévistes est de 1,06 $ l'heure, à peine plus que le salaire minimum. Les conditions insalubres dans l'usine provoquent des maladies de la peau et des poumons; en outre, 30% des ouvriers ont perdu au moins un doigt à l'ouvrage. Les grévistes, qui ont enfin réussi à se donner un syndicat après des années de répression et de paternalisme, s'attirent vite la solidarité de la population de Lachute et des travailleuses et travailleurs québécois. Une manifestation d'appui tourne à la violence après l'intervention brutale de la police privée des Ayers. Au sortir de cette première bataille, les travailleurs auront réussi à faire reculer un peu l'exploitation et à mettre en lumière le problème de la santé et de la sécurité dans les usines.

LES SERVICES PUBLICS (1968-1969)

Dans les services publics québécois, l'État-patron est mieux préparé pour la deuxième ronde de négociations qui s'amorce en 1968. Le gouvernement a mis sur pied un ministère de la Fonction publique dont le mandat est d'imposer une politique salariale, mise au point par l'économiste Jacques Parizeau, qui fixe le taux d'augmentation à 15% sur trois ans. La stratégie patronale est globale et bien coordonnée. Les syndicats, eux, sont encore isolés et ne négocient pas en Front commun.

Les premiers à écoper sont les 30 000 membres du Syndicat des fonctionnaires (CSN), qui n'obtiennent pas plus que les offres de l'État. Ce modèle ne peut être brisé par les syndiqués de la Régie des alcools, malgré 5 mois de grève à la fin de 1968.

Dans les hôpitaux, après quelques grèves de courte durée, en 1969, les syndicats CSN et FTQ obtiennent la parité des salaires entre Montréal et les régions et, surtout, la sécurité d'emploi après deux ans de service. Dans les hôpitaux dits privés, largement subventionnés par l'État, la convention collective unique est acquise mais les syndiqués ne peuvent obtenir la parité avec leurs camarades des hôpitaux publics, en dépit d'une grève de plus de 3 mois.

Dans l'enseignement, la première ronde de négociations nationales va s'éterniser 28 mois. Période mouvementée où se succèdent conciliation, congrès spécial de la CEQ, grèves tournantes, injonctions et manifestations dont la principale, le 14 mai 1969, amène 22 000 enseignantes et enseignants à marcher sur le Parlement de Québec. Dans une tactique de dernier recours,

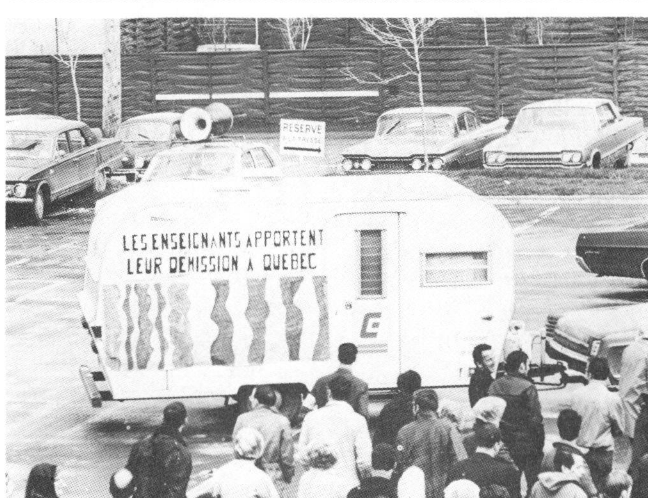

1969. Scènes de l'affrontement entre les enseignantes, enseignants et l'État québécois.

1969. Scènes de l'affrontement entre les enseignantes, enseignants et l'État québécois.

16 500 syndiqués déposent massivement leur démission. Les commissions scolaires ripostent par des avis de non-réengagement.

À la rentrée scolaire de 1969, l'Association des enseignants de Chambly déclenche une grève qui aboutit, au bout d'un mois, à une autre loi spéciale forçant le retour au travail. Finalement, le 4 novembre, la première entente à l'échelle québécoise est signée. Les syndiqués en gardent un goût amer, d'autant plus qu'ils n'ont pu faire bouger le gouvernement sur leur revendication centrale: la détermination de la tâche exprimée en maximum d'élèves par classe et en maximum de périodes d'enseignement par semaine.

Conclusion: la stratégie gouvernementale s'est révélée efficace. Elle consiste à faire traîner les négociations avec les groupes les plus forts et à établir des «patterns» en signant d'abord avec les groupes les plus faibles. Le mouvement syndical retiendra la leçon. Il négociera, en 1971-1972, en Front commun.

100 000 GRÉVISTES EN 1969

Les syndiqués des services publics québécois font partie des quelque 100 000 travailleuses et travailleurs qui débraient au Québec en 1969, une année-record marquée par 141 arrêts de travail. Parmi les plus spectaculaires, il faut signaler la grève illégale des policiers et des pompiers de Montréal, le 7 octobre 1969.

L'armée canadienne est appelée à la rescousse pour la première fois depuis la grève des tramways en 1944. L'Assemblée nationale vote une loi spéciale qui force le retour au travail au bout de 24 heures.

Le jour de cette grève, une manifestation organisée par des chauffeurs de taxi tourne à la violence devant les garages de la compagnie Murray Hill. Un policier en civil de la Sûreté du Québec, infiltré dans les rangs des protestataires, est tué d'une balle de carabine tirée par un agent de sécurité de la compagnie. La manifestation est organisée par le Mouvement de libération du taxi, qui tente d'implanter une première organisation «syndicale» parmi les chauffeurs de taxis, une des catégories de travailleurs les plus exploités.

1969, manifestation contre Murray Hill. Autobus saccagé.

L'automne 1969 est marqué par une agitation sociale et politique intense. En octobre, des dizaines de milliers de protestataires, étudiants et enseignants surtout, participent à des débrayages et à des manifestations massives, à Montréal et à Québec, contre le «bill 63». Ce projet de loi, qui permet la liberté de choix de la langue d'enseignement, est dénoncé comme une porte ouverte à l'anglicisation par un large front commun qui comprend l'ensemble des organisations syndicales.

Québec 1969. Plus de 10 000 personnes manifestent contre le projet de loi 63.

En novembre 1969, une manifestation pour réclamer la libération de militants du FLQ, Pierre Vallières et Charles Gagnon, tourne à la violence dans la métropole. L'administration Drapeau édicte aussitôt un règlement qui interdit les manifestations et certaines assemblées publiques. Pour protester contre cette atteinte aux droits et libertés, 200 femmes manifestent en s'enchaînant de façon symbolique et sont arrêtées par la police. Elles fondent peu après le Front de libération des femmes. Une autre manifestation contre le règlement municipal, qui ne regroupe que des hommes, se termine par l'arrestation de tous les participants, pour la plupart des militants syndicaux.

Montréal. Sit-in en pleine rue pour protester contre le règlement municipal interdisant les manifestations.

LES «GARS DE LAPALME»

Au début de 1970 commence une grève militante qui deviendra «l'affaire des Gars de Lapalme». Le gouvernement d'Ottawa, après avoir retiré le contrat

1970, les gars de Lapalme manifestent pour le droit d'association. À droite, Frank Diterlizzi, président du syndicat.

du transport postal à Montréal à une entreprise privée, refuse que les 450 camionneurs soient intégrés collectivement à la fonction publique avec leur syndicat distinct et leurs droits d'ancienneté. La CSN mène la bataille au nom du «droit d'association» des travailleurs au sein d'une unité naturelle de négociation. Cette longue et pénible lutte, ponctuée de violence, se terminera par une défaite amère, deux ans plus tard.

LA GRÈVE CHEZ GM

L'année 1970 est également marquée par la premère grève dans l'industrie de l'automobile au Québec, celle des 2 300 ouvriers de l'usine de montage de la General Motors à Sainte-Thérèse, ouverte en 1965. Les grévistes, membres du Syndicat international des travailleurs de l'auto (FTQ), débraient en même temps que leurs camarades de l'Ontario et des États-Unis, avec lesquels ils ont obtenu la parité en 1968. Un des enjeux du conflit au Québec est l'instauration du français comme seule langue de travail à l'usine.

CONCLUSION

À la fin des années soixante, le mouvement syndical apparaît comme une force montante au Québec, à la fois dans le secteur privé et les services publics. Il représente près de 40% des travailleuses et travailleurs salariés qui sont regroupés, pour l'essentiel, au sein de trois grandes organisations syndicales. Les luttes nombreuses et le militantisme croissant des syndiqués vont déboucher sur les grands affrontements du début des années soixante-dix.

5. L'ACTION POLITIQUE OUVRIÈRE

Les années soixante constituent une période particulièrement active en matière d'action politique ouvrière, dans la mouvance de la Révolution tranquille. Alors que les syndicats multiplient les pressions auprès des pouvoirs publics et réussissent à obtenir des réformes majeures, différents partis et groupes politiques se forment en vue de promouvoir les intérêts des travailleuses et des travailleurs.

Sur la scène fédérale, une partie du mouvement syndical appuie le *Nouveau Parti démocratique* (NPD), social-démocrate, né en 1961 de la jonction du Congrès du travail du Canada et de la CCF.

Sur la scène québécoise, une large partie du mouvement syndical s'identifie d'assez près à l'aile dite réformiste du Parti Libéral du Québec, animée par le ministre René Lévesque. Par ailleurs, la tendance nationaliste du NPD fonde en 1963 le *Parti Socialiste du Québec* (PSQ), qui dure à peine 5 ans. Par la suite, beaucoup de syndicalistes se rapprochent du *Parti Québécois* (PQ), fondé en 1968 sous l'impulsion de René Lévesque et qui se présente comme un parti «social-démocrate». En même temps, le mouvement en faveur de l'indépendance du Québec gagne du terrain chez les syndiqués.

Sur la scène municipale à Montréal, les syndicats et les comités de citoyens participent à la formation, en 1970, du *Front d'action politique* (FRAP).

L'ACTION POLITIQUE DES SYNDICATS

Après la «Grande Noirceur» du régime Duplessis, une grande partie du mouvement syndical s'identifie à plusieurs réformes et politiques mises en oeuvre par le Parti libéral du Québec lors de la Révolution tranquille. Et ce, d'autant plus qu'il s'agit de revendications que le mouvement ouvrier formule depuis plusieurs années déjà et qu'il pousse les libéraux à réaliser. Ainsi, les syndicats appuient officiellement la campagne libérale en faveur de la nationalisation de l'électricité, lors des élections de 1962. Peu à peu, cependant, le mouvement syndical affronte le pouvoir et s'oriente dans la voie d'une action politique d'opposition.

LA FTQ

Tout en donnant son appui aux réformes de la Révolution tranquille mises en oeuvre par le Parti Libéral, la FTQ garde ses distances vis-à-vis des libéraux et, sur la scène fédérale, elle appuie plutôt le Nouveau Parti Démocratique (NPD). Elle refuse toutefois de soutenir le Parti Socialiste du Québec mais se rapproche du Parti Québécois à la fin des années soixante.

C'est à son congrès de novembre 1960 que la FTQ se prononce en faveur de la formation du NPD, par 507 voix contre une seule. Elle inscrit l'appui au parti dans ses statuts et invite ses syndicats à y adhérer. En 1961, le NPD compte 10 000 membres cotisants et 45 syndicats affiliés au Québec, notamment chez les métallos, les cheminots, les travailleurs de l'auto, des salaisons, des Postes et des services publics. En fait, le soutien concret au NPD est laissé à l'initiative des syndicats ainsi qu'aux conseils du travail locaux et régionaux. Certains d'entre eux se donnent des comités d'action politique. Quant à la FTQ, ce n'est qu'en 1969 qu'elle crée un Service d'action politique.

Robert Cliche

Le NPD réalise sa meilleure performance au Québec lors des élections fédérales du 8 novembre 1965, sous le leadership de l'avocat Robert Cliche. Il recueille tout près de 12% des voix (250 000 électeurs), et jusqu'à 18% à Montréal, mais ne parvient pas à faire élire de député. Lors des élections suivantes, en juin 1968, le parti amorce son déclin avec 8% des voix. Au sein de la FTQ, on considère de plus en plus que le NPD, tout comme la CCF de naguère, ne répond pas adéquatement aux aspirations nationales des travailleuses et travailleurs francophones du Québec.

L'année 1968 marque par ailleurs un tournant avec la fondation du Parti Québécois. Les dirigeants de la FTQ identifiés à l'aile progressiste et nationaliste au début des années soixante — comme Fernand Daoust, le secrétaire général, et Jean Gérin-Lajoie, le directeur des Métallos — sont maintenant identifiés à l'aile indépendantiste et péquiste, qui est en progression. Tout en continuant à appuyer le NPD sur la scène fédérale, la FTQ amorce un virage qui l'amènera par la suite à donner son appui officiel au Parti Québécois.

LA CSN

Sous le leadership de Jean Marchand, la CSN s'identifie étroitement aux projets de transformation de la Révolution tranquille portés par le Parti Libéral. Elle met de l'avant l'idée de la planification démocratique de l'économie et participe à certains organismes mis sur pied par l'État du Québec. Le déclin de la Révolution tranquille et le départ de Marchand pour le Parti Libéral fédéral en 1965, ainsi que les batailles que la CSN doit mener contre le gouvernement libéral à Québec, marquent la fin des illusions. Sous la direction de Marcel Pepin, la centrale s'engage alors dans une voie idéologique et politique plus autonome.

Le virage s'amorce lors du congrès d'octobre 1966 avec le rapport moral de Pepin intitulé «Une société bâtie pour l'homme», qui va dans le sens d'une critique du capitalisme. Il se poursuit au congrès de 1968 avec le rapport «Le Deuxième Front», qui manifeste la volonté de la CSN d'ouvrir un autre front de lutte que celui de la négociation collective afin de mobiliser ses membres contre l'exploitation «en dehors des lieux de travail».

Le Deuxième Front doit être ouvert par le Service d'action politique de la CSN, qui entend bâtir des comités d'action politique (CAP) non-partisans partout au Québec, et d'abord dans les municipalités où quelques militants réussissent à se faire élire comme candidats ouvriers, sur la Côte-Nord notamment.

La CSN mène également des luttes sur le front de la consommation et des coopératives. Ses premiers comités de budget familial, fondés en 1962, sont à l'origine des Associations coopératives d'économie familiale (ACEF), implantées à compter de 1965. La CSN participe aussi à la fondation du premier magasin coopératif Cooprix à Montréal en 1969.

Lors des élections fédérales de 1968, pour la première fois, une des composantes du mouvement, le Conseil central de Montréal, appelle ses membres à voter pour le Nouveau Parti démocratique. Plusieurs militantes et militants et certains syndicats affiliés soutiennent le Parti Québécois lors des élections de 1970. La CSN comme telle réaffirme son indépendance à l'égard de tout parti politique. Au congrès de décembre 1970, après la Crise d'Octobre, le rapport «Un camp de la liberté» entreprend de démontrer que le Parti Libéral, au pouvoir à Québec et à Ottawa, n'est que l'instrument du vrai pouvoir, celui du capital.

Yvon Charbonneau, président de la CEQ

LA CEQ

La fin des années soixante donne le coup d'envoi de l'action politique à la CEQ, sous la direction de Raymond Laliberté puis de Yvon Charbonneau. La centrale n'appuie aucun parti mais son ex-leader, Laliberté, devient président de l'aile québécoise du NPD fédéral en février 1971. Par ailleurs, les membres de la CEQ sont nombreux à militer au sein du Parti Québécois.

C'est à son congrès de 1970 que la centrale décide que «l'action sociale et politique» sera désormais une de ses priorités. Elle s'engage à son tour dans la création de comités d'action politiques au sein de ses syndicats locaux, reliés à un Comité central d'action sociale qui devient un foyer des forces de gauche à la CEQ.

L'ACTION POLITIQUE CONJOINTE

La fin des années soixante est marquée par un rapprochement entre les trois centrales syndicales qui conduit à une première dans l'histoire du mouvement ouvrier au Québec: la tenue de colloques conjoints sur l'action politique, réunissant des militants de la FTQ, de la CSN et de la CEQ.

Une quinzaine de colloques ont lieu au printemps 1970 dans autant de régions. Ils visent à analyser la condition des salariés québécois et à assurer leur participation dans les centres de décision politique, en commençant par les municipalités. Ces colloques ouvrent la voie à certaines actions communes dans plusieurs villes et régions du Québec.

LE FRAP

L'une des expériences les plus importantes d'action politique ouvrière conjointe est la création à Montréal, en juin 1970, du *Front d'action politique (FRAP)*, un parti progressiste sur la scène municipale.

Le FRAP est formé, après un long travail d'organisation, par la jonction des syndicats montréalais et des comités de citoyens apparus durant les années soixante dans divers quartiers populaires de la métropole. Il a l'appui officiel du Conseil central de Montréal (CSN), du Conseil du travail (FTQ) et de l'Alliance des professeurs (CEQ). Présidé par Paul Cliche, conseiller à l'action politique à la CSN, le FRAP s'engage dans la lutte à l'administration Drapeau lors des élections municipales d'octobre 1970. Mais la Crise d'Octobre perturbe profondément le parti, qui disparaît ensuite au milieu de dissensions internes entre l'aile social-démocrate et l'aile socialiste.

LA CRISE D'OCTOBRE

La Crise d'Octobre (voir page 212) constitue un tournant pour le mouvement syndical. L'ensemble des organisations ouvrières s'oppose fermement à la Loi des mesures de guerre et à la suspension des droits et libertés au Québec sous prétexte de lutter contre le terrorisme. Elles dénoncent les gouvernements Trudeau, Bourassa et Drapeau, malgré les remous que cette prise de position entraîne chez certains affiliés. À la suite d'une réunion conjointe extraordinaire de leurs instances, le 21 octobre, la FTQ, la CSN et la CEQ réclament le retrait de la loi d'exception, la libération des militantes et militants injustement emprisonnés et le rétablissement des droits démocratiques. Les seuls partis politiques à riposter dans le même sens sont le NPD et le PQ, qui font d'ailleurs une déclaration conjointe avec les syndicats.

Réunion conjointe des instances de la CSN, de la FTQ et de la CEQ contre la loi des mesures de guerre, Québec, 21 octobre 1970. Archives CSN

Réunion conjointe des instances de la CSN, de la FTQ et de la CEQ contre la loi des mesures de guerre, Québec, 21 octobre 1970.

QUÉBEC-PRESSE

L'une des réalisations unitaires importantes des trois centrales est le lancement en octobre 1969 de l'hebdomadaire *Québec-Presse*, première expérience de presse ouvrière à grand tirage. Propriété d'une coopérative, soutenue par la CSN, la FTQ, la CEQ, des groupes coopératifs, populaires et progressistes, le

Lancement du journal Québec-Presse.

premier grand journal de gauche au Québec sera publié pendant 5 ans, jusqu'en novembre 1974, avec un tirage moyen de 30 000 exemplaires. Il cessera de paraître faute de moyens financiers. Québec-Presse constitue un exemple unique, à ce jour, dans l'histoire du mouvement ouvrier québécois.

LA QUESTION NATIONALE

Dans l'histoire de l'action politique ouvrière au Québec, on ne peut jamais ignorer le fait que la question nationale occupe une place majeure. C'est le cas particulièrement dans les années soixante, avec l'expansion du mouvement indépendantiste. La question nationale est au coeur de la création — et de l'échec — du Parti Socialiste du Québec (1963-1968) et du pouvoir d'attraction qu'exerce ensuite le Parti Québécois sur une large partie du mouvement ouvrier.

LE PARTI SOCIALISTE

Le *Parti Socialiste du Québec (PSQ)* est fondé en juin 1963 à l'initiative de l'aile nationaliste du NPD, qui entend bâtir un parti ouvrier «distinctement québécois» tout en conservant des liens fraternels avec le NPD fédéral. La création du PSQ conduit toutefois à une scission, au sein du NPD au Québec, entre les éléments plus nationalistes et les éléments plus fédéralistes.

Le conseil provisoire de direction du PSQ, présidé par Fernand Daoust de la FTQ, est composé presque essentiellement de syndicalistes de la FTQ et de la CSN. À l'automne 1963, le parti tient son premier congrès et élit à la présidence Michel Chartrand. Au début de 1966, ce dernier cède la place à

Jean-Marie Bédard, directeur québécois du Syndicat international des travailleurs du bois (FTQ).

Durant ses cinq ans d'existence, le Parti Socialiste est déchiré par des querelles internes entre diverses fractions de gauche et, surtout, entre une aile devenue indépendantiste et une autre nationaliste plus modérée. Lors des élections provinciales de juin 1966, le PSQ, qui présente quelques candidats, subit un cuisant échec, prélude à sa liquidation. Ses militantes et militants rejoignent de petits mouvements politiques de gauche ou le Parti Québécois.

LE PARTI QUÉBÉCOIS

Bien qu'il ne soit pas un «parti des travailleurs» aux yeux du mouvement syndical, le Parti Québécois, fondé à l'automne 1968 pour rassembler les indépendantistes, a des effets majeurs sur l'action politique ouvrière. Le PQ se présente comme un parti réformiste, voire social-démocrate, et beaucoup de militantes et militants syndicaux le perçoivent comme un progrès, soit parce qu'ils apprécient son programme social, soit parce qu'ils soutiennent que seul un État québécois souverain permettra de construire, dans une deuxième étape, le socialisme. Sous l'impulsion d'un chef populaire, René Lévesque, le PQ recueille 24% des voix lors des élections d'avril 1970 et fait élire ses sept députés dans des comtés ouvriers, à Montréal et sur la Côte-Nord.

Le PQ ne s'oppose pas au système capitaliste comme tel et il refuse toute forme de liens organiques avec les syndicats, contrairement aux partis travaillistes et sociaux-démocrates dans plusieurs pays. Selon René Lévesque, le PQ se situe «dans la mouvance d'une sociale-démocratie à la scandinave, ce qui est le maximum de progressisme pour une gauche sérieuse en contexte nord-américain». Le Parti Québécois se présente comme une sorte de «Front national», un parti de coalition groupant diverses tendances unies autour de l'objectif d'un Québec indépendant.

Dans les années soixante, aucune centrale syndicale n'appuie officiellement l'indépendance du Québec. En 1966, dans un mémoire conjoint, la FTQ et la CSN favorisent plutôt l'émergence d'un «nouveau fédéralisme». Avec la montée du PQ, le courant indépendantiste progresse au sein des syndicats.

Lors des élections de 1970, un certain nombre de syndicats invitent leurs membres à voter pour le PQ. C'est le cas notamment du Conseil central de Montréal (CSN) dont le président est Michel Chartrand, ancien leader du Parti Socialiste. Le Conseil donne un appui concret dans le comté de Maisonneuve à un conseiller juridique de la CSN, Robert Burns, qui est élu député du PQ.

Le Conseil central qualifie son appui au PQ de «tactique» et de «conditionnel». Le parti, explique-t-on, ne tient pas ses origines des luttes du mouvement ouvrier et il ne peut donc en être l'instrument, mais c'est le parti le plus proche des intérêts des travailleuses et travailleurs. Cette position commence à être défendue aussi à la FTQ et à la CEQ.

INDÉPENDANCE ET SOCIALISME

Les années soixante sont également marquées par le foisonnement de divers groupes politiques de gauche. La caractéristique principale de la plupart de ces groupes, souvent inspirés du marxisme, c'est qu'ils associent leur projet de société socialiste à la réalisation de l'indépendance du Québec, perçue comme une lutte de libération nationale.

Ce courant émerge en août 1960 avec la fondation de l'Action socialiste pour l'indépendance du Québec dirigée par Raoul Roy, un ancien militant du PSD

(CCF), qui publie «La Revue socialiste». Il s'élargit avec le groupe qui lance la revue Parti Pris (1963-1968) et qui est à l'origine du Mouvement de libération populaire, dont la plupart des membres rejoignent le Parti Socialiste en 1966. La position finale du groupe Parti Pris avant sa disparition est la suivante: l'indépendance d'abord avec le PQ, le socialisme ensuite.

D'autres revues et groupes socialistes fleurissent pendant ces années: Révolution québécoise (1964-65), lancée par Pierre Vallières et Charles Gagnon avant leur passage au FLQ; Socialisme québécois (1964-72); le Caucus de Gauche animé par Henri Gagnon, un ancien militant du Parti Communiste; la Ligue socialiste ouvrière, groupe trotskyste apparu au Québec en 1964 et le Front de libération populaire (1968-70), fondé par des dissidents du Rassemblement pour l'indépendance nationale.

Quant au Parti Communiste, qui est devenu un modeste groupe politique, il se donne en 1965 une aile québécoise relativement autonome par rapport au PC canadien avec la fondation du Parti Communiste du Québec, sous la direction de Samuel Walsh. Il maintient une orientation fédéraliste.

LE PREMIER MAI

Fait significatif de toutes ces années d'effervescence, le Premier Mai, fête internationale des travailleuses et travailleurs, est de nouveau célébré au Québec.

C'est en 1965 que la tradition abandonnée revit lors d'une assemblée publique à Montréal. LA PRESSE titre: «Au chant de l'Internationale, la gauche célèbre le 1er mai». L'assemblée est organisée par un Comité de coordination des mouvements de gauche qui comprend les groupes suivants: le Parti Socialiste du Québec, le Parti Communiste, le Caucus de Gauche, la Ligue socialiste ouvrière (trotskyste), les revues Parti Pris, Révolution québécoise et Socialisme québécois et le Club socialiste Jacques Perreault, ainsi nommé en souvenir d'un avocat de gauche défenseur des causes ouvrières.

De 1965 à 1969, le Premier mai est célébré lors d'une assemblée publique, au début par les seuls groupes de gauche, puis avec la participation de représentants du mouvement syndical: en 1967, Fernand Daoust et Pierre Vadeboncoeur sont au nombre des orateurs. En 1970 se tient la première manifestation du Premier mai dans la rue, organisée par les syndicats: 4 000 manifestants à Montréal avec, en tête du cortège, les présidents des trois grandes centrales syndicales, Louis Laberge, Marcel Pepin et Raymond Laliberté. La manifestation du Premier mai est redevenue, depuis lors, un point de ralliement annuel des travailleuses et travailleurs au Québec.

1973. Un premier mai marquant. Les travailleuses et travailleurs manifestent pour exiger la libération des trois présidents des centrales regroupées au sein du Front commun.

CHAPITRE 6

Les années 1970

1. L'ÉCONOMIE

Au cours des années soixante-dix, le Québec — comme toute l'Amérique du Nord — entre graduellement dans ce qu'on considère comme la pire crise internationale du capitalisme depuis la Dépression des années trente, et qui atteint son paroxysme au début des années 1980.

L'inflation

D'une part, la crise se manifeste par une inflation sans précédent, sous la forme d'une flambée générale des prix qui «mange» littéralement le pouvoir d'achat des salariés. De 1970 à 1974, le taux d'inflation monte de 3,3% à 11%. Dans l'alimentation, la hausse est vertigineuse: 43% en deux ans et demi, de la fin de 1972 à juin 1975. Il s'ensuit une baisse du pouvoir d'achat, du salaire réel. En 1973 et 1974, de façon générale, les salaires montent moins vite que la hausse du coût de la vie et on constate une baisse marquée des salaires dans la richesse collective du pays, c'est-à-dire de la part du revenu national qui revient aux travailleuses et travailleurs. Après une légère chute, l'inflation reprend pour atteindre 10% en 1980 et 12,5% en 1981.

Le chômage

En même temps, le chômage atteint des niveaux jamais vus depuis la Grande Crise, notamment à cause de la politique fédérale de lutte à l'inflation qui repose sur des taux d'intérêt élevés et qui réduit les investissements et l'emploi. Le pourcentage des sans-travail au Québec passe de 10% en 1971 à près de 15% au début des années quatre-vingt. La situation de l'emploi s'aggrave tout au long de la décennie malgré le lancement de grands travaux publics comme le développement hydro-électrique de la Baie James et les travaux réalisés en vue des Jeux Olympiques en 1976.

Le chômage réel est encore plus élevé si l'on tient compte du fait que les données officielles ne comptent que les sans-emploi inscrits aux centres de main-d'oeuvre et qui se disent à la recherche active d'ouvrage. Cela laisse de côté des dizaines de milliers de personnes: les sans-travail qui ne cherchent plus d'ouvrage; ceux qui sont en chômage déguisé parce qu'ils suivent des cours de recyclage ou de formation professionnelle; les jeunes qui cherchent à entrer pour la première fois sur le marché du travail; les bénéficiaires d'aide sociale aptes au travail, les personnes qui ne trouvent que du travail à temps partiel, etc.

Les jeunes de moins de 25 ans constituent le groupe le plus important de chômeuses et chômeurs, soit près de la moitié des sans-emploi québécois. Par ailleurs, les femmes chôment davantage que les hommes. Enfin, le Québec, qui regroupe un peu plus du quart de la population du Canada, compte plus du tiers des sans-travail canadiens. Depuis 1970, le taux de chômage y est supérieur de 20% à la moyenne canadienne.

Le contrôle des salaires

Devant l'ampleur de l'inflation, le gouvernement fédéral instaure, en octobre 1975, un programme de contrôle des prix et des salaires, le premier du genre en temps de paix. En fait, la loi C-73 impose surtout un contrôle des salaires, qui touche la majorité des travailleuses et travailleurs au Québec et au Canada. Le gouvernement du Québec, dirigé par le Parti Libéral de Robert Bourassa, copie le programme du gouvernement libéral de Pierre Trudeau à Ottawa. La loi 64 impose un contrôle des salaires dans les services publics québécois, la construction et d'autres secteurs de juridiction provinciale.

En 1976, l'inflation retombe à un peu moins de 8%, à cause essentiellement de la chute des prix de l'alimentation, un secteur qui n'est même pas contrôlé par la loi fédérale dite anti-inflation. Les salaires, eux, sont rigoureusement plafonnés et coupés, ce qui provoque une résistance du mouvement ouvrier et des luttes très dures débouchant sur la première grève générale de 24 heures au Canada, puis, la fin des contrôles.

Le capital étranger

Entre-temps, le Québec — tout comme le Canada dans son ensemble — s'enfonce dans une dépendance accrue envers le capital américain et étranger, soi-disant pour créer des emplois. À titre d'exemple, on peut citer l'octroi à la multinationale américaine ITT-Rayonier, en 1971, de subventions plantureuses et de concessions forestières gigantesques (12% du territoire québécois) pour l'implantation d'une usine de pâte à Port-Cartier, sur la Côte-Nord. Ce pillage n'est pas sans rappeler celui des mines de fer de la même Côte-Nord par l'Iron Ore, sous Duplessis. Le plus scandaleux dans cette affaire, c'est que l'ITT fermera finalement son usine. Quant à l'Iron Ore, elle cessera d'exploiter son minerai à Schefferville, entraînant ainsi la fermeture quasi totale de la ville.

2. *LA SCÈNE POLITIQUE*

Sur la scène fédérale, les années soixante-dix continuent d'être dominées par le gouvernement libéral de Pierre-Elliott Trudeau. À la suite des élections de 1972, Trudeau doit former un gouvernement minoritaire alors que le NPD, avec 30 députés (18% des voix), détient la balance du pouvoir. En 1974, de nouvelles élections donnent un gouvernement libéral majoritaire grâce au vote du Québec, qui continue de s'identifier au «French Power» en place à Ottawa. Les conservateurs, qui dominent au Canada anglais, accèdent brièvement au pouvoir en 1979 mais le perdent aux mains des libéraux en 1980.

Novembre 1976. Le PQ fête sa victoire électorale au Centre Paul Sauvé.

Entre-temps, au Québec, le Parti Libéral de Robert Bourassa, porté au pouvoir en 1970, est réélu en 1973. Le Parti Québécois forme l'opposition officielle avec 30% des voix. Lors du scrutin suivant, en novembre 1976, le PQ, sous la direction de René Lévesque, est élu avec 41% des voix.

Le gouvernement Lévesque, qui se présente comme «social-démocrate», affirme avoir «un préjugé favorable aux travailleurs». Il cherche à nouer une alliance avec les syndicats en les incitant à la concertation avec l'État et le patronat. Son objectif à moyen terme est l'établissement d'un nouveau «contrat social».

Par ailleurs, le PQ organise un référendum sur le thème de l'indépendance du Québec ou, plus précisément, de la souveraineté politique du Québec assortie d'une association économique avec le Canada. Les résultats de ce référendum, tenu en mai 1980, donnent 60% de «non» à l'option du PQ contre 40% de «oui» — tout près de 50% chez les francophones. Un an plus tard, en avril 1981, le PQ n'en est pas moins réélu avec près de 50% des voix.

3. LA CONDITION OUVRIÈRE

Les conditions de vie et de travail de la classe ouvrière progressent de façon substantielle au début des années soixante-dix, grâce aux luttes syndicales. Les syndiqués réussissent à faire des gains en particulier dans les services publics et aussi chez les travailleuses qui s'affirment comme une force montante. Par la suite, à l'occasion de la crise économique, les syndicats doivent mener une action plus défensive centrée sur le maintien du pouvoir d'achat et la défense de l'emploi.

La main-d'oeuvre

La main-d'oeuvre continue de se concentrer dans le secteur des services, notamment des services publics, qui comprend plus des deux tiers des salariés contre moins de 30% dans l'industrie manufacturière et la construction et à peine 5% dans l'agriculture, les forêts et les mines. La moitié de la main-d'oeuvre manufacturière travaille dans l'industrie légère, dont le quart dans quatre industries en déclin concentrées au Québec: le textile, le vêtement et la bonneterie, la chaussure et le meuble.

L'entrée en scène de nouvelles technologies, basées sur l'informatique, crée des bouleversements sur le marché du travail. Cette véritable «révolution technologique» amorce des changements profonds dans la composition de la main-d'oeuvre et dans l'économie en général. On parle même à ce sujet de «troisième révolution industrielle».

L'une des caractéristiques frappantes de la nouvelle main-d'oeuvre salariée est son degré accru de scolarisation. Par exemple, alors qu'à peine la moitié des jeunes francophones du Québec atteignait la neuvième année en 1960, la proportion est de 95% en 1980. À l'université, le pourcentage est passé de 4% à 15%. Cette scolarisation accrue n'empêche toutefois pas les jeunes d'être les plus durement frappés par le chômage.

Les travailleuses

Autre phénomène remarquable: la montée des femmes sur le marché du travail. En 1978, tout près de 44% des femmes ont un emploi salarié, formant ainsi presque 40% de la main-d'oeuvre au Québec. Près de huit femmes sur dix travaillent dans les services, 60% dans les bureaux. Phénomène tout aussi significatif: les femmes mariées ou en union libre constituent près des deux tiers des travailleuses salariées.

En fait, pour la première fois depuis les débuts de l'industrialisation, la majorité des Québécoises occupent un emploi rémunéré à un moment ou l'autre de leur vie. Même si un grand nombre d'entre elles quittent encore le marché du travail au moment du mariage ou à la naissance d'un premier enfant, elles ont de plus en plus tendance à y rester de façon permanente. C'est là un phénomène social absolument nouveau.

La participation des Québécoises au marché du travail reste toutefois moins forte qu'en Ontario (44% contre 51,5%) et au Canada (47,8%). Il faut signaler aussi qu'au Québec, près d'une travailleuse salariée sur cinq (18,5%) occupe un emploi à temps partiel.

Les salaires

Pour protéger leur pouvoir d'achat contre une hausse considérable du coût de la vie, sinon pour améliorer leurs revenus, les travailleuses et les travailleurs parviennent à gagner des augmentations de salaires substantielles dans les années soixante-dix.

Ralliement des travailleurs de la construction à Québec, 29 août 1971. La CSN-construction revendique et obtient la parité des salaires à travers la province.
Archives CSN.

Par exemple, le salaire de base négocié par les syndicats dans les services publics passe de 100 $ par semaine en juillet 1974 à 165 $ en juillet 1978, ce qui a un effet d'entraînement majeur pour les petits salariés.

Quant au salaire industriel moyen, il double de 1970 à 1978, passant d'environ 3 $ l'heure (125 $ par semaine) à 6,25 $, soit 250 $ pour une semaine de 40 heures. De son côté, le salaire minimum fixé par le gouvernement du Québec fait plus que doubler, passant de 1,30 $ l'heure au début de 1970 à 3,25 $ en 1978, ce qui en fait l'un des plus élevés en Amérique du Nord.

À la suite de la grande lutte dans les services publics en 1972, les syndicats négocient des clauses d'indexation des salaires à la hausse du coût de la vie, surtout à partir de 1974 alors qu'un mouvement général est lancé en ce sens au moment où l'inflation commence à faire des ravages. Les syndicats réclament aussi l'indexation trimestrielle du salaire minimum. Ils revendiquent aussi l'abolition du salaire au rendement («plan-boni» et autres types de surexploitation).

Par ailleurs, les écarts se réduisent graduellement entre les salaires des syndiqués du Québec et ceux du reste du Canada, bien qu'ils restent généralement inférieurs à ceux de l'Ontario. Le fort taux de chômage au Québec, c'est-à-dire l'abondante réserve de main-d'oeuvre, exerce toujours une pression à la baisse sur les salaires. Cependant, à la fin de la décennie, les syndiqués québécois ont presque rattrappé la moyenne canadienne. De plus, au Québec même, les écarts ont diminué fortement entre francophones et anglophones.

Les disparités salariales persistent cependant entre les hommes et les femmes, malgré les nombreuses luttes menées par les travailleuses syndiquées qui obtiennent notamment la parité dans les services publics. En 1977, 55% des femmes touchent un salaire inférieur à 5 $ l'heure alors que 75% des hommes ont un salaire supérieur. Dans l'industrie du vêtement, près de la moitié des femmes gagnent moins de 4 $ l'heure tandis que 82% des hommes touchent davantage.

La Charte québécoise des droits et libertés, entrée en vigueur en 1976, reconnaît le principe de l'égalité de rémunération pour un travail équivalent. Mais le problème de base, c'est que les femmes sont cantonnées dans des «ghettos d'emplois» où les salaires sont inférieurs à ceux des hommes.

La semaine de travail

Dans les années soixante-dix, la semaine de travail moyenne au Québec passe sous le seuil des 40 heures. Chez les syndiqués, elle se rapproche de façon générale des 35 heures, ce qui est notamment le cas dans les services publics à la fin de la décennie. Certains groupes de syndiqués gagnent la semaine de 32 heures et demie, voire la semaine de 4 jours.

La Loi sur les normes minimales de travail (1979), qui s'applique aux non-syndiqués, fixe la semaine normale à 44 heures. Au-delà de cette norme, les heures supplémentaires doivent être rémunérées à temps et demi. Les syndicats revendiquent que le «surtemps» soit exécuté sur une base volontaire. Pour les employés sous juridiction fédérale (environ 10% au Québec), la semaine normale est toujours de 40 heures et le maximum de 48 heures.

Les syndicats font campagne pour la semaine normale de 35 heures et une durée maximale de 40 heures et de 8 heures par jour. Ils réclament également des vacances annuelles payées de quatre semaines pour tous les salariés — ce qui est la règle chez les syndiqués du secteur public — ainsi qu'un minimum de dix jours fériés payés par année.

La protection de l'emploi

La protection de l'emploi est devenue l'une des questions centrales au cours des années soixante-dix, à mesure que la crise économique s'est aggravée.

L'emploi, une lutte qui perdure.

Dans les services publics, les syndiqués ont fait des gains appréciables en matière de sécurité d'emploi. Dans le secteur privé, ils tentent d'obtenir diverses clauses de protection de l'emploi: élimination ou restriction des heures supplémentaires et de la sous-traitance, plancher d'emploi, droits d'ancienneté, pré-retraite, etc. Certains syndicats ont acquis des régimes de maintien du revenu ou de revenu minimum garanti en cas de mises à pied temporaires. En cas de fermetures d'entreprises et de licenciements collectifs, on négocie des clauses d'indemnités plus substantielles.

Les syndicats réclament la création par l'État d'un fonds d'indemnisation, financé par les employeurs, sorte de caisse de stabilisation de l'emploi. Ils revendiquent également une procédure publique de justification des fermetures et un droit de regard des employés et de l'État en de tels cas.

La première loi au Québec sur les licenciements collectifs est entrée en vigueur en 1970; elle reste nettement insuffisante même si elle a créé un précédent sur le continent nord-américain. Cette législation, d'inspiration européenne, oblige l'employeur à donner un préavis de licenciement qui varie de deux à quatre mois selon le nombre de personnes licenciées. Elle prévoit aussi la formation d'un comité de reclassement de la main-d'oeuvre. Cette loi ne vise toutefois qu'à atténuer les effets des licenciements et non à en prévenir les causes. Contrairement à certaines lois européennes, elle n'a pas d'effet dissuasif sur l'employeur.

En définitive, ce grave problème ne pourra être résolu que par une véritable politique de plein emploi, qui consacrerait enfin le droit au travail pour tout le monde. D'ici là, les syndicats font campagne également pour une amélioration du régime d'assurance-chômage entré en vigueur en 1972 et qui constituait un progrès, à l'époque, en augmentant le montant des prestations, leur durée et le nombre de personnes admissibles. Ce régime c'est cependant détérioré sur plusieurs plans depuis lors.

Les congés de maternité

Une des conquêtes les plus importantes des années soixante-dix est l'obtention d'un premier régime de congés de maternité payés, résultat des luttes menées par les syndiquées.

La réforme en ce domaine commence en 1972 avec l'entrée en vigueur du nouveau régime fédéral d'assurance-chômage, qui verse des prestations d'une durée de 15 semaines aux travailleuses en congé de maternité. Le montant de ces prestations équivaut aux deux tiers du salaire assurable, avec un plafond de 160 $ par semaine.

Il ne s'agit là que d'un premier pas puisque les travailleuses ne reçoivent pas leur plein salaire pendant leur congé de maternité, pas plus d'ailleurs que certains groupes de syndiquées qui obtiennent toutefois un montant supplémentaire de leur employeur en vertu de leur convention collective. En outre, en raison de la période d'attente, celles qui recourent à l'assurance-chômage ne reçoivent en général aucune rémunération pendant leurs deux premières semaines de congé. Les travailleuses du secteur public québécois gagnent, en 1976, un montant équivalent à celui de l'assurance-chômage en compensation de ces deux semaines.

Ce gain est étendu à l'ensemble des travailleuses par la loi québécoise sur les normes minimales de travail (1979), alors que le gouvernement du Québec accepte de verser un montant de 240 $ aux travailleuses en congé de maternité. De plus, la loi interdit spécifiquement le congédiement et la modification des conditions de travail pour cause de grossesse; elle prévoit une protection contre les travaux dangereux pour la femme enceinte et l'enfant à naître.

En 1979, les travailleuses syndiquées des services publics québécois gagnent un congé de maternité entièrement payé de 20 semaines, défrayé à la fois par l'assurance-chômage et le gouvernement du Québec. Elles obtiennent également l'octroi d'un congé parental sans solde qui peut aller jusqu'à deux ans. Depuis lors, le mouvement syndical réclame pour toutes les travailleuses un congé de maternité de 20 semaines avec plein salaire.

Québec, 30 septembre 1979. Manifestation unitaire pour le droit aux garderies.

Les syndicats revendiquent en outre un réseau universel et gratuit de garderies, de pré-maternelles et de maternelles. Depuis la loi québécoise de 1979 en ce domaine, les garderies sont financées à 30% par l'État et à 70% par les parents. En 1982, il existe près de 500 garderies (23 000 places) qui répondent à un peu plus de 10% de la demande (évaluée à 210,000 enfants de cinq ans et moins dont les parents travaillent à l'extérieur).

Autres protections

Parmi les autres acquis des années soixante-dix, on doit mentionner l'abaissement de l'âge de la retraite dans plusieurs secteurs et l'amélioration des fonds de pension des syndiqués. Les syndicats réclament par ailleurs la nationalisation des régimes de retraite et des fonds d'assurances privés, afin de favoriser l'augmentation des investissements productifs dans l'économie.

D'autres acquis majeurs ont aussi été gagnés grâce aux luttes syndicales dans le domaine de la santé et de la sécurité au travail (voir page 279).

4. LE MOUVEMENT SYNDICAL

Afin d'obtenir des gains importants pour eux et pour l'ensemble des salariés, les travailleuses et travailleurs syndiqués ont dû s'organiser et mener des luttes nombreuses dans les années soixante-dix. En fait, ces luttes marquent un temps fort dans l'histoire du mouvement ouvrier, avec la première grève générale dans les services publics québécois suivie d'une grève générale de solidarité en 1972, la «bataille de l'indexation» des salaires en 1974 et la première grève générale au Canada en 1976 contre le contrôle des salaires. C'est une période exceptionnelle de militantisme, qui stimule la remise en question plus radicale du système économique et politique.

40% de syndiqués

C'est au début des années soixante-dix que la proportion des travailleurs et des travailleuses syndiqués au Québec dépasse le cap des 40% de la main-d'oeuvre salariée, soit l'un des plus hauts taux de syndicalisation en Amérique du Nord. Après avoir atteint une pointe de 41% en 1974, ce taux retombe par la suite en raison de la crise économique et d'un chômage très élevé. En 1977, on estime que 39% des salariés sont syndiqués au Québec, soit près de 900 000 personnes.

Alors que le syndicalisme est de mieux en mieux implanté dans les services publics, il ne représente toutefois qu'à peine le quart des travailleuses et des travailleurs dans le secteur privé. Par ailleurs, environ 30% des travailleuses sont syndiquées (16% dans le privé), comparé à 45% chez les hommes. Au total, un syndiqué sur trois est une femme.

Les non-syndiqués

Quant aux non-syndiqués, qui forment plus de 60% des salariés, le mouvement syndical réclame qu'ils puissent avoir accès plus librement au syndicalisme grâce à la négociation sectorielle ou multipatronale. Celle-ci permettrait aux travailleuses et travailleurs dispersés dans de multiples petites entreprises de se regrouper et de négocier. Le gouvernement a résisté jusqu'ici à cette réforme fondamentale des relations de travail, qui apparaît pourtant indispensable pour élargir le droit à la syndicalisation.

Un peu plus de 100 000 non-syndiqués sont un peu protégés par la loi des décrets de conventions collectives, qui leur permet d'obtenir les conditions minimales gagnées par les syndicats dans certains secteurs. Plus de 350 000 autres (15% des salariés) n'ont pour tout recours que la Loi des normes minimales de travail (1979), présentée par le gouvernement comme «la convention collective des non-syndiqués», et qui constitue le très strict minimum comme son nom l'indique. Le mouvement syndical réclame une amélioration sérieuse de cette loi qui maintient celles et ceux qu'elle est censée protéger au seuil de la pauvreté.

LES ORGANISATIONS SYNDICALES

Dans les années soixante-dix, le portrait des organisations syndicales au Québec est caractérisé par la présence de trois grandes centrales, la FTQ, la CSN et la CEQ, mais aussi par la fondation de la Centrale des syndicats démocratiques (CSD), issue d'une scission au sein de la CSN, et par l'essor des syndicats dits indépendants.

La FTQ

Près de la moitié des quelque 900 000 syndiqués du Québec en 1977 sont membres de syndicats affiliés au *Congrès du travail du Canada* et (ou) à son aile québécoise, la *Fédération des travailleurs du Québec*, soit plus de 425 000 membres. Au Canada, le CTC déclare 2,5 millions d'adhérents.

La FTQ regroupe environ les deux tiers des affiliés du CTC au Québec, membres de syndicats internationaux et pancanadiens, de même qu'un certain nombre de syndicats exclusivement québécois (une nouveauté). Au total, ses effectifs cotisants sont estimés à 280 000 membres. Les trois quarts travaillent dans le secteur privé.

Les plus grands syndicats affiliés sont ceux du Conseil des métiers du bâtiment (50 000 membres), les Métallos unis d'Amérique (45 000) et le Syndicat canadien de la fonction publique (40 000). La FTQ a également commencé à affilier des groupes de fonctionnaires fédéraux membres de l'Alliance de la fonction publique du Canada. Le Syndicat des travailleurs en communication a fait une percée chez les techniciens et les téléphonistes de Bell Canada, le plus gros employeur privé au Québec, qui avait soutenu jusque-là le syndicalisme de boutique.

La FTQ et plusieurs de ses affiliés ont dû mener des luttes contre certains syndicats internationaux, souvent les plus conservateurs. À son congrès de 1973, la centrale a décidé d'affilier directement et exclusivement — et non plus par le biais du CTC — des groupes de syndiqués québécois en rupture avec leur «internationale». La liste des groupes qui rompent avec le syndicalisme international américain et qui forment des syndicats canadiens ou québécois s'allonge: bâtiment, textile, industries chimiques et pétrolières, pâtes et papiers (plus de 20 000 membres au Québec), brasseries, communications, radio et télévision, etc.

La FTQ intervient de plus en plus fréquemment pour appuyer les luttes de ses affiliés en organisant des mouvements de solidarité. La ligne de force reste l'émergence d'une centrale syndicale québécoise et combative, ce qui provoque parfois des tensions avec le Congrès du travail du Canada et certains syndicats internationaux. Le CTC a accepté, à son congrès de 1974, un transfert de pouvoirs et de ressources en faveur de la FTQ, lui reconnaissant ainsi un statut spécial. La tendance demeure l'obtention d'une plus grande autonomie à l'égard du mouvement syndical canadien et nord-américain.

L'action de la FTQ, sous la présidence de Louis Laberge, est très influencée par le fait que la grande majorité de ses membres oeuvrent dans le secteur privé, ce qui la différencie de la CSN et de la CEQ.

La CSN

La Confédération des syndicats nationaux (CSN) compte quelque 180 000 membres en 1977, soit 20% des syndiqués québécois. Plus de la moitié d'entre eux travaillent dans les services publics dont les 60 000 adhérents de la Fédération des affaires sociales, qui forment le tiers du membership. Les autres fédérations importantes sont les services publics (25 000 membres), le bâtiment (23 000) et la métallurgie (18 000).

Norbert Rodrigue, président de la CSN, 1976-82.

La CSN a été frappée en 1972, au moment des négociations du Front commun dans les services publics, par un véritable «schisme» qui a constitué l'épreuve la plus dure subie par la centrale depuis sa fondation cinquante ans plus tôt. En l'espace d'une année, elle a perdu le tiers de ses effectifs (70 000 membres). Près de la moitié des dissidents, issus surtout du secteur privé, ont formé une nouvelle centrale, la CSD. 30 000 membres du Syndicat des fonctionnaires provinciaux se sont désaffiliés par un vote serré de 51% des voix. La CSN a également perdu 9 000 membres du secteur de l'aluminium.

En 1975, nouvelle hémorragie de 20 000 membres par suite d'une augmentation des cotisations, causée par une hausse sans précédent des grèves qui a entraîné l'épuisement du fonds de secours aux grévistes. Plusieurs syndicats refusent la hausse et la CSN doit les suspendre en vertu de ses statuts.

En dépit de toutes ces difficultés, la CSN continue de soutenir des luttes nombreuses et de plus en plus militantes, placées sous le signe d'un «syndicalisme de combat et de classe». Le remplacement à la présidence de Marcel Pepin par Norbert Rodrigue, en 1976, se fait dans la continuité des orientations de la centrale.

La CEQ

La Centrale de l'enseignement du Québec (CEQ) compte quelque 95 000 membres en 1977. Le nouveau nom de l'ancienne Corporation des enseignants, à partir de 1974, signifie que la CEQ entend regrouper désormais toutes les catégories de travailleuses et de travailleurs de l'enseignement en général. La centrale réunit donc, outre le personnel enseignant des écoles élémentaires et secondaires publiques, une partie de celui des cégeps, des universités et des établissements privés, du personnel de soutien scolaire, des professionnels du secteur de l'éducation et du personnel des loisirs.

La ligne de force, depuis 1970, a été la transformation définitive de la CEQ en une véritable centrale syndicale. Lors du congrès de 1971, on a abandonné la forme d'organisation basée sur le corporatisme et le professionnalisme. L'année suivante, la CEQ est devenue une organisation vraiment syndicale, indépendante de l'État. L'évolution de la CEQ manifeste l'adhésion pleine et entière des travailleuses et des travailleurs de l'enseignement au mouvement ouvrier, ainsi que la volonté de lutter dans le sens des intérêts de l'ensemble des salariés. On trouve à la CEQ, comme à la CSN, une tendance de plus en plus poussée à pratiquer un «syndicalisme de classe et de combat», sous la présidence d'Yvon Charbonneau.

Le syndicalisme enseignant regroupe par ailleurs les 8 000 membres de la *Fédération nationale des enseignants et des enseignantes du Québec (FNEEQ)*, affiliée à la CSN, qui représente la majorité du personnel enseignant des cégeps. La Fédération rassemble aussi des professeurs d'université, notamment ceux de l'Université du Québec à Montréal qui ont été les premiers syndiqués de l'enseignement supérieur et les premiers à faire la grève en 1971.

Le syndicalisme enseignant comprend en outre deux organisations anglophones indépendantes: la «Provincial Association of Protestant Teachers» et la «Provincial Association of Catholic Teachers», qui comptent respectivement 7 000 et 4 500 membres.

La CSD

La Centrale des syndicats démocratiques (CSD) est née, en juin 1972, d'une scission à droite au sein de la CSN. Sous l'impulsion de trois membres dissidents de l'exécutif, Paul-Émile Dalpé, Jacques Dion et Amédée Daigle, la CSD regroupe quelque 30 000 membres au départ (40 000 en 1977). 90% des adhérents travaillent dans le secteur privé: bâtiment et bois, textile, vêtement, chaussure, métallurgie et mines, dont les 2 200 travailleurs de l'amiante d'Asbestos, héros de la grève de 1949.

La création de la CSD est l'aboutissement d'un malaise né de l'arrivée massive au sein de la CSN des syndiqués des services publics et des luttes plus radicales menées contre l'État-patron. Elle a d'ailleurs été fondée au moment de la lutte du premier Front commun dans les services publics. La CSD est également née de l'opposition d'une minorité de membres de la CSN au nouveau projet de société socialiste défendu par la centrale dans son document «Ne comptons que sur nos propres moyens». Une fraction du mouvement n'a pas accepté l'évolution idéologique de la CSN et les nouvelles pratiques axées sur un «syndicalisme de combat et de classe».

Les syndicats indépendants

Environ 150 000 syndiqués font partie au Québec de syndicats dits indépendants — non affiliés à une organisation centrale — et qui ne sont pas nécessairement des syndicats de boutique. La tendance à la formation de tels syndicats a semblé s'accentuer dans les années soixante-dix. Parmi les plus importants, on peut noter le *Syndicat des fonctionnaires provinciaux du Québec* (35 000 membres), les *Teamsters* (15 000), la *Fédération des syndicats du secteur de l'aluminium* (9 000) et plusieurs syndicats d'infirmières et d'infirmiers.

Le Conseil des syndicats canadiens

Par ailleurs, on compte quelques centaines de membres québécois du *Conseil des syndicats canadiens (CSC)*, une petite organisation formée en 1968 et qui déclare 25 000 adhérentes et adhérents au Canada. Le Conseil, qui milite en faveur d'un syndicalisme canadien autonome à l'égard du syndicalisme international américain, a été fondé par deux vétérans des luttes ouvrières au Québec, «exilés» en Ontario, Madeleine Parent et Kent Rowley.

L'UNITÉ INTERSYNDICALE

Les événements des années soixante-dix démontrent combien l'unité et la solidarité intersyndicales sont vulnérables quand surgissent la concurrence, les rivalités, les scissions et les manoeuvres de divisions du patronat et de l'État. Mais en dépit des affrontements entre la FTQ et la CSN, surtout dans le secteur de la construction, les fronts communs se sont multipliés.

Les grandes luttes livrées par les quelque 200 000 membres du Front commun des services publics ont ouvert la voie à de nouvelles solidarités et à de nouveaux modes de coopération. La lutte contre l'emprisonnement des trois présidents des centrales, les manifestations unitaires du 1er mai, la bataille conjointe pour l'indexation des salaires en 1974-1975, la résistance commune aux projets de loi antiouvriers des gouvernements Bourassa et Trudeau (surtout les lois portant sur le contrôle des salaires), voilà autant d'occasions de rapprochement pour le mouvement syndical.

L'unité se concrétise également par certaines expériences régionales et locales. Ainsi, le Comité régional intersyndical de Montréal (CRIM) réunit des représentants de la CSN, de la FTQ et de la CEQ depuis le 1er mai 1972. À Joliette, un autre Front commun syndical organique démarre à l'occasion des luttes chez Firestone et Gypsum. Il en est de même à Thetford, à Saint-Jérôme, sur la Côte-Nord (Front uni des travailleurs de Sept-Îles) et dans d'autres régions du Québec. Une fois menées à terme les luttes qui ont créé le rapprochement, les fronts communs ad hoc ont toutefois tendance à s'étioler.

Par ailleurs, les congrès des trois grandes centrales adoptent, régulièrement, des résolutions affirmant la nécessité d'une liaison plus étroite en vue d'explorer les voies d'une unité plus grande du mouvement syndical. Au début de 1977, la CSN et la CEQ mettent même sur pied un «Comité de l'unité syndicale» en vue de préparer «la mise en place d'une nouvelle organisation syndicale capable d'accueillir tous les travailleurs québécois partageant les mêmes orientations en matière d'action revendicative et la même volonté de solidarité». Cette démarche n'aura cependant pas de suites.

Les internationales syndicales

Au plan international, les syndiqués du Québec sont représentés auprès de trois organisations:

- Ceux de la FTQ et du CTC sont affiliés à la *Confédération internationale des syndicats libres (CISL)*, née en 1949 d'une scission au sein de la *Fédération syndicale mondiale (FSM)* — d'obédience communiste depuis lors.

- Ceux de la CSN sont affiliés à la *Confédération mondiale du travail (CMT)* dont Marce! Pepin est devenu le président en 1973. La CMT a succédé, en 1968, à la *Confédération internationale des syndicats chrétiens.*

- Enfin, les syndiqués de la CEQ se sont affiliés au *Secrétariat professionnel international de l'enseignement (SPIE)*, lié à la CISL (ils s'en sont retirés en 1982).

LES LUTTES OUVRIÈRES

Le début des années soixante-dix est marqué par une combativité montante des syndiqués et de leurs organisations qui, malgré certaines divisions, multiplient les fronts communs et les actions unitaires.

De leur côté, le patronat et les gouvernements, à Ottawa comme à Québec, adoptent une attitude répressive envers les syndicats. Sous diverses formes, ils tentent de résister aux revendications ouvrières et de déstabiliser les organisations syndicales. Les lois spéciales contre les syndiqués atteignent une ampleur sans précédent. Malgré tout, les luttes, fort nombreuses, sont le plus souvent victorieuses.

LA BATAILLE DE «LA PRESSE»

Un des grands conflits de cette période survient à l'été 1971 au journal La Presse, «le plus grand quotidien français d'Amérique», et va durer près de 7 mois.

Le 19 juillet, le nouveau propriétaire du journal, le conglomérat Power Corporation dirigé par Paul Desmarais, décrète un lock-out contre ses 300 typographes, clicheurs, photograveurs et pressiers affiliés à la FTQ. Les typos, membres d'un des plus anciens syndicats internationaux au Québec, se battent, avec leurs camarades, contre les effets de changements technologiques qui menacent leurs emplois. Le quotidien continue de paraître mais face à la solidarité grandissante entre les hommes de métiers en lock-out et les mille autres employés du journal, membres d'une dizaine de syndicats réunis en front commun FTQ-CSN, la direction fait un lock-out général le 27 octobre.

La manifestation du 29 octobre

La FTQ, en collaboration avec les autres centrales, prépare depuis plusieurs semaines une grande manifestation unitaire d'appui aux syndiqués de La Presse, qui doit avoir lieu le vendredi 29 octobre, ce qui tombe deux jours après l'arrêt de parution du journal. À quelques heures de la marche de

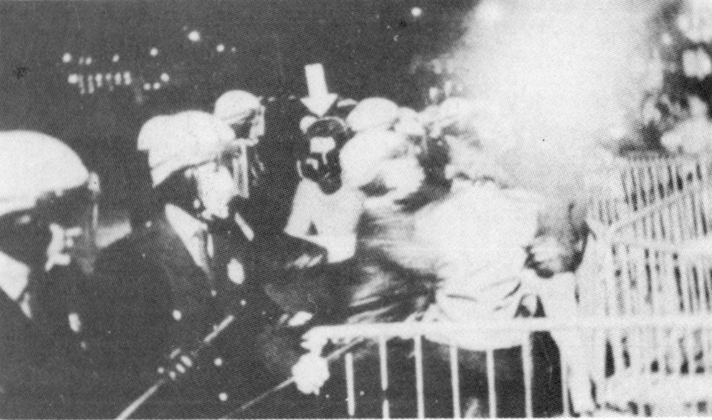

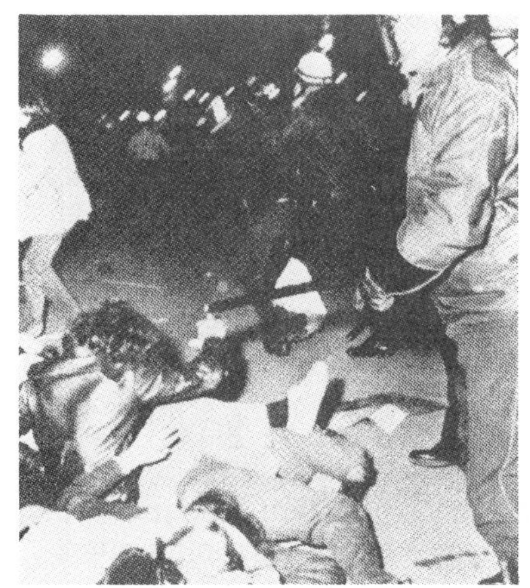

Montréal, 29 octobre 1971: manifestation unitaire d'appui aux travailleuses et travailleurs de La Presse, stoppée par une charge policière d'une rare brutalité.

solidarité, le maire Drapeau recourt au règlement municipal anti-manifestation. Le soir du 29 octobre, plus de 15 000 personnes se heurtent donc à des barrages dressés par les policiers de l'escouade dite anti-émeute qui bloquent le parcours vers l'édifice de La Presse. Après un face à face qui paraît interminable, dans une atmosphère de tension extrême, la police charge avec une brutalité inouie, à coups de matraques. Bilan officiel: 200 arrestations, plus de 300 blessés et un mort, une jeune femme qui succombe étouffée à la suite d'une crise d'asthme. Michèle Gauthier aura droit à des funérailles syndicales impressionnantes: parmi les porteurs, les chefs des trois centrales syndicales, Louis Laberge, Marcel Pepin et Yvon Charbonneau.

L'indignation et la colère sont grandes. Le 2 novembre, près de 20 000 personnes emplissent le Forum à l'occasion d'une assemblée de riposte intersyndicale, à l'appel du Conseil central de Montréal (CSN) dirigé par Michel Chartrand. Des délégations de syndiqués sont venues de partout au Québec. Certains orateurs critiquent le Parti Québécois qui a refusé de participer à la manifestation du 29 octobre par un vote de 6 contre 5 de son exécutif national, ce qui a provoqué la dissidence publique du leader parlementaire du PQ, le syndicaliste Robert Burns. Des dirigeants syndicaux lancent, pour la première fois, des appels à une grève générale de solidarité avec le syndiqués de La Presse.

Les lockoutés publient leur propre journal, «Le Quotidien populaire», les appuis se multiplient et finalement, la solidarité a gain de cause. La direction de La Presse s'engage à ne pas faire de licenciements reliés aux changements technologiques et à ne pas accorder de sous-contrats à l'extérieur. Quant aux journalistes, ils obtiennent notamment certaines garanties de liberté d'information.

LE FRONT COMMUN DE 1972

La bataille du premier Front commun des travailleuses et des travailleurs des services publics québécois et la grève générale de mai 1972 marquent un temps fort des luttes ouvrières dans les années soixante-dix.

Scènes de la bataille du Front commun intersyndical de 1972.

Le climat à cette époque est à l'unité intersyndicale. Ainsi, le 28 février 1972, plus de 12 000 personnes participent à une nouvelle assemblée au Forum de Montréal pour protester contre le chômage. Le ralliement est organisé par le Conseil du travail de Montréal (FTQ). Le leader fédéral du NPD, David Lewis, et le président du PQ, René Lévesque, y prennent la parole.

Un mois plus tard, le 28 mars, éclate la première grève de 24 heures déclenchée par le Front commun de 210 000 travailleuses et travailleurs des services publics, membres de la CSN (100 000), de la CEQ (70 000) et de la FTQ (40 000). Le Front commun groupe les fonctionnaires, le personnel des hôpitaux et du réseau des affaires sociales, le personnel enseignant et les employés de soutien des commissions scolaires et des cégeps, les syndiqués d'Hydro-Québec, de la Régie des alcools, les professionnels du gouvernement, etc.

C'est la première fois que les syndiqués des services publics québécois négocient ensemble afin d'accroître leur rapport de forces avec l'État-employeur. Les négociations se sont amorcées en mars 1971 mais comme elles traînent en longueur depuis un an, les «210 000» du Front commun se prononcent massivement, le 9 mars 1972, en faveur de la grève (86% de votants, 75% pour le débrayage). Ce vote permet enfin d'obtenir la table centrale de négociations que le gouvernement Bourassa refusait depuis le début.

Une première au Canada

Un premier arrêt de travail est fixé au 24 mars mais annulé à la dernière minute... à cause d'une tempête de neige! Il a lieu le 28 mars. Le gouvernement ne bouge pas. C'est alors que débute, le 11 avril, la plus importante grève déclenchée à ce jour dans toute l'histoire du mouvement ouvrier au Québec et au Canada. L'arrêt de travail du Front commun va durer 10 jours et ébranler profondément la société québécoise.

Le gouvernement réplique aussitôt par des injonctions ordonnant le retour au travail des 12 000 grévistes d'Hydro-Québec et de quelque 14 000 grévistes de 71 hôpitaux, bien que les syndiqués affirment qu'ils assurent les services essentiels. Le mouvement de grève se poursuit néanmoins dans plusieurs hôpitaux touchés par des injonctions. La désobéissance massive aux injonctions, au Québec, remonte vraiment à cette première bataille du Front commun.

Le 21 avril, le gouvernement Bourassa décide de casser le mouvement par une loi spéciale, le «Bill 19», qui force le retour au travail sous peine de fortes amendes et d'emprisonnement. La direction du Front commun et les présidents des trois centrales recommandent alors aux syndiqués de défier la loi et organisent à cet effet une vaste consultation de la base. Les 80 000 grévistes qu'on a pu consulter, malgré un court délai d'une quinzaine d'heures, décident à une mince majorité (55%) de défier la loi-matraque. Mais comme la majorité et la participation au vote ne sont pas concluantes, les leaders syndicaux recommandent le retour à l'ouvrage.

LA GRÈVE GÉNÉRALE DE MAI 1972

Pour avoir conseillé de passer outre aux injonctions ordonnant le retour au travail dans les hôpitaux pendant la grève, les présidents des trois centrales, Louis Laberge, Marcel Pepin et Yvon Charbonneau, se retrouvent en cour. Le 8 mai, le juge Pierre Côté les condamne à la sentence maximale: un an d'emprisonnement. Plusieurs dirigeants et militants syndicaux sont aussi condamnés à la prison.

Ce geste de répression exceptionnel déclenche la première grève générale de solidarité dans l'histoire du mouvement ouvrier au Québec, lancée spontanément sous le coup de la colère des travailleuses et travailleurs. À peine les trois présidents sont-ils incarcérés à la prison d'Orsainville, le 9 mai, que les syndiqués débraient un peu partout dans un immense défi à l'ordre établi et à sa «légalité» — car ce genre de débrayage est considéré comme illégal en Amérique du Nord. Au total, plus de 300 000 syndiqués participent, pour des durées variables, à ce vaste mouvement qui dure une semaine, en vue de réclamer la libération de leurs dirigeants emprisonnés. Les «Événements de Mai» 1972 constituent une flambée extraordinaire de solidarité de classe.

Les arrêts de travail éclatent à la fois dans les services publics et dans le secteur privé. C'est le cas des ouvriers de la construction, des métallos, des mineurs, des machinistes, des travailleurs de l'auto, des ouvrières et ouvriers du textile, des débardeurs, des employés de commerce, des ouvriers de l'imprimerie, du personnel des grands médias d'information ainsi que dans l'enseignement et certains hôpitaux.

Dans des villes comme Sept-Îles, Thetford, Sorel et Joliette, le mouvement est presque général, à tel point qu'on parle «d'occupation» et de «contrôle» des lieux par les grévistes. Des postes de radio et de télévision sont occupés par les syndiqués qui y diffusent leurs messages.

L'emprisonnement

Le 23 mai 1972, les trois présidents de centrales sortent de prison après en avoir appelé du jugement. Après que la Cour d'Appel ait maintenu la sentence et que la Cour Suprême ait refusé d'intervenir, ils sont de nouveau incarcérés le 2 février 1973. Malgré les pressions de toutes sortes et les interventions du mouvement syndical international, qui dénonce cet emprisonnement sans précédent, les trois présidents purgent leur peine et sont libérés le 16 mai suivant. Le premier mai, plus de 30 000 travailleuses et travailleurs sont descendus dans la rue afin d'exiger leur libération. Le Parti Québécois participe officiellement à la manifestation.

Mai 1972: les présidents de la CEQ, de la FTQ et de la CSN sont condamnés à un an de prison.

Mai 1972: les présidents de la CEQ, de la FTQ et de la CSN sont condamnés à un an de prison.

Des conquêtes

Malgré la répression sans précédent qu'il doit subir, le premier Front commun syndical parvient à «défoncer» le plafond de la politique salariale du gouvernement, même s'il faut ajouter un an à la convention qui est d'une durée

La sécurité d'emploi et dans l'emploi ainsi que le salaire de base de 100 $ sont deux revendications majeures de la lutte de 1972.

de 4 ans, jusqu'au 30 juin 1975. Il arrache en effet sa revendication majeure: un salaire de base de 100 $ par semaine, à compter du premier juillet 1974, pour environ 50 000 travailleuses et travailleurs qui sont les plus bas salariés des services publics. C'est un gain qui concerne tous les salariés à cause de son effet d'entraînement sur le secteur privé. De plus, le Front commun obtient une clause d'indexation des salaires à la hausse du coût de la vie qui s'avérera avantageuse à long terme. Il gagne aussi un régime de retraite indexé, une réduction des écarts salariaux et un régime amélioré de sécurité d'emploi. Le personnel enseignant obtient certains gains quant à la tâche de travail, même si la CEQ se voit imposer un décret qui tient lieu de convention et qui inclut certaines clauses négociées. Quant aux travailleuses et travailleurs d'Hydro-Québec, après une loi spéciale qui brise leur grève isolée à l'automne 1972, ils font eux aussi des avancées.

En conclusion, on peut dire que l'expérience du Front commun a démontré l'efficacité de la solidarité syndicale, même lorsqu'elle est difficile à maintenir à cause d'intérêts divergents. Il est certain que si les syndicats avaient affronté le gouvernement désunis, leurs conquêtes auraient été moindres. C'est pourquoi l'expérience sera renouvelée à chaque négociation par la suite.

LE FRONT COMMUN DE 1975-76

Au début de 1975, le Front commun se reconstitue pour la nouvelle ronde de négociations avec l'État-patron. Il a du mal à naître à cause des cicatrices encore fraîches laissées par les affrontements entre la CSN et la FTQ dans

Québec, printemps 1976: manifestation contre la loi 23.

le secteur de la construction (voir page 278), et aussi à cause des intérêts particuliers des divers syndicats. En outre, le gouvernement essaie de diviser le Front commun, entre autres en signant un premier accord avec le Syndicat des 35 000 fonctionnaires — qui s'est désaffilié de la CSN — et en voulant imposer ce règlement à ses autres employés.

Le Front commun, privilégiant la stratégie dite du harcèlement, déclenche à dix reprises des grèves de 24 heures. Le gouvernement Bourassa essaie de restreindre, voire de supprimer le droit de grève, d'abord par la loi 253 (décembre 1975) sur le maintien des services essentiels dans les hôpitaux, ensuite par la loi 23 (avril 1976) qui force le retour au travail dans l'enseignement. Mais cette fois, les syndiqués défient non seulement les injonctions, comme en 1972, mais les deux lois, malgré les menaces d'amendes et d'emprisonnement. À quatre reprises, ils débraient pour 24 heures.

En juin 1976, les syndiqués des hôpitaux et des affaires sociales déclenchent une grève illimitée. Au bout de 48 heures, ils réussissent à obtenir une entente qui leur accorde l'essentiel de leurs revendications: un salaire de base de 165 $ par semaine à partir du premier juillet 1978, la parité salariale presque complète entre les femmes et les hommes ainsi que quatre semaines de congés payés après un an de service à partir de 1979 — un gain qui sert de modèle à tous les syndiqués des services publics québécois.

En août 1976, le gouvernement casse par une nouvelle loi spéciale une grève de 17 jours des 5 500 membres de la Fédération des infirmières et infirmiers, qui obtient néanmoins certains gains. Dans l'enseignement, on signe à l'automne une convention qui octroie des acquis importants en matière de réduction de la tâche de travail et de sécurité d'emploi. Le personnel enseignant des écoles anglo-protestantes doit faire une grève de deux semaines pour obtenir la parité avec la CEQ.

Les ententes négociées avec le gouvernement Bourassa dépassent les normes fixées par la loi 64 sur le contrôle des salaires. Le gouvernement du PQ, qui arrive au pouvoir en novembre 1976, décide de mettre en veilleuse l'application de cette loi comme il l'avait promis. Il retire par ailleurs plus de 7 000 plaintes portées contre les grévistes qui n'ont pas respecté les lois 253 et 23 et qui, si elles avaient été maintenues, pouvaient coûter aux syndicats près de 50 millions $ en amendes. Il maintient les poursuites pour la transgression des injonctions. Enfin, le gouvernement du PQ s'engage à améliorer le régime des relations de travail dans les services publics.

LES SERVICES PUBLICS FÉDÉRAUX

Dans les services publics relevant de l'État fédéral, les luttes les plus importantes sont menées par les employés des Postes, les travailleurs du rail et les débardeurs ainsi que par certains groupes de fonctionnaires comme les commis de bureau.

Les grèves des Postes

Les années soixante-dix sont marquées par une série de grèves dans les services postaux menées par l'un des syndicats les plus militants de la FTQ, celui des postiers. En 1974, une loi spéciale du gouvernement Trudeau force le retour au travail des grévistes. En 1975, par suite d'une grève-record de 43 jours, les postiers gagnent notamment la semaine de 37 heures et demie et l'indexation des salaires à la hausse du coût de la vie. À Montréal, les grévistes mettent sur pied leur propre service de messagerie.

Le Syndicat des postiers lutte également pour assurer la sécurité d'emploi de ses membres contre les effets des changements technologiques, illustrés notamment par le code postal contre lequel les syndiqués lancent une vaste

1974-75: lutte des postiers pour la sécurité d'emploi.

campagne de boycottage avant d'en arriver à une entente avec l'employeur. De son côté, le gouvernement fédéral est forcé d'inclure dans son Code du travail des dispositions minimales de protection contre les changements technologiques. Les syndicats doivent être avisés 90 jours avant tout changement et ils ont le droit de négocier et de faire la grève sur cette question.

Les fonctionnaires

Chez les 35 000 fonctionnaires fédéraux au Québec, c'est en 1975 que surviennent les premières grèves des membres de l'Alliance de la fonction publique du Canada, affiliés à la FTQ. C'est le cas surtout des commis de bureau — le groupe le plus nombreux — et des ouvriers de métiers. De façon générale, les fonctionnaires fédéraux alignent leurs revendications sur celles des employés de l'État québécois et cherchent à obtenir les mêmes gains.

Cheminots et débardeurs

Les travailleurs du rail, en lutte contre les effets de changements technologiques, se voient imposer en 1973 par Ottawa une loi spéciale forçant leur retour au travail pour la troisième fois — les deux autres remontant à 1950 et 1966.

Quant aux débardeurs des ports du Saint-Laurent, membres de la FTQ, ils doivent eux aussi retourner à l'ouvrage, en 1975, à la suite d'une loi spéciale qui met fin à leur grève à propos des changements technologiques.

Cette question devient l'une des plus importantes à se poser au mouvement syndical vers la fin des années soixante-dix et annonce des bouleversements majeurs dans le monde du travail.

LES LUTTES POUR L'INDEXATION

L'une des grandes batailles du milieu des années soixante-dix est celle de l'indexation des salaires à la hausse très forte du coût de la vie. En 1973 et 1974, de façon générale, les salaires montent moins vite que le coût de la vie et le pouvoir d'achat des travailleuses et travailleurs tend donc à diminuer.

«La hausse des prix, c'est du vol organisé». Thème du colloque CSN-CEQ-FTQ-UPA-ACEF contre l'inflation, mars 1974.

Le mouvement syndical décide d'unir ses forces pour affronter ce problème et élaborer une stratégie d'action. En mars 1974, à Québec, une réunion intersyndicale rassemble quelque 400 dirigeantes, dirigeants, militantes et militants de la FTQ, de la CSN et de la CEQ, ainsi que des représentants de l'Union des producteurs agricoles (UPA) et des Associations coopératives d'économie familiale (ACEF). Les centrales décident alors de lancer une vaste campagne en vue de la réouverture des conventions collectives pour négocier l'indexation des salaires au coût de la vie. Elles s'engagent à appuyer leurs syndicats qui entreprendront des actions en ce sens. Le Front commun des services publics a obtenu cette indexation en 1972, ce qui constitue un point d'appui et un stimulant pour le secteur privé. Les syndiqués de la base répondent vite à l'appel. Plusieurs grands secteurs arrachent l'indexation, avec ou sans grève.

Une lutte exemplaire en ce sens est menée, à l'été 1974, par les 1 600 préposés à l'entretien et aux garages de la Commission de transport de la communauté urbaine de Montréal (CTCUM). La victoire des travailleurs du métro et des autobus, membres de la CSN, couronne une grève de 44 jours.

Les syndiqués de la CTCUM décident d'abord de refuser de faire des heures supplémentaires, en guise de pression pour rouvrir la convention. Résultats: des suspensions, un débrayage, puis un arbitrage qui donne raison au syndicat à propos du temps supplémentaire. De nouveau, les syndiqués refusent les heures supplémentaires. La direction riposte par de nouvelles suspensions et la grève éclate de nouveau, pour de bon cette fois.

Les grévistes refusent de se plier à une injonction ordonnant le retour à l'ouvrage. Une pluie de poursuites pour outrages au tribunal s'abat sur eux. Les patrons refusent de négocier avec un syndicat «hors-la-loi». Puis le jugement Deschênes, du nom du juge en chef Jules Deschênes de la Cour supérieure, survient comme un désaveu de la CTCUM et du gouvernement: les injonctions, dit-il en substance, de même que le recours aux tribunaux, ne sont pas une façon de régler les conflits sociaux. Le jugement Deschênes témoigne du caractère inadéquat de l'arsenal traditionnel des lois pour mater les syndicats. La Cour d'Appel renversera ce jugement. Malgré une menace de loi spéciale évitée de justesse, les grévistes ont gain de cause.

Des centaines de syndicats rouvrent leurs contrats et plusieurs font la grève pour enrayer l'érosion du pouvoir d'achat, bravant des injonctions. Ces luttes sont capitales dans la mesure où un grand nombre de travailleuses et travailleurs décident que les victoires, même partielles, ne passent pas

Montréal, 5 septembre 1974: 8 000 travailleuses et travailleurs marchent dans la rue pour l'indexation, contre les injonctions, et pour appuyer les syndiqués en grève, dont ceux de la CTCUM et de United Aircraft.

Montréal, 5 septembre 1974: 8 000 travailleuses et travailleurs marchent dans la rue pour l'indexation, contre les injonctions, et pour appuyer les syndiqués en grève, dont ceux de la CTCUM et de United Aircraft.

Manifestation d'appui aux dirigeants du Syndicat des employés d'entretien de la CTCUM emprisonnés pour avoir défié des injonctions lors de leur grève en 1974. Mai 1978.

nécessairement par des luttes «légales». Cette rupture avec la «légalité» (la grève étant interdite pendant la durée de la convention collective) marque un point tournant dans la combativité ouvrière.

LA LUTTE CONTRE LE CONTRÔLE DES SALAIRES: GRÈVE GÉNÉRALE AU CANADA

Les luttes pour l'indexation, en 1974 et 1975, préparent la voie à l'offensive généralisée contre le programme de contrôle des salaires mis en place, à l'automne 1975, par les gouvernements. Baptisées les «mesures Trudeau-Bourassa», les lois C-73 et 64 sont combattues par l'ensemble du mouvement ouvrier. La lutte est d'autant plus âpre que des dizaines de milliers de syndiqués se font couper, par la Commission fédérale de lutte à l'inflation, des augmentations de salaire arrachées souvent au prix de longues grèves. C'est la négation du droit à la libre négociation et à la grève. Ainsi, malgré un débrayage de 7 mois, 40 000 membres du Syndicat des travailleurs du papier, au Québec et au Canada (FTQ-CTC), doivent se plier aux normes de la «loi Trudeau».

Le 22 mars 1976: des travailleuses et travailleurs de tous les coins du Canada se retrouvent devant le parlement d'Ottawa pour protester contre le contrôle des salaires.

Les travailleuses et travailleurs, tant dans les secteurs public que privé, se dressent contre «les mesures de crise». Le 26 novembre 1975, ils sont au-delà de 40 000 à manifester à Montréal, à l'appel des trois grandes centrales. Le principe d'une grève générale unitaire est adopté par la CSN, puis par la FTQ. Le 22 mars 1976, les syndiqués québécois participent en masse à une manifestation devant le Parlement d'Ottawa, aux côtés de leurs camarades des autres provinces.

Le jeudi 14 octobre 1976, premier anniversaire de l'imposition des contrôles, plus de 250 000 travailleurs et travailleuses du Québec participent à la journée de grève générale contre le contrôle des salaires qui rallie 1,2 million de syndiqués au Canada. C'est la première grève générale de cette ampleur dans l'histoire du Canada et en Amérique du Nord. Le mot d'ordre de grève a été finalement lancé, après un an de vaines négociations avec Ottawa et plusieurs mois de consultation de la base, par le Congrès du Travail du Canada (CTC), la grande centrale canadienne qui compte 2,5 millions de membres. Toutes les fédérations provinciales du travail appuient le mouvement. Peu après cette grève, le gouvernement fédéral met fin aux contrôles.

À travers le Québec et le Canada, les travailleurs du papier luttent contre le contrôle des salaires par l'État.

LES LUTTES CONTRE LES MULTINATIONALES

Dans le secteur privé, les travailleuses et travailleurs en grève font l'expérience de la solidarité qui déborde le cadre de leur syndicat local. Ils se mobilisent pour aller chercher des appuis dans l'ensemble du mouvement ouvrier, condition nécessaire pour résister et remporter la victoire.

Cette solidarité se manifeste notamment le 27 août 1973 alors que plus de 400 grévistes, venant d'une vingtaine d'entreprises, font l'occupation des bureaux du ministère du Travail, à Montréal. Ils n'en partent qu'après avoir obtenu une rencontre avec le ministre Jean Cournoyer et lui avoir arraché la promesse d'une loi anti-briseurs de grèves. À cette occasion, la FTQ et la CSN lancent le «Manifeste des grévistes» qui réclame un changement radical des lois du travail («Le travail, notre propriété»).

À cette époque, les luttes contre les sociétés multinationales sont particulièrement longues, dures et exemplaires. C'est le cas, entre autres, des grèves à la Firestone (10 mois) et à Canadian Gypsum de Joliette (20 mois), de même qu'à la United Aircraft de Longueuil (22 mois).

Firestone et Gypsum à Joliette

Membres d'un syndicat affilié à la FTQ, les 312 ouvriers de l'usine de pneus de la multinationale américaine Firestone, à Joliette, vont gagner une grève de 10 mois, du 21 mars 1973 au 13 janvier 1974. Leur mot d'ordre: «La victoire appartient à ceux qui tiennent une minute de plus!» Et ils tiendront. Plus encore, ils font une nouvelle grève «illégale» de deux semaines, à l'été 1974, en guise de solidarité avec leurs camarades grévistes de l'usine Firestone de Hamilton, en Ontario.

Joliette, 1973-74: les patrons de la Canadian Gypsum ont dû faire blinder un autobus pour faire entrer les «scabs» dans l'usine.

À Joliette, les luttes des travailleurs de Firestone et de la Gypsum font naître, au sein de la population, un vaste mouvement de solidarité.

Joliette, 1973-74: «La victoire appartient à ceux qui tiennent une minute de plus».
Archives publiques du Canada.

Joliette, 11 juin 1973: Manifestation inter-centrales en appui aux travailleurs en grève de Firestone et Canadian Gypsum.

À Joliette encore, les 85 ouvriers de la Gypsum, autre multinationale américaine, déclenchent le 7 mai 1973 une grève qui durera 20 mois. Ces syndiqués de la CSN obtiendront gain de cause.

Les travailleurs de la Gypsum et de la Firestone organisent des campagnes de boycottage à l'échelle du Québec. Un front commun FTQ-CSN-CEQ naît dans la région de Joliette, tant pour soutenir financièrement les grévistes que pour organiser un mouvement d'appui: débrayage régional, manifestations, soirées de solidarité, collectes. À la volonté des grandes entreprises de casser la combativité ouvrière, on oppose une solidarité nouvelle et le regain de la vie syndicale dans la région.

United Aircraft: grève de solidarité

Le conflit épique qui oppose la multinationale américaine United Aircraft (Pratt & Whitney) à ses 2 000 syndiqués des Travailleurs unis de l'automobile et de l'aéronautique (FTQ), à l'avionnerie de Longueuil, dure 22 longs mois, à partir

Janvier 1974: piqueteurs devant l'usine United Aircraft.

Hiver 1974: assemblée de solidarité pour appuyer les ouvriers de United Aircraft.

de janvier 1974. La bataille culmine le 12 mai 1975 lors d'une occupation-surprise de l'usine, qui a poursuivi sa production avec l'aide de «scabs» protégés par la police. Le 21 mai, une grève de solidarité de 24 heures, à l'appel de la FTQ, mobilise plus de 100 000 travailleuses et travailleurs.

Négociations, conciliation, médiation, enquête spéciale, commission parlementaire, médiation extraordinaire, appels à l'opinion publique, manifestations, occupation de l'usine et grève générale, tout cela ne fait pas bouger la compagnie. La United Aircraft riposte plutôt par une avalanche de poursuites judiciaires et la répression policière, dans le but de briser le syndicat. Le gouvernement Bourassa refuse d'intervenir par une loi spéciale qui imposerait un règlement à la super-compagnie, subventionnée par Québec et Ottawa même pendant le conflit.

Après presque deux ans de résistance, les grévistes remportent une victoire mitigée. Ils gagnent l'indexation des salaires au coût de la vie et les heures supplémentaires sur une base volontaire, mais ils n'obtiennent pas la formule Rand ni le réengagement de 34 militants syndicaux congédiés à la suite de l'occupation de l'usine. La formule Rand deviendra obligatoire au Québec après la réforme du Code du Travail en 1977. Le nouveau Code contient aussi certaines dispositions contre l'embauche de briseurs de grève comme ce fut le cas à la United Aircraft.

LES LUTTES DANS LA CONSTRUCTION

La solidarité intersyndicale est rudement mise à l'épreuve, au début des années soixante-dix, par les luttes acerbes et parfois violentes que se livrent les syndicats affiliés à la FTQ et à la CSN dans l'industrie de la construction. Dans un secteur marqué par le pluralisme syndical et où le chômage est fréquent, la rivalité pour les emplois conduit à des affrontements graves, surtout en période de crise.

En vertu de la nouvelle loi sur les relations de travail dans le bâtiment, les syndicats sont appelés en 1972 à mener une campagne de recrutement (de «maraudage») auprès des ouvriers dans tout le Québec. Les résultats de cette campagne, ponctuée par des actes d'intimidation et de violence, donnent 72% des adhérents aux syndicats de la FTQ et 23% à ceux de la CSN. La FTQ-construction décide d'instaurer un monopole de fait dans le secteur et négocie seule une convention collective avec la majorité des employeurs. En vertu de la loi 9 (1973), le gouvernement Bourassa légalise ce monopole de fait, en transformant la convention en décret. En 1974, la loi 201 donne au gouvernement le droit d'intervenir en tout temps, sans le consentement des parties, pour modifier le décret.

La commission Cliche

Le 21 avril 1974, la violence éclate sur le grand chantier hydro-électrique de la Baie James, à l'instigation de certains leaders de la FTQ-construction qui veulent instaurer un monopole sur le chantier, aux dépens de la CSN et du pluralisme syndical garanti par la loi. Le gouvernement Bourassa crée alors la commission d'enquête Cliche sur la liberté syndicale dans la construction — du nom de son président, le juge Robert Cliche, ex-leader du NPD-Québec. La CSN, qui a réclamé cette enquête, de même que la FTQ acceptent d'y participer. La commission a notamment comme résultat de dévoiler la corruption de certains dirigeants syndicaux de la FTQ-construction, qui ont pris tous les moyens pour établir le monopole syndical dans cette industrie.

Le gouvernement Bourassa profite des recommandations de la commission Cliche pour augmenter le contrôle gouvernemental sur le syndicalisme dans le bâtiment. La loi 29 fait en sorte que les leaders syndicaux sont présumés coupables pour des délits qui peuvent être des «délits syndicaux» (accrochage au cours d'une grève, par exemple). La loi 30 leur interdit l'accès à des postes de direction syndicale en cas de condamnation pour de tels délits. Le gouvernement ne s'attaque pas aux causes profondes de la corruption dans quelques syndicats de la FTQ clairement identifiés et mis sous tutelle. L'action gouvernementale est dénoncée à la fois par la FTQ et par la CSN.

Tout cela n'empêche pas les travailleurs de la construction de mener des luttes nombreuses, entre autres lors de la bataille pour l'indexation des salaires. Près de 40 000 travailleurs, en majorité du bâtiment, manifestent dans les rues de Montréal le 29 octobre 1974 pour réclamer leurs droits et dénoncer l'ingérence gouvernementale dans leurs syndicats. En 1975, au chantier du stade olympique, des ferrailleurs de la FTQ et de la CSN mènent une grève unie et «illégale» et parviennent à gagner l'indexation.

LUTTES POUR LA SANTÉ ET LA SÉCURITÉ AU TRAVAIL

Les accidents du travail et les maladies industrielles font perdre plus de journées d'ouvrage que les grèves et les lock-out au Québec.

Chaque jour ouvrable, selon les statistiques officielles, une personne meurt victime d'un accident du travail et une autre est rendue invalide. Toutes les six minutes, un travailleur ou une travailleuse est blessée. De 1970 à 1976, 1 700 personnes ont été tuées à l'ouvrage et 700 000 accidentées assez sérieusement. En 1975, 295 000 avis d'accidents ont été déclarés à la Commission des accidents du travail et 175 000 accidents mineurs ont nécessité des soins sur place. Près de 500 000 accidents par an pour une main-d'oeuvre de 2,2 millions de personnes!

Rappelons quelques tragédies, à commencer par la mort de 7 ouvriers de la construction à l'échangeur Turcot à Montréal, le 16 décembre 1965. Le 17 novembre 1973, encore sept ouvriers du bâtiment périssent dans un écroulement d'échafaudage sur le chantier de la compagnie Mannix au Mont Wright (Fermont), sur la Côte-Nord. Sans parler des empoisonnements à l'arsenic à la Canadian Copper (Noranda), dans l'est de Montréal, des explosions aux poudrières de la CIL à McMasterville (8 morts) et à Brownsburg, des brûlures mortelles à la Canadian Electrolytic Zinc (Noranda) de Valleyfield. Sans oublier les 11 victimes du chantier olympique. L'accélération des cadences («speed-up»), l'augmentation de l'intensité du travail et le refus des employeurs d'éliminer les conditions dangereuses sont les principales causes des accidents et des maladies du travail.

Dans les années soixante-dix, le mouvement syndical multiplie les batailles pour la protection de la santé et de la sécurité des travailleurs. Il définit de nouveaux projets de lutte, négocie des clauses plus serrées dans les conventions, force l'État à faire des lois plus sévères et, surtout, à en assurer l'application. L'objectif central est de s'attaquer aux causes mêmes des innombrables maladies et accidents du travail, afin qu'il n'y ait plus d'ouvriers de la construction s'estropiant sur les chantiers, de travailleurs empoisonnés par des produits chimiques, frappés de surdité à cause du bruit, mutilés sur une chaîne de production ou atteints de maladie respiratoires comme l'amiantose, la silicose, la sidérose (maladie des soudeurs), l'abyssinose (due à la poussière de coton), le cancer, ou tout simplement incapable de travailler à cause de l'usure prématurée à l'ouvrage.

Des luttes exemplaires sont menées par le Syndicat des Métallos (FTQ) à MLW-Bombardier et à la Canadian Steel à Montréal, par la CSN à la fonderie Fer et Titane de Sorel, occupée par les grévistes. Le front commun de 3 000 travailleurs de l'amiante de Thetford, affiliés à la CSN et à FTQ, mène une grève de 7 mois en 1975 qui force le gouvernement à adopter la loi 52 pour indemniser les victimes d'amiantose et de silicose.

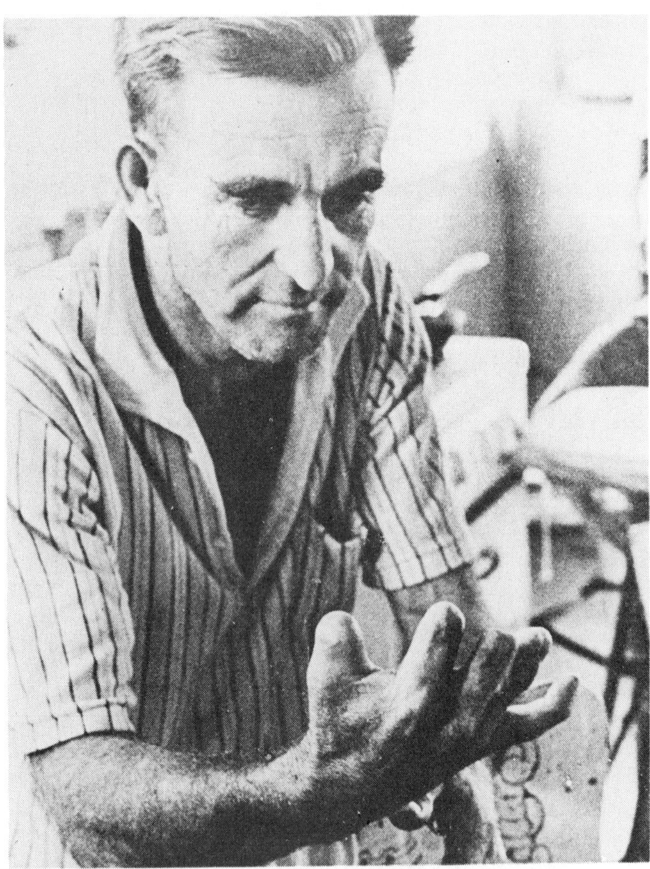

Les effets des conditions de travail dangereuses sur la santé des travailleurs ne sont pas toujours aussi visibles.

Les ouvriers de fer et titane occupent la fonderie pour obtenir de meilleures conditions de travail, de santé et de sécurité.

Les travailleuses et travailleurs de la Carter White Lead luttent pour éliminer l'empoisonnement par le plomb, maladie industrielle causée par l'organisation du travail dans l'entreprise.

Toutes ces batailles amènent le nouveau gouvernement du Parti québécois à présenter une loi générale sur la santé et la sécurité au travail. Cette loi, adoptée en 1979, est appréciée différemment dans le mouvement syndical.

LES LUTTES DES TRAVAILLEUSES

Les luttes des femmes constituent l'un des mouvements majeurs des années soixante-dix marquées par leur entrée massive sur le marché du travail (voir page 253).

Le mouvement syndical, qui ne s'était préoccupé que marginalement jusque-là des problèmes spécifiques des travailleuses salariées, a évolué considérablement à ce sujet sous la pression de ses membres dont plus du tiers sont des femmes: environ 30% à la FTQ, 40% à la CSN et 65% à la CEQ.

Chacune des trois grandes centrales s'est dotée de comités de la condition féminine qui donnent un caractère permanent à la lutte des travailleuses. À la CSN, où le «comité féminin» s'était dissout en 1966 après presque quinze ans d'existence, on l'a remis sur pied en 1974. Le comité a produit un document de base intitulé «La lutte des femmes: combat de tous les travailleurs», adopté par le congrès de 1976, et qui relie l'oppression des femmes au régime capitaliste. Des démarches semblables ont été suivies à la FTQ et à la CEQ.

Les luttes syndicales des femmes sont axées sur la revendication du «droit au travail social». Les travailleuses réclament en particulier un salaire égal pour un travail de valeur égale; l'abolition de toute forme de discrimination dans l'emploi, les promotions et les transferts; des programmes d'accès à l'égalité dans l'emploi; des congés de maternité payés (voir page 256); un réseau universel, public et gratuit de garderies; le droit à l'avortement libre et gratuit ainsi que l'élimination des stéréotypes sexistes (notamment dans les manuels scolaires).

Un des enjeux majeurs concerne l'abolition des «ghettos d'emplois» réservés aux femmes, un des problèmes qui est à la base de l'inégalité entre les travailleuses et les travailleurs. Les femmes restent en effet limitées à des secteurs où les conditions de travail et de salaire sont nettement inférieures à celles des hommes. Elles sont plus souvent rémunérées à la pièce ou au rendement et particulièrement exploitées dans des domaines comme le vêtement, l'entretien ménager, le travail de domestique et le travail à temps partiel. Les travailleuses immigrantes sont plus exploitées encore et forment une bonne proportion de la main-d'oeuvre payée au salaire minimum (dont les trois quarts sont des femmes). Enfin, le travail à domicile ne semble pas près de régresser et touche au-delà de 20 000 femmes uniquement dans l'industrie du vêtement, ce qui n'est pas sans rappeler le «sweating system» du 19e siècle.

Le mouvement syndical, qui ne représente que le tiers des travailleuses (16% dans le secteur privé seulement), a encore beaucoup à faire pour améliorer la situation, même si les luttes nombreuses des syndiquées — en particulier dans les services publics — ont fait progresser la cause des travailleuses.

LA JOURNÉE INTERNATIONALE DES FEMMES

La montée des luttes menées par les travailleuses s'exprime chaque année par la célébration de la Journée internationale des femmes, fêtée pour la première fois au Québec par le mouvement syndical en 1972.

Cette journée vise à souligner la grande combativité des travailleuses dans l'histoire du mouvement ouvrier. Son origine remonte au 8 mars 1857 alors que des ouvrières du vêtement et du textile manifestent à New York, dans le Lower East Side, contre la journée de 12 heures et des salaires de famine. Cette manifestation est réprimée violemment par la police à cheval. Le 8 mars 1908, des milliers de femmes de l'industrie de l'aiguille marchent à nouveau dans le Lower East Side et, à plus de cinquante ans de distance, les revendications sont sensiblement les mêmes. En 1910, à l'invitation des militantes américaines, l'Internationale socialiste proclame le 8 mars Journée internationale des femmes — comme elle avait proclamé le 1er mai Fête des travailleurs et des travailleuses.

LES EXPÉRIENCES DE PARTICIPATION

Les années soixante-dix ont été marquées au Québec par quelques expériences de participation des travailleuses et travailleurs à la propriété et à la gestion de leur entreprise, allant de la cogestion restreinte à certaines formes d'autogestion. Il s'agit là d'expériences-pilotes qui ont amorcé des débats au sein du mouvement ouvrier. En voici deux exemples.

Tembec À Témiscaming, «ville de compagnie» du Nord-Ouest québécois, 500 ouvriers, membres du Syndicat du papier (FTQ), participent en août 1973 à la relance de l'usine de pâte fermée un an plus tôt par la Canadian International Paper (CIP), un monopole américain. Quatorze mois de lutte en vue de rouvrir le «moulin», seule activité industrielle de la ville, permettent aux syndiqués de devenir copropriétaires de la nouvelle compagnie, Les Produits forestiers Tembec, en association avec d'ex-cadres de la CIP, des investisseurs locaux et le gouvernement du Québec (Rexfor). L'usine fonctionne aujourd'hui à plein rendement.

Tricofil À Saint-Jérôme, 450 tisserandes et tisserands, membres du Syndicat du textile (FTQ), participent à la fin de 1975 à la relance de la filature fermée à l'été 1974 par la Régent Knitting Mills, propriété de la famille Grover de Westmount. Le projet de prendre en main l'usine a germé à la fin de 1972 quand les syndiqués ont occupé l'entreprise pendant plus d'un mois et réussi à bloquer 310 mises à pied. Après plusieurs mois de lutte, les syndiqués prennent le contrôle de la filature, rebaptisée Tricofil, selon une formule coopérative d'autogestion. Ils s'appuient sur une campagne de financement populaire et l'aide du mouvement coopératif Desjardins et du gouvernement du Québec. Malgré des efforts énormes, la filature devra fermer ses portes en 1982.

5. L'ACTION POLITIQUE OUVRIÈRE

Dans les années soixante-dix, le mouvement syndical amorce, dans l'ensemble, un virage dans le sens d'une critique plus radicale du capitalisme et de la recherche d'un socialisme à caractère démocratique. L'accent est d'abord mis sur la rupture idéologique avec le régime, comme en témoigne la publication des manifestes des trois grandes centrales: «Ne comptons que sur nos propres moyens» (CSN, octobre 1971), «L'État, rouage de notre exploitation» (FTQ, décembre 1971) et «L'école au service de la classe dominante» (CEQ, juin 1972). Le mouvement syndical tente par ailleurs de relier son projet de société socialiste au projet de l'indépendance du Québec ou, à tout le moins, d'une souveraineté accrue pour le Québec.

Alors que la FTQ se rapproche du Parti québécois et l'appuie officiellement lors des élections de 1976, la CSN et la CEQ maintiennent leur indépendance à l'égard de tout parti politique. Au sein de ces deux centrales, on assiste à l'émergence d'un courant favorable à la création d'un «parti des travailleurs» à gauche du PQ et à l'extérieur des cadres syndicaux.

LA FTQ

À son congrès de décembre 1971, la FTQ publie son manifeste intitulé «L'État, rouage de notre exploitation». Elle y dénonce le rôle de l'État au service du capitalisme et réaffirme son option en faveur du «socialisme démocratique».

Dans son rapport «Un seul front», Louis Laberge lance un appel à l'action politique pour renverser le régime libéral de Bourassa et Trudeau: «S'il nous faut appuyer officiellement un parti, dit-il, nous devrons le faire. Mais cet appui devra être réel et s'enraciner profondément chez nos membres. Si aucun parti ne satisfait à fond les aspirations de la classe ouvrière, il ne faut pas exclure la possibilité d'en bâtir un à la mesure de nos besoins». En pratique, le congrès de la FTQ manifeste sa sympathie à l'égard du Parti québécois. Les délégués expriment aussi leur appui à la «réalisation d'un Québec souverain, à condition que ce processus s'accomplisse en fonction des besoins et des aspirations des classes laborieuses».

Le NPD et le PQ

À son congrès de 1973, la FTQ insiste sur son adhésion à un «socialisme québécois». Elle retire de ses statuts l'appui officiel au Nouveau parti démocratique, qu'elle continue de soutenir lors des élections fédérales. À son congrès de décembre 1975, la FTQ accorde officiellement son appui au Parti québécois, à l'instar de deux de ses grands syndicats affiliés, les Métallos unis d'Amérique et le Syndicat canadien de la fonction publique. Cet appui s'exprime concrètement lors des élections de novembre 1976 qui portent le PQ au pouvoir.

La FTQ explique ainsi la nature de cet appui: «Il faut être bien conscient que le PQ n'est pas un véritable parti des travailleurs. Bien d'autres intérêts que les nôtres y convergent. Les travailleurs ne seraient pas plus avancés de se trouver en face d'une nouvelle bourgeoisie nationale gouvernant pour elle-même qu'ils ne le sont actuellement, alors que des valets gouvernent au profit du

NE COMPTONS QUE SUR NOS PROPRES MOYENS

Ce document, "Ne comptons que sur nos propres moyens", a été présenté aux membres du Conseil confédéral de la CSN le 6 octobre 1971. Il s'agit d'un document de travail qui fera l'objet de sessions d'études et de discussions dans tout le mouvement en préparation du prochain congrès général de la CSN prévu pour juin prochain.

capitalisme étranger». Mais selon la FTQ, le Parti québécois est «le parti le plus proche des intérêts des travailleurs» et ceux-ci doivent y militer: «Nous devons armer nos militants qui oeuvrent à l'intérieur du PQ d'une définition claire du socialisme démocratique que nous voulons».

La FTQ rejette la création d'un parti ouvrier qu'elle considère «prématurée et inopportune» car, selon Louis Laberge, «il nous reste du chemin à parcourir dans la formation de la conscience politique des travailleurs».

LA CSN

C'est en septembre 1971 que la CSN publie son premier document dénonçant le système capitaliste à partir d'une analyse de classe: «Il n'y a plus d'avenir pour le Québec dans le système économique actuel». Ce texte est suivi du manifeste «Ne comptons que sur nos propres moyens», document de travail présenté en octobre 1971 au conseil confédéral. Étudié à tous les niveaux de la centrale, le manifeste démontre la nature de classe des intérêts économiques qui dominent le peuple québécois et le caractère impérialiste de cette domination. Il conclut que le projet d'un «socialisme québécois» est la voie dans laquelle doit s'engager le mouvement ouvrier.

Un socialisme à définir

Ce document provoque de vifs débats et de graves tensions entre la majorité de la CSN, qui l'appuie, et une minorité qui s'y oppose et quitte la centrale pour fonder notamment la CSD. En 1972, la CSN se prononce officiellement en faveur du socialisme, tout en lançant un débat «visant à définir le contenu d'un socialisme québécois et les étapes de sa réalisation».

Sur le plan pratique, la CSN lance à son congrès de 1972 le mot d'ordre d'«abattre le régime libéral». Elle tente de réactiver ses comités d'action politique sous la forme de «comités populaires», formés de syndiqués et de non-syndiqués dans diverses régions, en vue d'organiser l'action politique ouvrière au niveau local. Ce projet n'aura guère de suites.

À son congrès de mai 1972, le Conseil central de Montréal donne officiellement son appui à «l'indépendance nationale du Québec, indispensable à la prise du pouvoir par les travailleurs et au socialisme». Comme à la FTQ, le nombre des partisans de l'indépendance (et le plus souvent du PQ) progresse rapidement. Lors des élections de 1976, la CSN décide de tout mettre en oeuvre pour combattre la Parti libéral de Bourassa et contribue ainsi à la victoire du Parti Québécois — sans l'appuyer officiellement.

Le président de la centrale, Norbert Rodrigue, déclare qu'«il n'y a pas de parti politique ouvrier actuellement au Québec». La CSN lance parmi ses affiliés un débat sur les conditions de formation d'un «parti des travailleurs» à l'extérieur des cadres du mouvement syndical.

LA CEQ

L'orientation pollitique de la CEQ apparaît, à maints égards, proche de celle de la CSN. Elle n'appuie aucun parti politique mais combat le Parti libéral lors des élections de 1976 et plusieurs de ses militants sont élus sous l'étiquette du Parti Québécois. Selon tous les sondages, la majorité des membres sont favorables au PQ et à l'indépendance du Québec. Par ailleurs, la CEQ a adopté en 1976 un document de travail portant sur «des activités à promouvoir en vue de favoriser le développement des conditions favorables à la naissance d'un parti de la classe ouvrière».

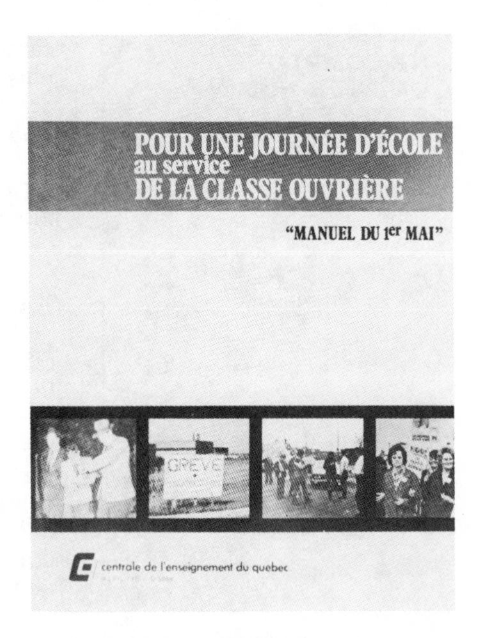

Hommage particulier de la CEQ; «Dans notre société, il est parfaitement moral pour un travailleur de mourir d'amiantose, mais il est subversif et immoral pour ses enfants d'en parler à l'école».

C'est à son congrès de 1971 que la CEQ a adopté une première série de résolutions en faveur de «l'action socio-politique». Son premier document à ce sujet s'intitule «Premier plan». À son congrès de juin 1972, la centrale adopte le manifeste «L'École au service de la classe dominante». Elle met sur pied une équipe dont le mandat est de poursuivre, avec les membres de la base, l'analyse du rôle de l'école et du personnel enseignant dans la société capitaliste. Les deux années qui suivent permettent à plusieurs centaines de militantes et militants, par le biais des comités d'action politique (CAP), de participer à des enquêtes sur le rôle de l'école. Cette démarche aboutit, en juin 1974, à la publication d'un nouveau document, «École et lutte de classes au Québec».

Le 1er mai 1975, la CEQ lance son Manuel du Premier mai sous-titré «Pour une journée d'école au service de la classe ouvrière». Le manuel contient des projets de cours qui partent de la réalité vécue par les travailleuses et travailleurs: inflation, chômage, grèves, accidents du travail, maladies industrielles, etc.

L'ORGANISATION POLITIQUE OUVRIÈRE

Dans les années soixante-dix, le mouvement politique ouvrier est dispersé en plusieurs tendances qui sont présentes, à des degrés divers, au sein du mouvement syndical: sociaux-démocrates (NPD, aile gauche du PQ), socialistes et communistes de diverses obédiences.

À ces clivages politiques traditionnels au sein du mouvement ouvrier international s'ajoute au Québec le clivage déjà ancien au sujet de la question nationale et, plus spécifiquement, à l'égard du projet d'indépendance du Québec.

La recherche de solutions à la question sociale et à la question nationale passe, pour une partie du mouvement syndical, par l'appui et l'adhésion au Parti Québécois. Pour une autre partie du mouvement syndical, cela passe par la mise sur pied d'un «parti de la classe ouvrière».

Le RCM

Sur le plan électoral, l'action politique ouvrière conduit à la création, en 1974, du Rassemblement des citoyens et des citoyennes de Montréal (RCM), qui prend la relève du FRAP pour faire la lutte municipale à l'administration du maire Drapeau. Né de la jonction des syndicats montréalais de la FTQ, de la CSN et de la CEQ, de groupes populaires et progressistes francophones et anglophones ainsi que de groupes politiques comme le PQ et le NPD, le RCM décroche 45% des voix et fait élire le tiers des conseillers municipaux lors des élections de novembre 1974.

POSTFACE

le mouvement syndical : aujourd'hui et demain...

LE MOUVEMENT SYNDICAL AUJOURD'HUI ET DEMAIN...

Nous avons vu, tout au long de cet ouvrage, que l'histoire du mouvement ouvrier est l'histoire des luttes menées par les travailleuses et travailleurs. Ces luttes se sont déroulées dans une société qui était et reste encore une société capitaliste de classes et de luttes des classes. De ce fait, les travailleuses et travailleurs et leurs organisations n'ont pas la partie facile, mais ils réussissent à exercer une influence marquante sur la société. Ils contribuent, par leurs luttes, à des transformations sociales majeures. Les conquêtes ouvrières sont nombreuses et au Québec, elles sont largement dues au mouvement syndical qui, depuis plus de 150 ans, a assuré la défense et la promotion des intérêts des travailleuses et travailleurs. Le combat des syndiqués pour l'amélioration de leurs conditions de travail, de salaire et de vie a aussi conduit à l'adoption de mesures et de lois sociales qui ont profité à l'ensemble des classes populaires.

Par exemple, c'est d'abord et avant tout l'action syndicale qui a permis de réduire le temps de travail et d'augmenter le niveau de vie. L'action syndicale a aussi fortement contribué à l'obtention de mesures comme l'assurance-chômage, les dispositions de protection de la vieillesse, les allocations familiales, les lois sur la santé et la sécurité au travail, les vacances et les congés payés, les réformes majeures des services de santé et d'éducation, etc.

Plusieurs des droits et protections sociales que nous considérons comme acquis aujourd'hui n'ont été reconnus qu'après de nombreuses et longues batailles menées par le mouvement syndical. Sans la présence de syndicats forts, les écarts entre les revenus seraient plus élevés, la pauvreté plus largement répandue et l'injustice sociale plus criante.

UNE CRISE PROFONDE

Au moment où nous publions cette nouvelle édition revue et augmentée de *l'Histoire du mouvement ouvrier au Québec*, la conjoncture économique et politique s'est profondément modifiée depuis 1977. Les périodes étudiées demeurent les mêmes que dans la première édition et nous n'avons pu faire ici le portrait des années récentes. Cependant, nous ne pouvons terminer cet ouvrage sans souligner, à larges traits, les enjeux les plus importants de ces années.

Au plan économique

La crise économique actuelle est l'une des plus importantes de l'histoire du capitalisme, la pire depuis celle des années 1930. Considérée pendant plusieurs années comme une crise conjoncturelle, du genre de celle que traverse le système capitaliste de façon cyclique, nous savons maintenant qu'il s'agit d'abord d'une crise structurelle: les structures mêmes du capital, à l'échelle mondiale et dans chaque pays, sont en profond bouleversement. Les

Montréal, 3 avril 1982. Manifestation contre le chômage.
Combat.

Mai 1983. Des chômeuses et chômeurs occupent les bureaux des Affaires sociales de Montréal.

fermetures d'usines, les fusions d'entreprises, les déplacements internationaux de lieux de production, la montée de nouvelles puissances économiques rivales sont autant de signes de cette crise.

Au plan politique

Au plan politique, la crise s'est traduite par la montée de régimes de droite dans certains pays, le renforcement de dictatures dans d'autres, la croissance des écarts entre les pays industrialisés et le tiers-monde, l'exacerbation des tensions est-ouest accompagnée de la course aux armements et de la menace grandissante de la guerre nucléaire.

En dépit de beaucoup de reculs, les luttes n'ont pas été moins vives et des formes nouvelles de résistance se sont développées; dans quelques cas elles ont permis des progrès et l'avènement de régimes politiques plus favorables aux travailleuses et travailleurs.

Dans certains pays (France, Espagne, Portugal, Grèce, Argentine), des partis socialistes ou progressistes ont pris le pouvoir, avec l'appui du mouvement syndical dans plusieurs cas; ils ont permis un élargissement de la démocratie et des réformes quelquefois limitées mais réelles. En Pologne, l'action du syndicat Solidarité, appuyée par la majorité du peuple, a ébranlé les bases du régime politique et posé de façon radicale le problème des libertés civiles et syndicales dans les pays de l'Est. Dans d'autres pays, des dictatures ont été renversées (Nicaragua), des peuples sont en lutte pour se libérer (Salvador). Face à la menace nucléaire, les mouvements pacifistes se sont réorganisés dans plusieurs pays de l'Ouest; ils représentent maintenant un large mouvement qui conteste fortement les gouvernements engagés dans l'escalade des armements. Au Canada et au Québec, le mouvement syndical s'est sensibilisé aux mouvements pour la paix et il participe de plus en plus à des actions larges dans ce sens.

Au plan social

Par ailleurs, au plan social, tout converge pour faire payer la crise aux classes populaires partout dans le monde. Depuis la célèbre Crise des années 1930, jamais les travailleuses et les travailleurs ne se sont vus confrontés à des attaques aussi dures à leurs conditions de travail et de vie. Si, dans les pays industrialisés, la misère n'est pas aussi spectaculaire et massive que lors de la «Grande Crise» grâce à la croissance économique et aux conquêtes sociales, cette nouvelle crise n'en est pas moins vivement ressentie et prend encore des formes dramatiques.

L'inflation et le chômage ont été les deux manifestations de la crise qui ont le plus affecté les travailleuses et travailleurs. Les gouvernements occidentaux ont opté pour des politiques qui devaient diminuer l'inflation, en sachant que ces politiques auraient pour effet de maintenir et même d'aggraver le chômage. L'inflation est demeurée très élevée pendant plusieurs années et si elle commence à manifester des signes de fléchissement, le chômage se maintient à des niveaux inacceptables et scandaleux. On nous dit que dorénavant, un taux officiel de chômage d'environ 10% serait un taux «normal».

Derrière les chiffres se cachent des problèmes encore plus graves. Les taux officiels de chômage sont bien en deçà de la réalité: des études sérieuses permettent d'estimer que le niveau réel de chômage au Québec est d'environ 20%. Les chiffres globaux ne reflètent pas la situation de certains endroits où l'on compte de 50% à 80% de chômage. Ces chiffres n'incluent pas les assistés sociaux dont le nombre a considérablement augmenté ces dernières années. Ils camouflent aussi la situation de certains groupes comme les jeunes (15-24 ans) dont le taux de chômage était de 23% en 1983.

Au-delà des statistiques, le chômage affecte la santé: aux États-Unis et au Canada, il a été établi que la montée du chômage entraîne la croissance des taux de suicide, d'homicide, d'admission dans les hôpitaux et de mortalité.

Rapport de forces favorable au patronat

De façon générale, avec un tel niveau de chômage, le rapport de forces devient encore plus favorable au patronat. Cette situation permet aux patrons d'utiliser le chantage pour comprimer les salaires et augmenter la tâche et la durée du travail. Livrés à la concurrence entre eux, les travailleuses et travailleurs, même ayant un emploi, voient leurs conditions se dégrader.

On constate aussi l'expansion de toutes sortes de formes de travail précaire: au noir, à domicile, sur appel, à temps partiel, en sous-traitance... Toutes ces formes de travail livrent les travailleuses et travailleurs à la merci de l'arbitraire patronal total; elles sont désormais le lot d'un nombre croissant de personnes.

Ce phénomène risque de s'accélérer avec le développement des nouvelles technologies.

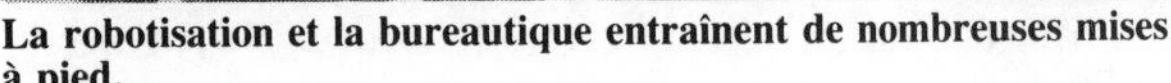

La robotisation et la bureautique entraînent de nombreuses mises à pied.

Pour les femmes qui ne gagnent encore que la moitié du salaire des hommes et qui assument encore la double tâche, la situation est pire. Quant aux femmes chefs de familles monoparentales dont le nombre croît sans cesse, elles sont 65% à ne pas avoir de travail rémunéré et à être condamnées à vivre sous le seuil de pauvreté. Devenues âgées, les femmes continuent à traîner les conséquences des années antérieures et elles sont majoritairement pauvres.

À tout cela s'ajoutent les pertes de pouvoir d'achat dues à l'inflation qui n'est pas encore contrôlée, la diminution des droits et services sociaux, bref, la dégradation des conditions de vie de l'ensemble des classes populaires.

LES ATTAQUES DU POUVOIR

Dans le contexte de l'accentuation de la crise et des offensives patronales pour restaurer les taux de profits, la plupart des pays occidentaux ont adopté des politiques économiques et sociales inspirées par les organisations des pays dominants (sommets des pays riches, Fonds monétaire international, Organisation de coopération et développement économique, etc.). Les gouvernements Reagan, aux États-Unis, et Thatcher, en Angleterre ont montré la voie à suivre pour faire payer la crise aux classes populaires. La plupart des acquis sociaux ont été touchés. Les droits collectifs, et en particulier les droits syndicaux, ont été gravement restreints dans beaucoup de pays. Au Canada et au Québec, les gouvernements n'ont pas été en reste sur ce plan.

Les politiques fédérales

Plutôt que de mettre de l'avant de vigoureuses mesures de lutte contre le chômage — d'août 1981 à mars 1983 le nombre officiel de chômeuses et chômeurs est passé de 790 000 à 1 658 000 — le gouvernement fédéral a opté pour la restriction des hausses de salaires. En concertation avec le grand patronat, en juin 1982, le gouvernement Trudeau a imposé pour deux ans, tant au secteur privé qu'au secteur public, un programme de limitation des hausses des salaires, des allocations familiales et des pensions de vieillesse à 6% et 5%, soit bien en deçà de la hausse du coût de la vie.

La politique monétariste, qui s'est concrétisée par des taux d'intérêts extrêmement élevés, a bloqué l'investissement, provoqué une vague de fermetures et de mises à pied, surtout dans les petites et moyennes entreprises, et fait monter le chômage. Elle a aussi été ruineuse pour les travailleuses et travailleurs canadiens et québécois qui sont souvent très endettés.

Non content de provoquer le chômage, le gouvernement fédéral a aussi augmenté les cotisations d'assurance-chômage dont il n'a pas indexé les prestations et, de plus, il a haussé les exigences d'accès aux prestations. Il s'agit là des principales mesures du gouvernement fédéral qui ont frappé les travailleuses et travailleurs.

Les politiques québécoises

Le gouvernement du Parti québécois, qui s'était fait élire en 1976 avec un appui syndical direct ou indirect, sur la base d'un «préjugé favorable aux travailleurs» et d'un programme «social-démocrate», s'est inscrit dans la foulée des politiques fédérales. Il est même allé plus loin, dans certains cas, que d'autres pays occidentaux dans les mesures de répression des droits collectifs.

Prenant prétexte de la crise des finances publiques, il a sabré dans les budgets de santé et d'éducation, ce qui a entraîné la détérioration des conditions des personnels en même temps que celle de la qualité et de la disponibilité des services. Des progrès acquis depuis la Révolution tranquille sont ainsi remis en question.

Sur le plan économique, dans le sillage des gouvernements Reagan et Trudeau, le gouvernement Lévesque attribue le rôle moteur au jeu de la libre concurrence. L'État continue de jouer un rôle d'appui à l'entreprise privée et renonce à enclencher un véritable mouvement d'indépendance économique face au Canada et aux États-Unis.

Le gouvernement du Parti québécois n'a pas réalisé plusieurs de ses promesses: indexation du salaire minimum, accès à la syndicalisation, politiques visant à minimiser les effets des fermetures d'entreprises, etc.

Par ailleurs, il s'est montré implacable dans ses rapports avec les salariés des services publics. Jamais on n'aura vu, dans le cadre des négociations du secteur public et parapublic, un gouvernement nier à un tel point le droit à la négociation et d'autres droits syndicaux acquis depuis le début des années soixante. L'histoire des négociations dans ce secteur, c'est celle d'une longue série de lois répressives qui ont culminé en 1982-83 avec les lois 68, 70, 105 et surtout la loi 111. Cette série de lois a imposé des reculs dans les conditions de travail, nié le droit de grève et menacé l'existence même des organisations syndicales. Malgré la lutte menée par les travailleuses et travailleurs de l'éducation, et par les professionnelles et professionnels de l'État, le gouvernement n'a pas reculé.

Québec, 29 janvier 1983. Scène de la manifestation du Front commun contre la Loi 105.

Québec, 29 janvier 1983. Scènes de la manifestation du Front commun contre la Loi 105.

Après vingt ans de luttes syndicales qui leur avaient permis d'améliorer leur situation, les travailleuses et travailleurs des secteurs publics et parapublics se sont vus imposer, par décrets, des diminutions de salaires, une augmentation de leur charge et de leur temps de travail, des reculs à leurs droits syndicaux.

Québec, 15 février 1983. Scènes de la manifestation de la CEQ contre la Loi 111.

Québec, 15 février 1983. Scènes de la manifestation de la CEQ contre la Loi 111.

Ligne de piquetage CEQ-SPGQ au Ministère des Affaires sociales.

Le secteur privé

Les politiques des gouvernements du Canada et du Québec ont donné l'exemple au patronat du secteur privé. De plus en plus de patrons ont réussi à rouvrir les conventions collectives pour imposer des baisses de salaires et des reculs sur plusieurs acquis comme les clauses d'indexation au coût de la vie. Il est maintenant habituel que l'employeur soit «en demande» sur la modification à la baisse des conditions de travail. Dans les dernières années, on a assisté à une diminution des grèves et à une forte augmentation des lock-out.

DE NOUVEAUX DÉFIS POUR LE MOUVEMENT SYNDICAL

Sous l'effet de la crise et des attaques concertées de l'État et du patronat, le mouvement syndical a subi des reculs importants.

Le taux de syndicalisation (en pourcentage des travailleuses et travailleurs rémunérés) est passé de 42,1% en 1972 à 35,7% en 1980. Certains secteurs d'emplois, en particulier dans le tertiaire, restent à toute fin pratique non syndiqués et difficilement syndicables en l'absence de modifications au Code du travail qui permettraient l'accréditation multipatronale. En dépit des progrès de la syndicalisation des femmes, celles-ci restent plus faiblement syndiquées que les hommes.

Les problèmes qui assaillent le mouvement syndical sont nombreux: chômage dramatique, baisse des salaires et du pouvoir d'achat, reculs sur plusieurs droits syndicaux, insécurité face aux mises à pied et aux fermetures, effets négatifs possibles des mutations technologiques et de la réorganisation du travail. Face à tous ces problèmes, le mouvement apparaît sur la défensive et manifeste des difficultés à formuler des stratégies à la mesure des enjeux qui le confrontent. Cela n'est pas sans effet sur l'unité syndicale. De plus, les possibilités d'actions unitaires se sont considérablement affaiblies depuis l'arrivée au pouvoir du Parti québécois.

En 1984, le mouvement syndical, partout dans le monde, fait face à un ensemble de défis. Derrière les offensives patronales, c'est une nouvelle division internationale du travail qui se met en place. Celle-ci pourrait amener encore plus de dépendance des pays les plus faibles, une augmentation de la concurrence entre les peuples et entre les groupes de travailleuses et de travailleurs. C'est pourquoi, la solidarité syndicale internationale apparaît comme une impérieuse nécessité.

Avec les changements technologiques qui risquent de modifier substantiellement l'organisation du travail, de déqualifier le travail et d'accroître encore le problème du chômage, le mouvement syndical est appelé

Libération et survie. Des luttes de plus en plus fondamentales.

à définir de nouveaux objectifs, à développer de nouvelles stratégies pour que les nouvelles technologies permettent l'amélioration des conditions de vie et de travail. Parmi les nouveaux enjeux, notons: la place du travail dans la société et dans la vie; la question du temps de travail et de son aménagement ainsi que le problème de la croissance des emplois au noir ou précaires simultanément à la diminution des emplois stables.

L'ACTION POLITIQUE

Dans les années soixante-dix, les affrontements de plus en plus durs et fréquents avec les gouvernements et le patronat, ainsi qu'une conscience de classe avivée chez les travailleuses et travailleurs, ont entraîné une critique du système capitaliste et une volonté de rupture avec les régimes en place. Cette remise en question du système socio-économique s'est accompagnée d'actions syndicales liées à l'oppression nationale, comme l'exigence du droit de travailler en français et l'appui à la Charte de la langue française du Québec (loi 101). Parallèlement, le mouvement syndical est intervenu de plus en plus souvent sur les questions concernant les droits et libertés démocratiques.

La recherche de solutions à la question sociale et à la question nationale passait, pour une partie du mouvement syndical, par la mise sur pied d'une organisation politique des travailleuses et travailleurs. Pour une autre partie du mouvement syndical, cela passait par l'appui et l'adhésion au Parti québécois.

Dans ce contexte, les organisations populaires et syndicales ont été traversées de débats de plus en plus vifs entre les diverses tendances politiques (du Parti québécois aux groupes «marxistes-léninistes»). Pour certaines organisations populaires en particulier, l'action de quelques groupes d'extrême-gauche a rendu difficile l'accomplissement de leurs tâches, détruit parfois des années d'efforts et de développement et démobilisé bon nombre de militants.

L'action politique ouvrière de la fin des années soixante-dix et du début des années quatre-vingt se situait dans une conjoncture difficile: aggravation de la crise économique et sociale; déception engendrée par le gouvernement du Parti québécois; échec du «oui» à la souveraineté du Québec lors du référendum de 1980 (auquel la plupart des organisations syndicales et populaires avaient donné leur appui, le «non» étant généralement appuyé par le patronat et le capital), et recul des droits du Québec lors de l'adoption d'une constitution canadienne. Tout cela a créé un climat de morosité et de méfiance à l'endroit des solutions politiques jusque-là mises de l'avant et a provoqué une certaine démobilisation.

Cependant, pour bon nombre de militantes et militants syndicaux, la question de l'alternative politique de gauche se pose toujours avec beaucoup d'acuité. La construction de cette alternative est d'autant plus difficile que le mouvement ouvrier est toujours confronté à la nécessité d'élaborer un projet politique qui fasse le lien entre ses intérêts de classe et les objectifs de libération nationale du Québec.

UN NOUVEAU PROJET DE SOCIÉTÉ

Par ailleurs, à l'occasion de cette crise de société, tout est remis en cause. Sous-jacent à tout, demeure le rapport d'exploitation et de domination du grand capital. De nouveaux terrains de lutte émergent ou reprennent de l'importance: mouvement de femmes, mouvement écologique, mouvement étudiant, mouvement de jeunes, mouvement pacifiste, mouvement de protection des droits et libertés, mouvement de revendications des autochtones, mouvement de solidarité internationale, organisations populaires sur le logement, organisations populaires de lutte municipale, garderies populaires, regroupement de personnes âgées, de chômeuses et chômeurs, d'assistés sociaux, coopératives de consommation et de production, médias communautaires, etc. Tous ces mouvements et ces organisations sont traversés par de multiples courants et présentent un vaste éventail d'orientations idéologiques et politiques. Ces diverses formes de contestation interpellent le mouvement ouvrier.

Dans ce contexte, le mouvement syndical est appelé à développer une attitude d'ouverture qui peut être source de renouveau. Il est aussi amené à élargir ses objectifs, à transformer ses stratégies de négociation, de syndicalisation et de luttes et à recomposer la solidarité de tous ceux et celles qui souffrent de cette crise. Il a aussi à ouvrir ses bases d'appartenance à de nouvelles catégories sociales, à tisser de nouveaux liens avec les autres groupes qui aspirent à plus de justice et d'égalité, et à élaborer un projet de société fondamentalement nouveau.

Jeunes, personnes âgées, menace nucléaire, solidarités internationales, luttes des femmes, écologie: de nouveaux fronts de luttes.

CHRONOLOGIE

évolution du mouvement ouvrier

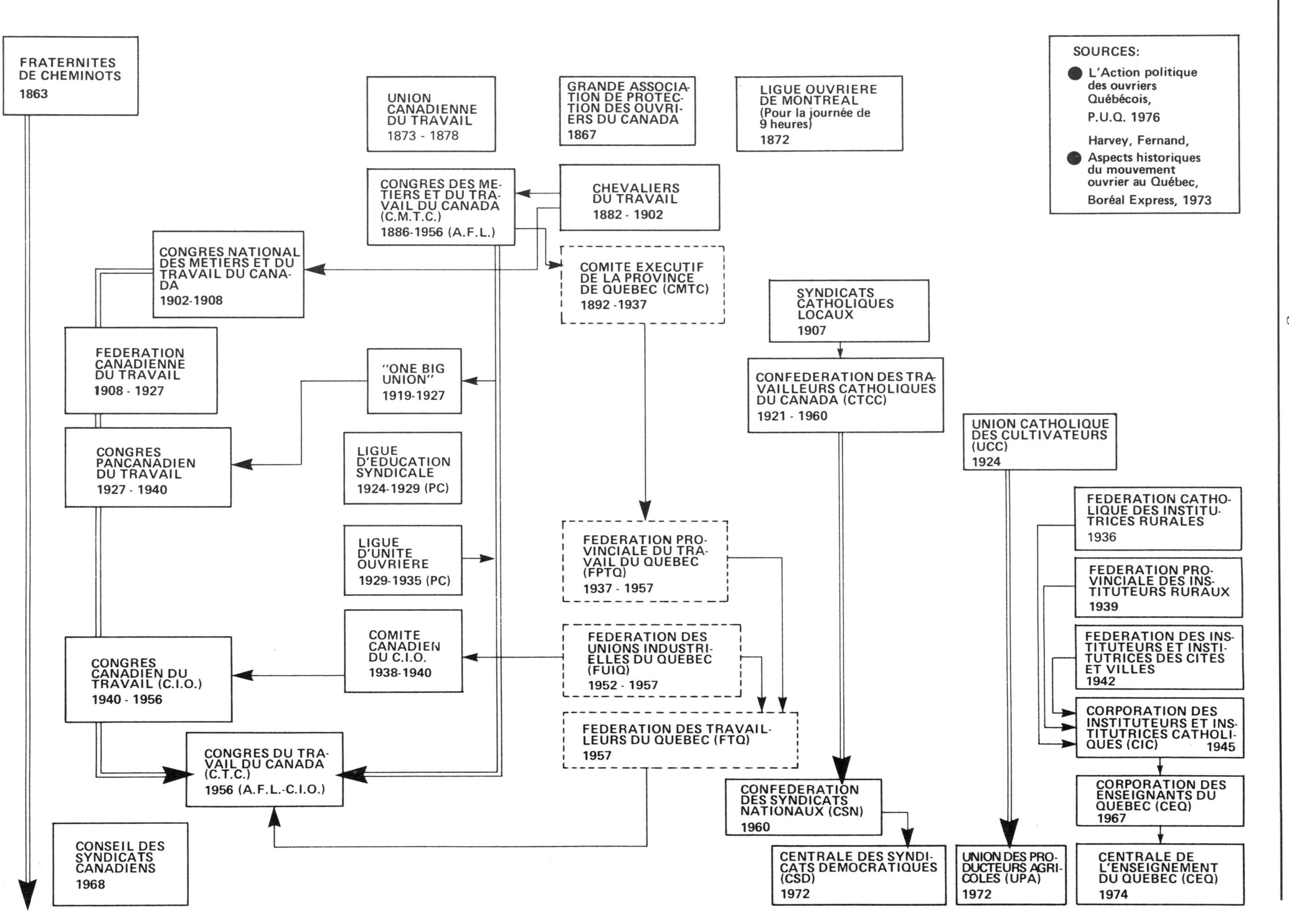
ÉVOLUTION DU MOUVEMENT OUVRIER
FRATERNITES DE CHEMINOTS 1863
UNION CANADIENNE DU TRAVAIL 1873 - 1878
GRANDE ASSOCIATION DE PROTECTION DES OUVRIERS DU CANADA 1867
LIGUE OUVRIERE DE MONTREAL (Pour la journée de 9 heures) 1872
SOURCES:
L'Action politique des ouvriers Québécois, P.U.Q. 1976
Harvey, Fernand, Aspects historiques du mouvement ouvrier au Québec, Boréal Express, 1973
CONGRES DES METIERS ET DU TRAVAIL DU CANADA (C.M.T.C.) 1886-1956 (A.F.L.)
CHEVALIERS DU TRAVAIL 1882 - 1902
CONGRES NATIONAL DES METIERS ET DU TRAVAIL DU CANADA 1902-1908
COMITE EXECUTIF DE LA PROVINCE DE QUEBEC (CMTC) 1892 -1937
SYNDICATS CATHOLIQUES LOCAUX 1907
FEDERATION CANADIENNE DU TRAVAIL 1908 - 1927
"ONE BIG UNION" 1919-1927
CONFEDERATION DES TRAVAILLEURS CATHOLIQUES DU CANADA (CTCC) 1921 - 1960
UNION CATHOLIQUE DES CULTIVATEURS (UCC) 1924
CONGRES PANCANADIEN DU TRAVAIL 1927 - 1940
LIGUE D'EDUCATION SYNDICALE 1924-1929 (PC)
FEDERATION CATHOLIQUE DES INSTITUTRICES RURALES 1936
LIGUE D'UNITE OUVRIERE 1929-1935 (PC)
FEDERATION PROVINCIALE DU TRAVAIL DU QUEBEC (FPTQ) 1937 - 1957
FEDERATION PROVINCIALE DES INSTITUTEURS RURAUX 1939
COMITE CANADIEN DU C.I.O. 1938-1940
FEDERATION DES UNIONS INDUSTRIELLES DU QUEBEC (FUIQ) 1952 - 1957
FEDERATION DES INSTITUTEURS ET INSTITUTRICES DES CITES ET VILLES 1942
CONGRES CANADIEN DU TRAVAIL (C.I.O.) 1940 - 1956
CORPORATION DES INSTITUTEURS ET INSTITUTRICES CATHOLIQUES (CIC) 1945
FEDERATION DES TRAVAILLEURS DU QUEBEC (FTQ) 1957
CONGRES DU TRAVAIL DU CANADA (C.T.C.) 1956 (A.F.L.-C.I.O.)
CONFEDERATION DES SYNDICATS NATIONAUX (CSN) 1960
CORPORATION DES ENSEIGNANTS DU QUEBEC (CEQ) 1967
CONSEIL DES SYNDICATS CANADIENS 1968
CENTRALE DES SYNDICATS DEMOCRATIQUES (CSD) 1972
UNION DES PRODUCTEURS AGRICOLES (UPA) 1972
CENTRALE DE L'ENSEIGNEMENT DU QUEBEC (CEQ) 1974

	QUÉBEC Organisation ouvrière	QUÉBEC Luttes ouvrières	CANADA Organisation et luttes ouvrières	QUÉBEC et CANADA Législation et politiques gouvernementales	QUÉBEC et CANADA Action politique de la classe ouvrière	USA-MONDE (quelques dates)
1800						Londres Le «Combinations Act» interdit toute «coalition» ou union.
1815		Grève des chapeliers de Québec.				
1816			Premières unions ouvrières et grèves chez les travailleurs des chantiers maritimes de Halifax. en Nouvelle-Écosse.	Nouvelle-Écosse Décret interdisant, sous peine d'emprisonnement et de travaux forcés, toute forme d'association de la part de maîtres-artisans, de travailleurs ou de compagnons.		
1821				Québec Loi des maîtres et des apprentis.		
1823	Montréal Association de tailleurs. «Tailors' Benevolent Society».					
1824	28 juillet Montréal Assemblée des compagnons imprimeurs.	Montréal Grève des ébénistes.				
1827	Québec Association des compagnons typographes. (Société typographique de Québec).					
1830	Montréal «Loge» de tailleurs de vêtements. Association de cordonniers.					
1830-1835	Associations diverses: Tailleurs de pierre, maçons, ouvriers boulangers, pompiers.					
1833	5 février Montréal Association des charpentiers et menuisiers de Montréal.	18 mars Montréal Grève des charpentiers et menuisiers pour la journée de 10 heures.				
1834	Union des métiers de Montréal. (Premier regroupement de syndicats).	Lutte de l'Union des métiers de Montréal pour la journée de 10 heures. Grève des tailleurs d'habits.				
1837					Appui d'associations de travailleurs aux Patriotes.	
1840	Québec Société amicale et bienveillante des charpentiers de vaisseaux de Québec.	Décembre Québec Grève des charpentiers de vaisseaux, pour l'augmentation des salaires.				
1843		Lachine et Beauharnois Grèves des ouvriers travaillant à la construction des canaux, contre la réduction des salaires. Le 11 août, l'intervention de l'armée fait 10 morts à Saint-Thimotée.				
1847				Québec «Loi des maîtres et des serviteurs»		
1851	Montréal Des mécaniciens forment une section locale de l'«Amalgamated Society of Engineers» (Syndicat britannique).					

	QUÉBEC Organisation ouvrière	QUÉBEC Luttes ouvrières	CANADA Organisation et luttes ouvrières	QUÉBEC et CANADA Législation et politiques gouvernementales	QUÉBEC et CANADA Action politique de la classe ouvrière	USA-MONDE (quelques dates)
1855		Montréal Grève aux ateliers du Grand Tronc à Pointe St-Charles. Québec Grève des débardeurs.				
1857	Québec Les débardeurs d'origine Irlandaise forment la «Ship laborers' Benevolent Society».					8 mars New York Des ouvrières du vêtement et du textile manifestent contre la journée de 12 heures. Origine de la Journée internationale des femmes.
1859	Montréal Association des mouleurs de fonte de Montréal.					
1860-1865	Montréal Associations diverses: Cordonniers, débardeurs.					
1861	Québec Associations diverses: Bateliers Toueurs de bois Charpentiers de navires					
1861	Montréal Les monteurs de fonte (fonderie) sont les premiers à s'affilier à une Union internationale nord-américaine).					
1864		Grève des charretiers de Montréal.				
1865	Montréal Fondation de l'Union des Cigariers, qui s'affilie à l'Union internationale.					
1867	Mars-avril Montréal: Grande Association de protection des ouvriers du Canada, fondée sous la direction de Médéric Lanctôt.	Printemps-été Grèves appuyées par la G.A.: ouvriers boulangers, typographes, ébénistes, menuisiers, maçons				Affiliation de la «National Labour Union» (fondée en 1866) à l'Association internationale des Travailleurs ou Première Internationale (fondée en 1864 à Londres).
	10 juin Montréal 10,000 travailleurs participent à la «Grande Procession» organisée par la G.A.	Québec Grève de 3 mois de 2,300 travailleurs, organisée par l'Association des charpentiers de vaisseaux, pour l'augmentation des salaires.				
	Montréal Affiliation d'associations locales à des Unions internationales: cordonniers, typographes, mécaniciens de locomotive.					
1868						Fondation du «Trades Union Congress» (TUC) en Grande-Bretagne.
1869	Des cordonniers de Montréal, Québec, Trois-Rivières et Saint-Hyacinthe s'affilient successivement aux Chevaliers de Saint-Crépin (fondés au USA en 1867).	Montréal et Québec Grèves des Chevaliers de Saint-Crépin contre les effets de la mécanisation sur leurs conditions de travail.				Fondation des Chevaliers du Travail («Knights of Labour») aux États-Unis.
1870	Montréal L'Union typographique Jacques-Cartier se joint à l'Union internationale des typographes.					
1871			Formation du «Toronto Trades Assembly».			La Commune de Paris.

	QUÉBEC Organisation ouvrière	QUÉBEC Luttes ouvrières	CANADA Organisation et luttes ouvrières	QUÉBEC et CANADA Législation et politiques gouvernementales	QUÉBEC et CANADA Action politique de la classe ouvrière	USA-MONDE (quelques dates)
1872	Québec Les typographes se joignent à l'Union internationale des typographes.		Luttes pour la journée de 9 heures. Avril: mobilisation de masses, à Toronto surtout, pour appuyer la grève des typographes.	Ottawa «Loi des unions ouvrières» soustrayant les associations d'ouvriers au champ d'application du droit criminel: l'État tolère les syndicats.		
	Montréal Ligue ouvrière de Montréal: regroupement pour la journée de 9 heures.					
1873			Septembre Formation de la «Canadian Labor Union» qui durera 5 ans.			
1877		Grève des cheminots		Autorisation du piquetage «pacifique».		Grève des cheminots: première grande lutte ouvrière organisée aux USA. Fondation du «Socialist Labour Party» (SLP) aux USA.
1878		Québec Grève des ouvriers travaillant à la construction du Parlement, contre la baisse des salaires.				
1880		Valleyfield Grève des ouvriers de la filature Montréal Cottons. Montréal Grève des 2,000 journaliers du port.				
1881		Grève des débardeurs				
1882	Premières sections locales ou «assemblées» des Chevaliers du Travail au Québec (fondés en 1869 aux USA).	Montréal Grève des cordonniers-monteurs; lock-out.				
1883		Grève (nord-américaine) des télégraphistes.				
1885				Québec Loi des manufactures, première loi ouvrière au Québec.	Régina Exécution de Louis Riel, après la répression de la révolte des Métis, au Manitoba et en Saskatchewan. Montréal: Assemblée de protestation au Champs-de-Mars: 50,000 personnes.	
1886	Formation du Conseil des Métiers et du Travail de Montréal (CMTM)		Formation du Congrès des Métiers et du Travail du Canada (CMTC).	Ottawa Création de la Commission royale d'enquête sur les relations entre le capital et le travail		Lutte pour la journée de 8 heures: 1er mai, début de la grève générale; 3 mai, répression et massacre à Chicago. Rupture entre unions de métiers et unions «mixtes» au sein des Chevaliers du Travail. Les unions de métiers forment l'«American Federation of Labour» (AFL), président: Samuel Gompers.
1887		Montréal Grève de 1000 ouvriers à la Montreal Rolling Mills (Stelco) de Saint-Henri.				

	QUÉBEC Organisation ouvrière	QUÉBEC Luttes ouvrières	CANADA Organisation et luttes ouvrières	QUÉBEC et CANADA Législation et politiques gouvernementales	QUÉBEC et CANADA Action politique de la classe ouvrière	USA-MONDE (quelques dates)
1888		Québec Grève des débardeurs. Québec Grève des typographes.			Élections fédérales: Alphonse-Télesphore Lépine, premier véritable député ouvrier, représentera Montréal-Est à Ottawa. C'est un typographe membre des Chevaliers du Travail.	
1889	Conseil des métiers et du travail de Québec.				Montréal Joseph Béland, briqueteur, est élu député de Sainte-Marie à Québec.	Fondation de la Deuxième internationale. Proclamation du Premier mai comme fête internationale des travailleurs.
1891		Septembre Hull Grève d'un mois de 3000 ouvriers des scieries de l'Outaouais.				
1892	Mise sur pied, au Québec, d'un «comité exécutif provincial» du Congrès des Métiers et du Travail du Canada (CMTC).					
1894		Grève de 2000 charpentiers menuisiers de Montréal.		Québec Loi des établissements industriels. Ottawa Fête du travail («Labour Day») fixée au premier lundi de septembre.	Montréal Formation des premiers groupes socialistes canadiens affiliés au «Socialist Labour Party» (SLP) des USA.	
1897	Fondation du Conseil (fédéré) des métiers et du travail de Montréal par les unions internationales. Ce Conseil prendra la succession du CMTM.					
1899					Le CMTC se prononce en faveur de la mise sur pied de partis ouvriers dans les grandes villes. Montréal Formation du Parti Ouvrier	Formation du «Labor Party» en Grande-Bretagne
1900	Effectifs syndicaux: près de 12 000 (5% des salariés)	Valleyfield Grève des 2500 ouvriers de la filature Montréal Cotton.		Ottawa Création du ministère du Travail. Loi sur la conciliation et l'arbitrage volontaire.		
1901		Québec Grève de 5000 ouvriers de la chaussure; première médiation d'un membre du clergé, Mgr Bégin.		Québec Loi sur la conciliation et l'arbitrage volontaire.		Fondation du Parti socialiste américain.
1902			Congrès du CMTC à Berlin (Ont.): expulsion des Chevaliers du Travail et des unions voulant conserver leur autonomie (2,500 membres sur 25,000). Le CMTC dominé par les unions internationales (AFL).			
1903		Montréal Grèves des employés de la Compagnie des tramways; Grève des 2,000 débardeurs du port de Montréal.	Venue à Montréal de Samuel Gompers, président de l'AFL. Fondation du Congrès national des métiers et du travail du Canada (CNMTC) par les syndicats expulsés du CMTC.	Ottawa Loi sur la conciliation obligatoire dans les chemins de fer.		

	QUÉBEC Organisation ouvrière	QUÉBEC Luttes ouvrières	CANADA Organisation et luttes ouvrières	QUÉBEC et CANADA Législation et politiques gouvernementales	QUÉBEC et CANADA Action politique de la classe ouvrière	USA-MONDE (quelques dates)
1904			Alphonse Verville, plombier de Montréal (local 144), est élu président du CMTC.		Le CMTC suggère la mise sur pied de sections provinciales d'un éventuel Parti Ouvrier canadien. Formation du Parti Socialiste du Canada. Montréal: Relance du Parti Ouvrier.	
1905		Grève du bâtiment à Montréal.		Québec Création du ministère du Travail, rattaché aux travaux publics.		Fondation des «Industrial Workers of the World» (IWW).
1906		Buckingham Grève au moulin à bois de la MacLaren. Deux ouvriers tués.		Ottawa Loi réglementant le travail du dimanche.	Montréal Les socialistes sont expulsés du Parti Ouvrier. Montréal Alphonse Verville élu premier député du Parti Ouvrier à Ottawa pour le comté de Maisonneuve. Il sera député pendant 15 ans.	
1907	Premier syndicat formellement catholique fondé à Chicoutimi.			Ottawa Loi des enquêtes en matière de différends industriels: conciliation obligatoire avant l'acquisition du droit de grève dans les services publics fédéraux et provinciaux, les communications et les mines.		
1908		Montréal Grève des ouvriers des «Shops» Angus du Canadien Pacifique. Montréal, Magog, Valleyfield et Montmorency Grève des ouvriers de la Dominion Textile.	La Fédération canadienne du travail succède au CNMTC (jusqu'en 1927)			Le 8 mars, à New York, marche des ouvrières du vêtement dans les rues du Lower East Side.
1909				Québec Première loi des accidents du travail.		
1910	Effectifs syndicaux: 25,000			Québec Loi des bureaux de placement. Loi sur le travail des femmes et des enfants.	Scission au sein du Parti Ouvrier; formation de la Fédération des Clubs ouvriers municipaux.	Proclamation de la Journée internationale des femmes (8 mars) par la Deuxième internationale.
1911	Les Jésuites fondent l'École sociale populaire pour encourager le syndicalisme catholique.				Formation du Parti Social-Démocrate.	
1912		Montréal Grève du vêtement.				L'AFL compte 2 millions de membres.
1915		Thetford Grève des ouvriers de l'amiante.				
1916	Lancement du «Monde ouvrier» organe des unions internationales du CMTM.				Le Conseil des Métiers et du Travail de Montréal lance un hebdomadaire, «Le Monde ouvrier», qui sera aussi l'organe du Parti Ouvrier.	
1917		Montréal Grève d'ouvriers et ouvrières du vêtement.		Ottawa La loi des mesures de guerre frappe d'illégalité les groupes socialistes et les I.W.W.	Lutte contre la conscription: alliance entre socialistes, nationalistes et la Fédération des Clubs ouvriers municipaux.	Révolution d'Octobre en Russie.

	QUÉBEC Organisation ouvrière	QUÉBEC Luttes ouvrières	CANADA Organisation et luttes ouvrières	QUÉBEC et CANADA Législation et politiques gouvernementales	QUÉBEC et CANADA Action politique de la classe ouvrière	USA-MONDE (quelques dates)
1918				Ottawa Droit de vote des femmes.	Formation de la section québécoise du Parti Ouvrier canadien qui regroupe travaillistes et socialistes. Président: Jos Ainey.	
1919	Effectifs syndicaux: 80,000 (14% des salariés) Campagne d'organisation menée par le clergé en faveur du syndicalisme national et catholique.	Montréal Grève des employés municipaux, des pompiers et des policiers. L'Armée assure les «services essentiels».				
1919	Premier syndicat dans l'enseignement à Montréal. Disparaît en 1920.	Série de grèves au Québec.	Mai Winnipeg, Manitoba: Grève générale de 35,000 travailleurs. Formation de la «One Big Union». À la fin de l'année, la OBU compte 40,000 membres, surtout dans l'ouest.	Québec Loi sur le salaire minimum des femmes.	Deux candidats ouvriers (représentant Maisonneuve et Dorion) sont élus à Québec.	Fondation de la Troisième Internationale. Fondation de la Confédération française des travailleurs chrétiens (CFTC).
1920						L'AFL compte 4 millions de membres. Fondation de la Confédération internationale des syndicats chrétiens (CISC)
1921	Fondation de la Confédération des Travailleurs catholiques du Canada (CTCC).		Total des effectifs synd.: plus de 310,000 (10% de la main-d'oeuvre active) dont 175,000 au CMTC. La Fraternité des cheminots est expulsée du CMTC.	Québec Conciliation obligatoire dans les services publics municipaux. Loi de l'assistance publique.	Fondation du Parti communiste (PC) du Canada. Élection de Joseph Gauthier, leader de l'Union des typographes, comme libéral-ouvrier dans Sainte-Marie.	Fondation de l'Internationale syndicale rouge.
1922		Grève des typographes pour les «44 heures».				
1924	Fondation de l'Union catholique des Cultivateurs. (UCC).			Québec Loi des syndicats professionnels.		
1925-1926	Grèves des ouvriers de la chaussure à Québec.				Les communistes sont expulsés du Parti Ouvrier.	Sacco et Vanzetti.
1927			Fondation du «All-Canadian Congress of Labour» (Congrès pancanadien du Travail), qui englobe la Fraternité des cheminots, la FCT, la OBU et quelques unions industrielles, 40,000 membres à sa fondation.		Le Conseil des métiers et du travail rompt avec le Parti-Ouvrier.	
1929			Le Parti communiste fonde la «Workers' Unity League» (Ligue d'unité ouvrière), une centrale syndicale.		Le Parti communiste lance un journal en français: «L'Ouvrier canadien».	
1930	Effectifs syndicaux: 75,000 (10.5% des salariés) Entre 1930 et 1945: 60 à 70% des syndiqués sont représentés par des centrales américaines: AFL ou CIO.					
1931	Le clergé fonde la Jeunesse ouvrière catholique (JOC).			Québec Création d'un ministère du travail distinct. Québec Loi instituant la Commission des Accidents du Travail. Loi des «secours directs».	Le PC est déclaré hors-la-loi par Ottawa. Ses leaders sont emprisonnés. La Ligue de défense ouvrière prend la relève.	

	QUÉBEC Organisation ouvrière	QUÉBEC Luttes ouvrières	CANADA Organisation et luttes ouvrières	QUÉBEC et CANADA Législation et politiques gouvernementales	QUÉBEC et CANADA Action politique de la classe ouvrière	USA-MONDE (quelques dates)
1932					Fondation du Parti social-démocrate (CCF: «Cooperative Commonwealth Federation»).	
1933	Effectifs syndicaux (crise): 8.5% des salariés					«New Deal» de Roosevelt.
1934		Août Montréal Grève de 4,000 ouvriers et ouvrières de la robe (125 ateliers). Abitibi Grève des mineurs de la Noranda.		Québec Loi de l'extension juridique des conventions collectives dite «loi des décrets».		
1935			Dissolution de la Ligue d'unité ouvrière: ses membres se joignent à l'AFL ou, plus tard, au CIO.		Le PC redevient légal.	Wagner Act.
1936	Le premier syndicat d'enseignants fondé par des institutrices rurales de Clermont, dans le comté de Charlevoix, à l'initiative de Laure Gaudreault.			Ottawa-Québec Loi des pensions de vieillesse en vigueur au Québec.	Marche des chômeurs sur Ottawa.	Grèves avec occupation d'usines aux États-Unis. L'AFL expulse le «Committee of Industrial Organizations» (fondé en 1935). Grèves avec occupation d'usines en France (gouvernement du Front populaire).
1937	Fondation de la Fédération provinciale du Travail du Québec (FPTQ), aile du CMTC. Fondation de la Fédération catholique des institutrices rurales.	Avril Montréal Grève de 5,000 midinettes. 2 Août Montréal, Valleyfield, Sherbrooke, Magog, Drummondville, Montmorency, grève de 10,000 ouvriers de la Dominion Textile (CTCC). Sorel Grèves des 3,000 ouvriers des chantiers navals et des fonderies (CTCC).	Grève du Syndicat des Travailleurs de l'auto (CIO) à Oshawa en Ontario.	Québec Loi des salaires «raisonnables» Loi «du cadenas» contre les communistes».	1er mai Montréal 4,000 personnes participent à une assemblée unitaire du Parti communiste et de la CCF.	
1938		Juillet Montmorency Grève à la filature de la Dominion Textile.	Fondation du Comité canadien du CIO.	Québec Loi sur la semaine normale de 48 heures		Le «Committee of Industrial Organizations» devient le «Congress of Industrial Organizations» (CIO). Président: John Lewis.
1939	Fondation de la Fédération provinciale des instituteurs ruraux.		Le CMTC expulse les syndicats affiliés au CIO.	Loi privant du droit de grève les employés d'hôpitaux.		
1940	Fondation du Conseil du travail de Montréal (CCT-CIO).	Montréal Grève au laminoir Peck Rolling Mills	Le comité canadien du CIO fonde le Congrès canadien du travail (CCT), en collaboration avec le Congrès pancanadien du travail.	Ottawa Loi de l'Assurance-chômage. Ottawa Lois «de guerre»; gel des salaires.	Les femmes obtiennent le droit de vote à Québec.	
1941			Arvida Grève des travailleurs de l'aluminium et du bâtiment.			
1942	Fondation de la Fédération des instituteurs et instutrices des cités et villes.	133 grèves au Québec Montréal: ouvriers du tabac. Québec: ouvriers de la chaussure. Sorel, Lauzon: ouvriers des chantiers navals.		Ottawa Plébiscite sur la conscription.	Lutte contre la conscription.	

	QUÉBEC Organisation ouvrière	QUÉBEC Luttes ouvrières	CANADA Organisation et luttes ouvrières	QUÉBEC et CANADA Législation et politiques gouvernementales	QUÉBEC et CANADA Action politique de la classe ouvrière	USA-MONDE (quelques dates)
1943	Les aumôniers perdent leur droit de veto au sein de la CTCC.	Montréal Grèves dans les services publics: policiers, pompiers, employés de la ville (cols bleus et cols blancs) et employés des tramways. Grèves à Canadair (matériel de guerre) et aux «Shops» Angus (Matériel de chemins de fer). Saguenay – Lac St-Jean: Grève à la compagnie Price.		Québec École obligatoire jusqu'à 14 ans.	À son congrès de Montréal, le Congrès Canadien du Travail (CCT) donne son appui à la CCF, reconnue comme «le bras politique du mouvement ouvrier». Le Parti communiste prend le nom de Parti ouvrier progressiste. Il fait élire un député, Fred Rose, dans Montréal-Cartier, le seul député que le PC ait jamais eu au Québec.	
1944				Québec Loi des relations ouvrières (premier «Code du Travail»). Loi des différends entre les services publics et leurs salariés: supprime le droit de grève et impose l'arbitrage obligatoire. Ottawa Ébauche d'un Code du Travail. Décret CP 1003). Loi des allocations familiales.	La CCF fait élire le seul député qu'elle ait jamais eu au Québec, David Côté dans Rouyn-Noranda.	
1945	Total des effectifs syndicaux: 20% de la main-d'oeuvre active. Fondation de la Corporation des instituteurs et institutrices catholiques (CIC), regroupant les membres des 3 fédérations antérieures et 96% des enseignants laïcs.		Windsor, Ontario Grève des 11,000 ouvriers (TUA) de Ford, à l'origine de la formule Rand.			Fondation de la Fédération syndicale mondiale (FSM).
1946		1er juin Montréal et Valleyfield Grève de 6,000 ouvriers de la Dominion Textile. 13 août Valleyfield Les ouvriers en grève doivent affronter la Police provinciale envoyée pour faire entrer des «scabs» dans la filature.	Grève de l'Union des Marins canadiens.	Québec Règlement no 1 de la Commission des relations ouvrières (pouvoir discrétionnaire de l'État sur l'accréditation syndicale). Une semaine de congés payés pour tous.		Débuts de la guerre froide.
1947		10 avril au 22 septembre Lachute Grève des 700 ouvriers de la filature Ayers. Montréal Grève de 2 mois des 1500 ouvriers des salaisons. Montréal et Valleyfield Grève des 6000 tisserands de la Dominion Textile. Rouyn Grève des mineurs de la Noranda.		Les enseignants ruraux perdent le droit à l'arbitrage.	Scission au sein du Parti communiste au sujet du droit à l'autonomie de l'aile québécoise.	Guerre froide. Début du «maccarthysme» répression contre le mouvement ouvrier. Juin Loi Taft-Hartley fixant des limites à l'organisation ouvrière et au droit de grève.
1948		Grève de 1,200 ouvriers du meuble.				

	QUÉBEC Organisation ouvrière	QUÉBEC Luttes ouvrières	CANADA Organisation et luttes ouvrières	QUÉBEC et CANADA Législation et politiques gouvernementales	QUÉBEC et CANADA Action politique de la classe ouvrière	USA-MONDE (quelques dates)
1949	Premier front commun: Conférence conjointe des syndiqués du Québec, contre le «bill» 5.	Janvier Grève de l'Alliance des professeurs catholiques de Montréal. 13 février au 1er juillet Asbestos et Thetford-Mines Grève des 5,000 ouvriers des mines d'amiante. Montréal Grève des ouvriers des salaisons.	1er avril au 25 octobre Grève de l'Union des Marins canadiens. Le CMTC expulse les 9,000 membres de l'Union des Marins canadiens, en grève, et accorde son appui au Syndicat international des marins (AFL).	Québec Loi no 60: réglementation de l'arbitrage pour les enseignants en milieu urbain.		Révolution chinoise. Fondation de la confédération internationale des syndicats libres (CISL). Le CIO interdit la direction de syndicats à tout membre du Parti communiste (ou d'une organisation fasciste ou d'un mouvement «totalitaire»).
1950			Grève générale des 130,000 cheminots du Canadien National et du Canadien Pacifique. Obtention de la semaine de 40 heures.	Ottawa Loi spéciale cassant la grève des 130,000 cheminots.		
1951		La CTCC se donne un premier fonds de grève. Shawinigan Grève des ouvriers de l'Alcan. Montréal Grève à l'Imperial Tobacco. Montréal et Lauzon Grèves aux chantiers navals.			La CTCC décide de former des comités d'action civique. La CTCC donne le mot d'ordre de faire battre 4 députés de l'Union nationale aux élections. 3 seront défaits.	
1952	Fondation de la Fédération des unions industrielles du Québec (FUIQ), par les syndicats affiliés au Congrès canadien du travail (CCT) et au CIO.	Sorel: Grève des métallos (Fer et Titane) et des débardeurs. 10 mars au 10 février 1953: Louiseville Grève des ouvriers de l'Associated Textile. Montréal et Valleyfield Grève des 6,000 travailleurs de la Dominion Textile. 1er mai au 27 juillet Montréal Grève des employés du magasin Dupuis Frères; 5,000 travailleurs participent à une manifestation de solidarité inter-syndicale.			Les dirigeants américains des Ouvriers unis du Textile d'Amérique expulsent les dirigeants canadiens, Madeleine Parent et Kent Rowley, pendant la grève de Valleyfield.	
1953		Rouyn Grève des mineurs de la Noranda. (Métallos)				
1954		Manifestation massive à Québec contre les bills 19 et 20.		Québec Le «bill» 19 retire l'accréditation aux syndicats ayant des dirigeants ou des permanents soupçonnés de communisme. Loi rétroactive à 1944. Québec Le «bill» 20 retire son accréditation à tout syndicat, dans les services publics, qui fait la grève ou menace de la faire. Loi rétroactive à 1944. «Bill» 54: relatif à l'utilisation de l'injonction contre un syndicat.		

	QUÉBEC Organisation ouvrière	QUÉBEC Luttes ouvrières	CANADA Organisation et luttes ouvrières	QUÉBEC et CANADA Législation et politiques gouvernementales	QUÉBEC et CANADA Action politique de la classe ouvrière	USA-MONDE (quelques dates)
1955					Congrès de la FUIQ: adopte un «Manifeste au peuple du Québec» pour le socialisme démocratique mais rejette la formation d'un parti ouvrier québécois. Formation de la Ligue d'Action socialiste. *La CCF se donne un nom français au Québec: le Parti social-démocratique (PSD).*	Réunification de l'AFL et du CIO au sein de l'AFL-CIO. Président: Georges Meany.
1956			Fusion du CMTC et du CCT. Fondation du Congrès du Travail du Canada (CTC). CTC: 1,000,000 de membres sur un total de 1,350,000 syndiqués au Canada.		Formation du Rassemblement: tentative de regrouper les forces d'opposition au régime Duplessis.	
1957	Fusion de la FPTQ et de la FUIQ pour former la Fédération des Travailleurs du Québec (FTQ), aile du CTC. Front commun intersyndical à l'occasion de la grève de Murdochville: 7,000 travailleurs (FTQ, CTCC) manifestent, devant le Parlement, à Québec.	Arvida Grève de 4 mois des 7,000 ouvriers de l'Alcan. Montréal Grève du vêtement à la Hyde Park (167 jours). 11 mars au 5 octobre Murdochville Grève des 1,000 mineurs de la compagnie Noranda (Gaspé Copper).				
1958	Pourparlers de fusion CTCC, FTQ, CTC.	Grève des journalistes de La Presse. Grève des infirmières de Hull.			Congrès du CTC à Winnipeg en faveur d'un regroupement large des forces progressistes et de la fondation d'un parti.	
1959		Montréal Grève des réalisateurs de Radio-Canada, du 29 décembre au 9 mars 1959. 2,000 syndiqués respectent les piquets de grève.				
1960	Total des effectifs synd.: 372,000 (près de 30% de la main-d'oeuvre active) Septembre La CTCC devient la Confédération des Syndicats nationaux (CSN).				Août Formation de l'Action socialiste pour l'indépendance du Québec, premier mouvement indépendantiste de gauche au Québec. Septembre Congrès de la FTQ: appui au Nouveau Parti (NPD).	
1961				Québec Assurance-hospitalisation	Le mouvement syndical canadien (CTC) et la CCF (PSD au Québec) fondent le Nouveau Parti Démocratique (NPD).	
1963		Juillet Montréal Grève des infirmières de l'hôpital Sainte-Justine.			Juin Fondation du Parti Socialiste du Québec (PSQ) Octobre Lancement de la revue «Parti-Pris».	

	QUÉBEC Organisation ouvrière	QUÉBEC Luttes ouvrières	CANADA Organisation et luttes ouvrières	QUÉBEC et CANADA Législation et politiques gouvernementales	QUÉBEC et CANADA Action politique de la classe ouvrière	USA-MONDE (quelques dates)
1964	Accréditation du Syndicat des fonctionnaires provinciaux du Québec (SFPQ): 25,000 membres. Fondation de l'Union générale des étudiants du Québec (UGEQ) active jusqu'en 1969.	Juillet Région de Montréal Grève des employés d'hôpitaux. Première convention collective régionale. Montréal Grève de 7 mois lancée par les typographes de La Presse. 4 décembre au 18 février 1965 Grève des 4,000 employés de la Régie des Alcools du Québec. Première ronde de négociations dans le secteur public.		Québec Adoption du Code du travail. Création du Ministère de l'Éducation. Droit de grève reconnu aux travailleurs des services publics.	Formation de la Ligue socialiste ouvrière (LSO), trotskyste. Lancement des revues «Révolution québécoise» et «Socialisme québécois».	
1965		Montréal Grève des employés des Postes Grève de 3 semaines des employés de la Commission de Transport. Grève des ingénieurs de l'Hydro-Québec.			1er mai Montréal Assemblée organisée par un Comité de coordination des mouvements de gauche (9 organismes). Formation du Mouvement de Libération populaire (MLP). Le NPD réalise la plus belle performance de son histoire au Québec lors des élections fédérales: 12% des voix. (18% à Montréal).	
1966	Total des effectifs synd.: 540,000 (35% de la main-d'oeuvre active)	Grève des ouvriers du bâtiment (CSN et FTQ). 3 mars au 1er septembre Magog, Sherbrooke, Drummondville Grève dans les filatures de la Dominion Textile. Avril-juillet Grève des ingénieurs de l'Hydro-Québec. Mai-Juillet Grève des 1,600 professionnels du gouvernement du Québec. Août Première grève de 32,500 travailleurs des hôpitaux (3 semaines). Première convention collective à l'échelle du Québec. Grève des débardeurs.		Ottawa Loi spéciale cassant la grève des cheminots.		
1967	Total des effectifs synd.: près de 600,000 (37% de la main-d'oeuvre active). Front commun intersyndical contre le bill 25. La CIC devient la Corporation des Enseignants du Québec (CEQ).	Grèves tournantes des employés d'Hydro-Québec, membres du Syndicat canadien de la fonction publique. Montréal Grève des travailleurs des transports en commun, métro et autobus (30 jours). Juillet 1967 — novembre 1969 Première négociation de la CEQ à l'échelle du Québec.		Québec «Bill» 25: pour forcer le retour au travail des enseignants. Ottawa Droit de grève reconnu aux fonctionnaires fédéraux. Québec «Bill» 1: pour forcer le retour au travail des 6,000 travailleurs des transports publics de Montréal.	1er mai Des représentants du mouvement syndical participent à la célébration de la Fête des travailleurs.	

	QUÉBEC Organisation ouvrière	QUÉBEC Luttes ouvrières	CANADA Organisation et luttes ouvrières	QUÉBEC et CANADA Législation et politiques gouvernementales	QUÉBEC et CANADA Action politique de la classe ouvrière	USA-MONDE (quelques dates)
1967-1968		Montréal Grève de 13 mois des employés de Seven-Up.				La Confédération mondiale du Travail (CMT) succède à CISC.
1968		23 juin au 22 novembre Grève des employés de la Régie des Alcools du Québec. Juillet-novembre Windsor Mills et East-Angus Grève des 1,200 travailleurs des moulins à papier Domtar. 3 novembre Occupation de l'usine de Windsor. Grève des employés des Postes.	Fondation du «Council of Canadian Unions» (Conseil des Syndicats canadiens), sous la direction de Madeleine Parent et Kent Rowley.	Québec Loi 290 instituant la négociation sectorielle dans la construction.	Juin Montréal Des comités de citoyens se transforment en Comités d'Action politique de quartiers. Formation du Front de Libération populaire. Octobre Congrès de la CSN: rapport sur le «Deuxième Front»: lutte contre l'exploitation des travailleurs hors des lieux de travail.	
1968-1969		Deuxième ronde de négociations dans le secteur public.				
1969		14 mai Québec 22,000 enseignants manifestent devant le Parlement. 7 octobre Montréal Grève des policiers. Manifestation du Mouvement de Libération du Taxi devant la compagnie Murray Hill. Octobre Manifestations contre le «bill» 63 sur la liberté de choix de la langue d'enseignement.		Québec Loi spéciale pour forcer le retour au travail des pompiers et des policiers de Montréal, en grève.	Lancement de l'hebdomadaire Québec-Presse, propriété d'une coopérative à laquelle participent les centrales syndicales.	
1970	Total des effectifs synd.: 700,000 (39% de la main-d'oeuvre active)	Grève des postiers. Lutte des «Gars de Lapalme»: 450 camionneurs que le ministère fédéral des Postes refuse de réembaucher. Sainte-Thérèse Grève de 3 mois des 2,300 ouvriers de General Motors. Août Grève des ouvriers de la construction.		Août: Loi no 38 forçant le retour au travail des grévistes du bâtiment. Loi de l'assurance-maladie. Octobre Loi des mesures de guerre. 19 décembre Québec Premier décret imposé aux ouvriers de la construction.	Avril Le Conseil central de Montréal (CSN), ainsi que certains syndicats invitent leurs membres à voter pour le Parti québécois. Printemps: Colloques intersyndicaux sur l'action politique dans 15 régions (5,000 participants). 1er mai Montréal Première manifestation dans la rue organisée par les syndicats à l'occasion de la Fête internationale des travailleurs (4,000 travailleurs). Formation du Parti Communiste du Canada marxiste-léniniste (pro-chinois). Montréal Fondation du Front d'Action politique (FRAP) regroupant les Comités d'action politique ainsi que la CSN, la FTQ et la CEQ de la métropole. Les trois centrales (FTQ, CSN, CEQ) réclament le retrait de la loi des mesures de guerre, conjointement avec le PQ et le NPD.	

	QUÉBEC Organisation ouvrière	QUÉBEC Luttes ouvrières	CANADA Organisation et luttes ouvrières	QUÉBEC et CANADA Législation et politiques gouvernementales	QUÉBEC et CANADA Action politique de la classe ouvrière	USA-MONDE (quelques dates)
1971		Juillet Début du lock-out de 7 mois contre les travailleurs de La Presse. Septembre Grèves des policiers de la Sûreté du Québec et des pompiers de Montréal. Octobre Montréal Grèves: employés de soutien de l'Université de Montréal (FTQ) et des professeurs de l'Université du Québec (CSN). 29 octobre Manifestation de solidarité avec les travailleurs de La Presse: 15,000 travailleurs y participent; répression policière: 1 mort, plusieurs blessés. Novembre Assemblée intersyndicale au Forum (20,000 travailleurs).			Octobre «Manifeste» de la CSN: «Ne comptons que sur nos propres moyens». Décembre Manifeste de la FTQ: «L'État, rouage de notre exploitation.	
1972	Formation du Comité régional intersyndical de Montréal (CRIM). L'UCC devient l'Union des Producteurs agricoles. Juin Scission à la CSN: formation de la Centrale des syndicats démocratiques (CSD) qui rallie 30,000 syndiqués. Septembre Le SFPQ (35,000 membres) se désaffilie de la CSN. Novembre La CEQ devient la Centrale de l'enseignement du Québec.	28 février Montréal Assemblée ouvrière sur le chômage au Forum (12,000 travailleurs). 28 mars Grève générale de 24 heures des travailleurs du Front commun des secteurs public et parapublic (210,000 syndiqués). 11 au 21 avril Grève générale illimitée des travailleurs du Front commun. Mai Vague de grèves de protestation contre l'emprisonnement des 3 présidents de centrales. Plus de 300,000 grévistes. St-Jérôme Occupation de la Regent Knitting.		21 avril Québec «Bill» 19: loi spéciale pour forcer le retour au travail des 210,000 travailleurs du Front commun. 8 mai Condamnation des présidents des trois centrales syndicales à 1 an de prison pour avoir recommandé aux syndiqués de ne pas céder aux injonctions. Condamnations prononcées également contre des dirigeants et des militants de syndicats locaux.	Juin Manifeste de la CEQ: «L'École au service de la classe dominante». Le Conseil Central de Montréal (CSN) et le Syndicat des Métallos (FTQ) appuient l'indépendance nationale du Québec.	
1973	La FTQ décide d'affilier directement les syndiqués se désaffiliant de leur union internationale. Joliette Formation d'un front commun régional intersyndical autour des luttes des travailleurs de Firestone et de Canadian Gypsum. Témiscaming: Tembec Réouverture de l'usine de pâte à papier (fermée par la CIP en 1972) dont les 500 travailleurs sont parmi les copropriétaires. La Fédération des Syndicats du secteur de l'aluminium (9,000 membres) quitte la CSN.	21 mars au 13 janvier 1974 Joliette Grève des 312 ouvriers de Firestone. 7 mai Joliette Grève de 20 mois des 75 ouvriers de Canadian Gypsym. 27 août Montréal Occupation des bureaux du ministère du Travail par 400 grévistes d'une vingtaine d'entreprises exigeant une loi «anti-scabs».		2 février Les 3 présidents des centrales sont emprisonnés après avoir perdu leur cause devant les tribunaux, en appel. Ottawa Loi spéciale cassant la grève des travailleurs du rail.	Formation du groupe En Lutte! (pro-chinois) Formation du Groupe socialiste des Travailleurs du Québec (trotskyste).	

	QUÉBEC Organisation ouvrière	QUÉBEC Luttes ouvrières	CANADA Organisation et luttes ouvrières	QUÉBEC et CANADA Législation et politiques gouvernementales	QUÉBEC et CANADA Action politique de la classe ouvrière	USA-MONDE (quelques dates)
1974	22-23 mars Sommet syndical: 400 dirigeants et militants FTQ, CSN, CEQ, UPA et ACEF, Campagne pour la réouverture des conventions collectives et l'indexation des salaires au coût de la vie. La FTQ obtient du CTC davantage d'autonomie.	7 janvier à l'été 1975 Grève de 21 mois des ouvriers de United Aircraft à Longueuil. 7 août au 19 septembre Grève des 1,600 préposés à l'entretien et aux garages de la CTCUM. Grève des postiers.		Avril Québec Commission d'enquête sur l'industrie de la construction. Québec Loi 201: sur le décret dans le secteur de la construction.	Juin Publication par la CEQ de son document «École et lutte de classes au Québec». Novembre Montréal Élections municipales: le Rassemblement des Citoyens de Montréal (RCM), formé par des militants syndicaux et progressistes et des militants du PQ, obtient 44% des voix et 18 conseillers au Conseil municipal.	
1975	Printemps Front commun CSN-CEQ-FTQ des travailleurs des secteurs public et parapublic (175,000) Décembre Saint-Jérôme Réouverture de l'ancienne filature de Regent Knitting Mills (fermée en 1974), sous le nom de Tricofil.	Grève de 7 mois des travailleurs de l'amiante: lutte sur la santé-sécurité au travail. Grèves tournantes de groupes de fonctionnaires fédéraux. 12 mai 100,000 travailleurs participent à une grève générale de 24 heures par solidarité avec les ouvriers de la United Aircraft.		Juin Québec Loi 52 pour indemniser les victimes d'amiantose et de silicose. Québec Loi 57: loi spéciale pour forcer le retour au travail des employés de la CTCUM. 14 octobre Ottawa Loi C-73 dite «Loi Trudeau» sur le contrôle des salaires par l'État. Loi 64 sur l'application des contrôles au Québec.	1er mai Publication par la CEQ du «Manuel du Premier Mai». Formation de la ligue communiste (marxiste-léniniste) du Canada (prochinois).	
1975-1976		Défi des travailleurs du Front commun à l'endroit des injonctions et des lois-matraques.	Grève de 7 mois des 40,000 membres du Syndicat des travailleurs du papier, cassée par la mise en application de la «Loi Trudeau».			
1976		Juin Grève générale illimitée des travailleurs des Affaires sociales: ils obtiennent au bout de 2 jours une convention collective appréciable. 14 octobre 250,000 travailleurs québécois participent à la grève générale contre l'imposition des contrôles sur les salaires. (Loi C-73). Les travailleurs du Front commun obtiennent des augmentations supérieures à celles autorisées par les lois 64 et C-73.	14 octobre 1,200,000 travailleurs canadiens participent à la grève générale de 24 heures contre la Loi C-73 organisée par le CTC. Les postiers obtiennent des augmentations supérieures à celles autorisées par la Loi C-73.	Décembre Québec Loi 253: loi spéciale sur le maintien des services essentiels dans les hôpitaux en temps de grève. Avril Québec Loi 23: loi spéciale obligeant les travailleurs de l'enseignement à retourner au travail. Août Québec Loi 61: loi spéciale pour forcer le retour au travail de 5,500 infirmiers et infirmières.	Décembre La FTQ accorde son appui au PQ sans toutefois le considérer comme le «parti des travailleurs».